OVIDIO LAGOS

La Pasión
de un Aristócrata

Regina Pacini y Marcelo T. de Alvear

OVIDIO LAGOS

La Pasión de un Aristócrata

Regina Pacini y Marcelo T. de Alvear

EMECÉ EDITORES

Diseño de tapa: *Eduardo Ruiz*
© *Emecé Editores, S.A., 1993.*
Alsina 2062 - Buenos Aires, Argentina.
Primera edición: 3.000 ejemplares.
Impreso en Compañía Impresora Argentina S.A.,
Alsina 2041/49, Buenos Aires, septiembre de 1993.

IMPRESO EN LA ARGENTINA / PRINTED IN ARGENTINA
Queda hecho el depósito que previene la ley 11.723.
I.S.B.N.: 950-04-1304-3
37.094

Para Ana Larravide

AGRADECIMIENTOS

Reconstruir —y, también, interpretar— la vida de Marcelo T. de Alvear y de Regina Pacini implicó la lectura de libros, cartas, documentos, y la imprescindible conversación con aquellos pocos testigos aún con vida que los conocieron. La bibliografía de Marcelo T. de Alvear no es precisamente abundante. Tres libros, sí, contribuyeron a que su vida pudiera ser aprehendida: *Alvear*, de Félix Luna; *Los Alvear*, de Pedro Fernández Lalanne y, por último, *Años y errores*, de Manuel Goldstraj. A Félix Luna y a Pedro Fernández Lalanne (Goldstraj ya ha fallecido) les agradezco su orientación, como también su obra. La extensa conversación con Guillermo D'Andrea Mohr, ex taquígrafo y secretario de Alvear a partir de 1937 hasta su muerte, fue particularmente reveladora —política, humana y domésticamente— para reconstruir los años de elecciones, giras, y, fundamentalmente, la vida cotidiana de Alvear cuando vivía en el Edificio Estrugamou y, por último, en la quinta de Don Torcuato. A él, mi profundo agradecimiento.

Los últimos años de Regina, en Don Torcuato, pude reconstruirlos gracias a la ayuda inapreciable de Francisco Bengolea y su mujer, Delia Gowland Peralta Al-

7

vear, que prácticamente convivieron con ella durante dos años y a quienes les debo su visión —y recuerdos— de Regina. También, a Tomás Vallée mi agradecimiento por aquellas historias de principios de siglo que le transmitieron sus padres y que me permitieron comprender los problemas que debieron atravesar los Alvear en París y en Buenos Aires. A Carlos Fernández y Fernández, mi gratitud por el entusiasmo que demostró, de inicio, por este trabajo, por las grabaciones de Regina Pacini que aún conserva y que pude escuchar y por haber descubierto esa joya, en lo que a anécdotas de Regina se refiere, que es *Callao 1730 y su época*, de Mariano A. de Apellániz.

A partir de la presidencia de Marcelo —es decir, al convertirse éste en una figura política—, Regina optó por estar siempre un paso atrás, como si hubiera preferido las sombras. De conducta intachable, prefirió alejarse de roles protagónicos. Esa actitud y su modestia hicieron difícil la investigación: los que la conocieron durante la presidencia de Alvear ya no viven; los que la recuerdan de épocas posteriores albergan apenas algunas anécdotas reveladoras, pero insuficientes. Por eso, preferí describir en términos ficcionales lo que creo debió sentir en determinadas circunstancias, una licencia que puede contribuir a un mejor entendimiento del personaje.

También debo mencionar a Francisco Carcavallo, hijo de Pascual —íntimo amigo de Alvear—, quien revivió los días en el piso de la calle Esmeralda y las anécdotas que le contaba su padre. Lo mismo a Berta Singerman y a sus recuerdos de un viaje en el *Cap Arcona* con Marcelo y Regina; a la señora Caritina Estrada y las evocaciones de su adolescencia, y a Andrés Amil, por su conocimiento político de Alvear. Mi agradecimiento a Iris Marga y a la licenciada Nora Bardi —a cargo del salón con los objetos de Regina en la Casa del Teatro— por haberme facilitado documentos, fotografías y, también, su tiempo.

Las cartas de Marcelo a su hermano, Carlos Torcuato, me fueron facilitadas por el comodoro Carlos Torcuato de Alvear, recientemente fallecido, y agradezco a su mujer, Celia Gazari, los recuerdos de la familia Alvear que le transmitió su marido y ella a mí. Al doctor Arturo Goldstraj, el haberme facilitado una suerte de incunable, *El camino del exilio*, escrito por su tío, Manuel Goldstraj, que relata el encarcelamiento y la deportación de Alvear durante la década del 30.

Mi agradecimiento, también, al arquitecto Jorge Norman Bianchi, que en Londres investigó en los archivos del Covent Garden sobre las actuaciones de Regina. A Pilar Álvarez, que me facilitó su abundante bibliografía sobre el radicalismo, y a Ernesto Bunge, que me abrió las puertas del mundo de su abuelo, Ángel Gallardo.

A Ricardo Turró, sus conocimientos musicales y las grabaciones de Regina.

Por último, agradezco al personal de la Biblioteca Nacional su desinteresada colaboración y sus conocimientos.

O.L.

UNO

LA ESTRELLA DE LISBOA

Lisboa, en 1871, era una ciudad provinciana. Su arquitectura igualaba, en estilo y esplendor, a cualquier capital europea: reconstruida después del terremoto de 1755, era un muestrario de palacios y edificaciones portuguesas, con agregados manuelinos y neoclásicos, lo cual le confería una inequívoca grandiosidad. Y, como toda la Europa finisecular, tenía su familia real, compuesta por previsibles combinaciones dinásticas: Braganza, Coburgo, Hohenzollern, Saboya y Orleans. Sin duda, un impecable conjunto sanguíneo, con la misma sonoridad e irrelevancia política y económica de los principados alemanes, a excepción, claro está, de Prusia. Pero el rey Luis I y la reina María Pía vivían en el Palacio de Ajuda y la corte se sometía a las mismas reglas de etiqueta de Buckingham o de Schoenbrunn. Bastaba mirar en un mapa las posesiones ultramarinas de Portugal para creer que se trataba de un imperio: Angola, Mozambique, Guinea o Macao, evocaban, en realidad, pasados esplendores más que un actual poderío.

Lisboa era provinciana por estar apartada, no sólo geográficamente, del resto de Europa. París era el epicentro de la cultura y pocas ciudades podían resistirse a su influencia. La Ciudad Luz atrapaba, precisamente por su incandescencia, a intelectuales y artistas que desparramaban esa cultura por el mundo. ¿Qué podía hacer Lisboa? A lo sumo, copiar las costumbres. Se decían palabras en francés, se comía según las pautas de Carême, se asistía al Teatro Real de San Carlos, para deleitarse con alguna *prima donna* consagrada en la Ópera de París. Pero Lisboa no generaba cultura.

Tampoco su imperio colonial podía compararse al británico, que regía económicamente al mundo. Así como Londres transformaba en bienes de consumo las materias primas que provenían de sus colonias, Lisboa se limitaba a administrar burocráticamente sus dominios de ultramar, sin la imprescindible revolución industrial británica. Portugal, en términos económicos, seguía siendo un pueblo de pastores y de pescadores. Ni tampoco Lisboa era Berlín. Lejos estaba de un colosal proceso armamentista que colocaría a Alemania —ya reunificada— entre las principales potencias bélicas. Un dato revelador de lo pequeña que era la ciudad lo ofrece el *Roteiro das ruas de Lisboa*, publicado en 1875: tenía sólo diecisiete hoteles.

Era irremediablemente provinciana, con los ojos puestos hacia afuera, como si quisiera captar la mínima expresión cultural para no quedar relegada en sus propios meridianos geográficos, allí donde el río Tajo desemboca en el Océano Atlántico, ya sin un príncipe como Enrique el Navegante, sin las carabelas, sin aquellos hombres —como Vasco da Gama— que descubrieron y conquistaron mundos. Y a principios de 1871, los lisboetas sólo hablaban de ese único mundo, que para ellos era París, pero esta vez en términos sombríos: en el Chiado, en el restaurante Silva, en la confitería Baltresqui, en el Jockey Club, en el Tiro de Pichón, se traducía la afrenta y el espanto provocados por el incendio de las Tullerías, por la ocupación prusiana, por la pérdida de la Alsacia y de la Lorena.

El 6 de enero de 1871 nació en Lisboa Regina Isabel Luisa Pacini; el primer nombre se le dio en homenaje al día de Reyes. Fue de noche y en el tercer piso de una casa en la rua do Loreto, a pocos metros de la esquina con la rua da Emenda y frente a la farmacia Barreto. Era aquel el sector de la ciudad donde se desarrollaba casi toda la vida comercial e intelectual, próximo a la plaza Luiz de Camoëns y al Chiado. Esa noche, en el primer piso de aquella misma casa de la rua do Loreto, María Adelaida, actriz del teatro Gymnasio, daba una de sus habituales fiestas, que eran célebres en Lisboa. Cuando no tenía función, irrumpían actrices y actores, jóvenes aristócratas, periodistas, escritores y autores dramáticos, lo que para la sociedad de la época representaba la más absoluta "bohemia". Uno de los asistentes fue el escritor Gervasio Lobato, a quien le debemos su valioso testimonio.[1]

¿Por qué eran célebres las fiestas de María Adelaida? Quizá porque lograban reunir a una rara constelación de celebridades y porque terminaban al amanecer. Se recitaban poesías, se bailaba, se cantaban *fados corridos* y música de Meyerbeer, se cenaba a la luz de las velas, deslizando algún comensal el último escándalo de Lisboa o de París. Y precisamente ese espíritu provinciano característico de Lisboa permitía climas espontáneos, opuestos a los que imperaban en Londres —asfixiantemente victorianos—, o en París, donde la sofisticación intelectual y mundana sofocaba cualquier espontaneidad. Eça de Queiroz, el corrosivo narrador de las cos-

[1] *Homenagem a Regina Pacini*

tumbres portuguesas, lo define certeramente en su novela *Los Maias*: "En Europa, el hombre refinado no ríe: sólo en Lisboa existe la panzada de risa". Esa noche en la que transcurría una típica velada portuguesa, la sirvienta de María Adelaida susurró al oído de su ama que la vecina del tercer piso había dado a luz una niña.

Regina Pacini —que de ella, naturalmente, se trataba— era hija de Pietro Giorgi Pacini y de Felicia Quintero. Se han tejido todo tipo de leyendas sobre el origen de los Pacini, lo cual era previsible desde que uno de sus miembros, inesperadamente, se convertía en la mujer de un presidente argentino. El diario *La Nación*, el 14 de noviembre de 1922 (apenas Marcelo T. de Alvear asume la presidencia), publica *El abolengo de la familia Pacini, algunos interesantes y poco conocidos datos*. Es notable el empecinamiento por buscarle blasones a una primera dama extranjera: "La familia Pacini de origen florentino es recordada desde el siglo XIV, precisamente por la batalla de Cascina, librada el 2 de mayo de 1364, en la cual un Pacini di Andrea, aquel que dio el apellido a la posteridad, se encontraba con Messere Mauro Donati, entre los así dichos 'Feditori'. Esta batalla fue vencida por los florentinos contra los pisanos, de los cuales muchos fueron hechos prisioneros".

Pietro Giorgi Pacini, padre de Regina, hijo de Gaetano Giorgi y de Giuseppina Pacini, adoptó de su madre el apellido que luego llevaría su hija. Si bien se lo asoció a la nobleza romana, pertenecía a la pequeña burguesía y el único blasón de su familia lo exhibía su tío Giovanni Pacini, hermano de su madre. Y no se trataba precisamente de heráldica, en aquel mundo donde los títulos nobiliarios eran el bien más preciado, por encima incluso del dinero. Su blasón fue la música.

Giovanni Pacini fue un compositor que no figuró en

la implacable selección de la posteridad, a pesar de haber compuesto noventa óperas, además de oratorios, cantatas y misas. A diferencia de Bellini, su amigo, nadie lo recuerda. Nació en Catania en 1796, hijo de un famoso tenor, y a los 17 años su precocidad y talento le permitieron presentar su primera ópera en Milán; luego, fue Maestro de Capilla de María Luisa de Austria, viuda de Napoleón I y terminó sus días enseñando en una escuela de música que había fundado, en Viareggio, luego trasladada a Lucca. Esta trayectoria poco deslumbrante, y casi habitual en tantos músicos olvidados, contrasta con su prolífica producción; basta repasar algunas de sus obras, inevitablemente épicas, para preguntarse por qué ninguna de sus óperas ha sido rescatada del olvido. *La sacerdotesa d'Irminsul, Medea, La gioventù di Enrico V* y la que más trascendió, *Saffo,* son claros ejemplos neoclásicos y hay que lamentar su entierro definitivo.

El padre de Regina, Pietro Giorgi Pacini, o Pietro Pacini como será denominado de ahora en más, llevaba la música en la sangre. Comenzó su carrera como barítono en 1850 en un teatro de Ancona, y aunque algunas crónicas[2] sugieren que existió un conflicto con su padre por elegir una carrera artística, los hechos parecen indicar que la hipótesis de un enfrentamiento entre padre e hijo no tiene asidero. ¿Por qué había de oponerse Gaetano Giorgi a que el joven Pietro cantara? ¿Acaso no se había casado con la hermana de Giovanni Pacini? En esa familia, además, existían otros parientes músicos: Luis Pacini, abuelo de Regina, compositor y cantante de la Scala de Milán, padre del olvidado Giovanni; Antonio Pacini, también compositor, que vivió

---

[2] Gastón Federico Tobal: *De un cercano pasado*

en París desde 1804, e hizo representar obras suyas. Como es fácil apreciar, el elegir la carrera de cantante difícilmente podría haber creado enfrentamientos familiares.

Pietro Pacini, después de su debut en Ancona, buscó otros horizontes. Durante su actuación en Cádiz, conoció a Felicia Quintero, una andaluza —y gaditana— de piel clara y pelo castaño, con quien terminó casándose. Pero también había terminado su carrera de barítono; de lo contrario, no se explica que haya llegado hasta Lisboa —una ciudad ajena a él y a su mujer— para fijar allí su residencia definitiva. Pietro había conseguido, finalmente, un trabajo estable en la capital lusitana, como director escénico del Teatro Real de San Carlos.

Regina era la hija menor; con sus dos hermanos, José y Constanza, vivió durante su infancia en la rua do Loreto. Fue bautizada en la iglesia de Nuestra Señora de Loreto y educada dentro de un estricto catolicismo, lo cual no era de extrañar: Felicia Quintero, su madre, como buena española, jamás se había apartado de los preceptos cristianos, que echarían raíces en la vida de su hija. A los cinco años, Regina ya era habitué del Teatro San Carlos: correteaba por el escenario, se instalaba en el desmesurado palco real para presenciar los ensayos, mientras su padre trabajaba como director escénico; entraba en los camarines para jugar con alguna *prima donna*. "Había heredado de su madre la gracia, la desenvoltura y el desenfado español, como también la intuición artística y la vocación musical de los italianos."[3]

Sabemos por Gervasio Lobato cómo transcurrió la infancia de Regina en el Teatro San Carlos. Fue una

---

[3] Gervasio Lobato, obra citada

espectadora privilegiada, desde el punto de vista musical y, en particular, operístico. Más de un melómano hubiera dado su vida para asistir a un ensayo de la célebre Adelina Patti o de Emma Nevada; Regina podía darse el lujo no sólo de contemplarlas, sin público, como si en su fantasía le pertenecieran; también de sentarse en el regazo de aquellas divas legendarias, y grabar en su memoria los prodigios vocales de algunas arias. Cuando terminaba un ensayo y el escenario quedaba vacío, la niña reproducía los *rondós* de *Lucía de Lammermoor* y de *La Sonámbula* para un público imaginario. Acaso creía ser Adelina Patti, que había hecho su primera aparición en Nueva York, a los siete años, y se había transformado en la diosa del Covent Garden y de la Ópera de París. En sus juegos de niña, Regina imaginaba la orquesta, el público cautivado, el rey Luis y la reina María Pía en el palco real, las arias que había incorporado para siempre y, posiblemente su padre, ese eterno habitante del teatro, inviernos y veranos, que le daba seguridad. Y, por fin, los aplausos. Las ovaciones. Regina recibe un ramo de flores que le entrega el príncipe Carlos de Braganza; saluda a tres señoras en un palco —Adelina Patti, Emma Nevada y Nellie Melba, las tres grandes del *bel canto*— que ya la consideran una colega. No se cansa de saludar y, una y otra vez, accede a los reclamos de su público. Todas ésas, seguramente, fueron sus fantasías.

En 1883, cuando Regina tenía doce años, falleció su padre. Dejó de ir al Teatro San Carlos.

Es curiosa la definición que de él da Gervasio Lobato:[4] "El padre de Regina era el pobre Pietro Pacini, ese buen artista italiano, que sabía tanto de su arte, y que

---

[4] Obra citada

tanto tiempo vivió en Lisboa soñando fantasías teatrales, planeando emprendimientos maravillosos, y que por fin murió pobre, cansado, sin haber alcanzado nunca su ideal". La vida de Pietro había sido exactamente eso, un estéril deambular en busca del éxito y del prestigio: dejó su ciudad, Roma, y su país; se casó con una española y terminó sus días en Portugal, dejando a su viuda y a tres hijos sin un centavo. Probablemente, aspiraba a concretar puestas en escena imposibles, a representar óperas complejas, pero consumió su vida resolviendo los problemas técnicos cotidianos. Ese fracaso y la precaria situación económica después de la muerte de su padre, deben de haber influido en Regina, como también en Felicia Quintero. No es casual su consagración como diva, ni el hecho de que José Pacini —el hijo varón de Pietro— se convirtiera con el tiempo en empresario del Teatro Real.

Pero aún faltaban varios años para esa consagración. Felicia Quintero, con una magra pensión, tenía que sobrevivir y educar a sus tres hijos. Fueron épocas de estrechez económica y, sin duda, las motivaciones para que más de medio siglo después, en 1938, Regina inaugurara, en Buenos Aires, la Casa del Teatro, para que ningún artista sin recursos careciera de vivienda y atención. Pero eso no impidió que los Pacini vivieran la vida mundana de Lisboa: la familia era vista todos los días en los paseos, en la Avenida, en los teatros. Regina, Felicia, su hermana Constanza y José —o Pepe— eran conocidos por ese grupo que frecuentaba el San Carlos, por los críticos, por los periodistas.

Lisboa, en la década del 80, se había insertado en la *belle époque*. La ciudad había abandonado la moda impuesta por el rey João VI, a principios del siglo pasado, y los barrios de San Vicente y Catedral exhibían pala-

18

cios decadentes, con enormes blasones en las paredes agrietadas. La actividad se había mudado al centro. ¿Y cómo era un día en Lisboa, para la nobleza y la alta burguesía? Por la mañana, se caminaba en el Chiado, un inevitable punto de encuentro para enterarse de lo que sucedía; si bien la lectura del *Diario de Noticias*, del *Fígaro* y de la *Revista de Dos Mundos* era casi obligatoria, sólo el Chiado ofrecía la primicia. El almuerzo, naturalmente, era a la francesa. Eça de Queiroz, en *Los Maias*, describe a la perfección el estilo al cual eran devotos algunos portugueses, al detallar el comedor de uno de los personajes, la condesa de Gouveia: "Era sombrío, las paredes forradas en un género color del vino, oscurecido aun por dos cuadros de paisajes tristones, la mesa ovalada rodeada de sillas de roble labrado y sólo resaltaba un espléndido cesto de rosas entre dos candelabros dorados". El menú, por otra parte, no podía sino estar a la altura de las circunstancias: *potage* acompañado por vino *sauternes*, *jambon aux épinards*, *galantine* y champagne.

Algunas tardes, se iba al hipódromo, definido por los habitantes de Lisboa con una palabra nueva y de moda: *chic*. Estaba ubicado en un lugar deslumbrante, asomándose a la barra del puerto, lo que permitía ver entrar los barcos por el río Tajo. Y luego, el regreso en landós, *phaetons* y *dog-carts*, a tiempo para prepararse para asistir a uno de los cuatro salones donde se recibía "a todo el mundo con liberalidad", fuera quien fuese, excluyéndose a los políticos, por considerarse indecorosos entre personas de buen gusto y, además, porque a las señoras les daba náuseas.[5] Aquellos que no habían sido invitados siempre podían asistir a los conciertos y

---

[5] Eça de Queiroz, obra citada

espectáculos en el Price, o recorrer los cafés y los lugares públicos, donde abundaban las *Conchas* y las *Lolas* andaluzas. O, también, al teatro, como el Gymnasio, cuyo telón estaba cubierto de avisos. En ese reducido mundo, se podía encontrar al duque de Palmella, al conde de Pombeiro, al marqués de Castello-Melhor o a la condesa de Sampaio, títulos acaso sonoros, pero sin el prestigio de un duque de Malborough o de la Rochefoucauld.

La familia real portuguesa, mientras tanto, ignorando los gastos excesivos de la Corona y la deuda que ésta tenía con el Estado, recorría los distintos palacios reales de acuerdo con la época del año.

Esta casa real —una de las tantas que abundaban en Europa— si bien carecía del fausto, del inmenso prestigio de la monarquía británica o la austrohúngara, nada tenía que envidiarles en cuestiones de sangre y de siglos de historia. Vivía según las costumbres cortesanas finiseculares. Repuesta de la muerte de Pedro V, en 1861, víctima de la epidemia de cólera que asoló a Lisboa, había incorporado a una princesa francesa a su dinastía. En efecto, el príncipe heredero, Carlos de Braganza, se había casado con Amelia de Orleans, nieta del rey Luis Felipe de Francia, destronado durante las convulsiones políticas que sacudieron a Europa en 1848. Amelia, dato que puede considerarse insólito en una familia real, era doctora en medicina. A lo largo de los años mantendría una ininterrumpida amistad con Regina Pacini. Pero, a mediados de la década del 80, los movimientos republicanos y los atentados anarquistas estaban lejos; el rey Luis I y la reina María Pía —hija del monarca italiano— pasaban el invierno en el palacio de Villaviciosa, los veranos en el palacio da Vila, en

Sintra y, en Lisboa, habitaban el deslumbrante palacio de Ajuda.

Los políticos intrigaban no para derrocar a la monarquía, pero sí para producir crisis de gabinete, quizás ajenos al incipiente republicanismo que se desparramaba por el país y a la pobreza de ese imperio decadente. "Portugal es un país que todos dicen que es rico, habitado por gente que todos saben que es pobre." La frase es, naturalmente, de Eça de Queiroz, que captó como nadie el espíritu y los problemas de su época, y del cual Regina Pacini sería una devota lectora. Pero el novelista, en *Los Maias*, va aún más allá, al poner su propio pensamiento en boca de uno de sus personajes: "No vale la pena, señor Alfonso de Maia. En este país, en medio de esta prodigiosa imbecilidad nacional, el hombre de sentido y de juicio debe limitarse a plantar con cuidado sus legumbres. Lo único que hay que hacer en Portugal es plantar legumbres, mientras no estalla una revolución que haga salir a la superficie alguno de los elementos originales, fuertes, vivos, que puedan aún esconderse allá en el fondo". Habría que esperar hasta 1910 para la proclamación de la república, que significó el fin de la monarquía lusitana.

También estaba el pueblo. No los escasos industriales y comerciantes de Lisboa o de Oporto (una rivalidad sólo comparable a la existente entre Austria y Hungría), sino la inmensa mayoría de campesinos y pescadores, para quienes el tiempo parecía no haber transcurrido: vivían en condiciones similares a las de los siglos pasados, sin la mínima posibilidad de progresar. En 1880, era común ver en las calles de Lisboa a las *varinas*, esas pescadoras que ofrecían sus productos del mar.

Claro que no toda Lisboa participaba de la *belle épo-*

que. La pequeña burguesía era fiel a las tradiciones; su alimento persistente era el *cosido*, un puchero que también se acompañaba con arroz y, a diferencia de los ricos, no veraneaban en Sintra, donde era imperativo tener o alquilar una casa.

Desde la muerte de Pietro Pacini, la situación económica de su familia se había agravado. En primer lugar, se mudaron a una casa más chica, en la rua nova da Trindade, a pocas cuadras de su lugar de nacimiento, y posiblemente pertenecía a ese grupo numeroso de portugueses fieles a la tradición, es decir, al *cosido* diario. Es en esa época cuando Regina toma su primera decisión: cantar. Una versión señala que, siendo niña, fue a un circo en Lisboa y quedó maravillada con un hombre que imitaba el canto de los pájaros. De regreso a su casa, Regina hizo lo mismo, con su prodigiosa voz y, ante semejante descubrimiento, su madre decidió que debía cantar. La realidad, sin embargo, era a todas luces otra. Había cantado desde los cinco años, cuando acompañaba a su padre, durante días enteros en el Teatro San Carlos, imitando a las grandes del *bel canto* en ciertas arias, lo cual lleva a concluir que no necesitaba escuchar trinos en un circo para decidirse a estudiar canto.

Si Regina tomó esa decisión, se debió fundamentalmente a dos factores: su pasión por la música y la ópera, y el apoyo de su madre. Para esa adolescente de trece años, la muerte de su padre no sólo implicó el fin de un vínculo vivo y cotidiano, sino también el alejamiento del escenario único y mágico del Teatro San Carlos, donde se convertía en Lucía, o en Amina, y donde tenía todo un mundo imaginario a sus pies. Era, también, el fin de una ilusión. La sangre Pacini y ese escenario perdido fueron dos poderosos moto-

22

res que la impulsaron a tomar una decisión que podría cambiar su vida. Para Felicia Quintero, su madre, fue más complejo. El arte —al menos como a ella le tocó vivirlo— había sido la ruina de su marido. ¿Cómo apoyar entonces a su hija para que emprendiera el mismo camino de Pietro Pacini? ¿Cuántos fracasos, frustraciones, podían esperarle? Conocía a los artistas —y conocía también el final de muchos de ellos. Pero, ¿cómo cerrarle a Regina las puertas de ese mundo? Como madre, debió debatirse entre los sentimientos y el sentido común. Sin embargo, prevaleció lo primero: hubiera sido particularmente duro disuadirla de cantar y, quizás, esa niña, después de todo, no estaría condenada al infortunio.

El primer problema que hubo que enfrentar fue la falta de dinero para pagar las clases de canto. Pero nadie vinculado a la música y que hubiera conocido a Pietro Pacini podía dejar de tenderles una mano; y así fue como el maestro Napoleón Vilani se avino a enseñarle gratuitamente, a la única hora de que disponía, es decir, a las once de la noche. Durante tres años, Regina asistió puntualmente a las clases, acompañada por su madre o por la única sirvienta que tenían en la casa. Su voz y su registro de soprano ligera, ya no volaban por el escenario vacío del Teatro San Carlos: los ejercicios le enseñaron a frasear, a respirar, a lograr una emisión clara, a vocalizar nítidamente. Maestro y alumna trabajaron con absoluto rigor durante aquellas noches, sin pausa, y, progresivamente, fueron puliendo las arias de *La sonámbula*, de *Lucía de Lammermoor*, dándoles el sentimiento y la técnica necesarios.

23

En 1887, se produjo el primer misterio en la vida de Regina Pacini. La noticia había corrido rápidamente por Lisboa; en el foyer del Teatro San Carlos, en el Chiado, en el restaurante Silva —un punto obligado para cenar después de haber asistido a una ópera— la gente no salía de su asombro: la menor de las Pacini —Regina— iba a debutar en el Covent Garden de Londres. Algunos lo consideraron una suerte de afrenta, en suma, un hecho imposible, absurdo: era una desconocida y apenas tenía dieciséis años; para otros, en cambio, tenía una voz y un talento extraordinarios. Lo cierto es que viajó a Londres, pero no debutó. Regina guardó un absoluto silencio, a lo largo de su vida, con respecto a ese frustrado debut.

Como es de suponer, existen varias versiones acerca de ese acontecimiento. Pero antes de adentrarse en los verdaderos motivos, convendría detenerse en un hecho intrínsecamente llamativo: una joven de dieciséis años, con sólo tres años de lecciones de canto, sin haber pisado jamás un escenario, sin haber ensayado ni una sola vez con una orquesta, es llevada a Londres para debutar nada menos que en el Covent Garden.

Regina, en 1887, era una adolescente físicamente poco atractiva, de pelo y ojos negros y vivaces, con una nariz algo aguileña que no la favorecía, pero dotada, sí, de una voz prodigiosa, aunque sin experiencia profesional. Para lanzarse a semejante aventura, interrumpir sus estudios en el colegio religioso al cual asistía —Nossa Senhora de Loreto—, no bastaba solamente su tenaz voluntad; era necesario, además, que su madre, Felicia, estuviera de acuerdo, que fuese el motor oculto de esa posibilidad única. Y, también, el entusiasmo juvenil de sus hermanos, José y Constanza, capaz de disipar las dudas, los riesgos, el compromiso que asumía doña Felicia, que tan mal había vivido a costa del arte. Pero si se tiene en cuenta que la madre de Regina, una vez que se afianzó su carrera de cantante, se transformó en su *manager* y no dejó de acompañarla en una sola de sus giras, es innegable que esta mujer, a pesar del sentido común y de la experiencia, ambicionaba revertir el fracaso profesional de su marido.

En 1887, estaban en Lisboa Marino Mancinelli, hermano del célebre Luigi, ambos directores de orquesta, y un importante barítono, Cotogni, cumpliendo actuaciones en el Teatro San Carlos. Es probable que hayan conocido a Pietro Pacini, padre de Regina, pero alguien llevó a esta última para que la escucharan cantar. Lisboa era una ciudad musicalmente pequeña: los músicos, los profesores de canto, los empresarios teatrales se conocían entre sí, lo cual hacía accesible una aproximación a Mancinelli y Cotogni. Si Regina o su madre pensaron en ellos como puerta de entrada para una carrera lírica; si el empresario del teatro San Carlos, Valdez, o si el maestro de canto, Napoleón Vilani, sugirieron que la adolescente fuera escuchada, son detalles que carecen de importancia. En todo caso, tanto Regina como Felicia demostraron poseer un olfato innato para ponerse en marcha y recurrir a quienes verdaderamente podían ayudarlas. Y si se incluye a su madre como a uno de los sostenes de esta iniciativa, es simplemente porque una adolescente de dieciséis años no posee la fuerza necesaria para imponerse y enfrentar al mundo.

La casa de la rua nova da Trindade, donde vivían los Pacini, debe de haberse agitado considerablemente ante el mero hecho de que Regina iba a ser escuchada por Cotogni y Mancinelli. Era una durísima prueba de fuego. Y, más allá del entusiasmo juvenil, del sentido de omnipotencia, de las ilusiones, ésta debe de haber temido que, si fracasaba, sus proyectos podían correr peligro. Era una oportunidad única: dos figuras prominentes vinculadas a la ópera se avenían —posiblemente por compromiso, o en memoria de una vieja amistad con Pietro Pacini— a escuchar a una joven cantante, con sólo tres años de clases nocturnas. Esos hombres conocían a la Patti, a la Melba, a la Nevada, deidades inaccesibles, y ahora ella acaso podría entrar en ese firmamento.

La audición se llevó a cabo en el Teatro San Carlos, con el maestro Milani al piano.

Regina pisó nuevamente aquel escenario que había sido el espacio de sus juegos infantiles. Y con el ímpetu, el ardor de sus dieciséis años, sabiendo que su futuro estaba en juego, comenzó a cantar. No sabemos, a ciencia cierta, qué arias interpretó, aunque puede presumirse que incluyó algunas de *La sonámbula* y de *Lucía de Lammermoor*, que con el tiempo fueron sus óperas favoritas. Mancinelli y Cotogni, sin duda, esperaban encontrarse con una neófita, como les habrá sucedido más de una vez; pondrían caras de circunstancia, dirían algunas mentiras piadosas para no decepcionar a la aspirante, y le recomendarían que siguiera con los estudios y las clases de canto. Sin embargo, sucedió lo contrario. Quedaron estupefactos. Regina poseía aún una voz infantil, pero con una rara pureza de timbre, espontánea y de extraordinaria extensión, afinada, con facilidad para vocalizar, lo cual revelaba estudios depurados. También tenía intuición artística, y la expresión y el sentimiento delicado del canto.

El resultado de esa audición fue el viaje a Londres. ¿Por qué a esa ciudad? Por un solo motivo: Luigi Mancinelli, hermano de Marino, dirigía la orquesta del

Covent Garden, y con seguridad le hablaron de ese prodigio a quien había que darle una oportunidad. La noticia del debut de Regina en Inglaterra se publicó en los diarios de Lisboa —algo apresuradamente— y corrió como reguero de pólvora. Quizá debió haber guardado silencio, ya que viajó a Londres no para actuar en una ópera determinada, con un contrato firmado —lo cual era casi imposible: ningún empresario teatral se arriesgaría a firmar un documento contractual con una cantante sin trayectoria, desconocida y de sólo dieciséis años de edad—, sino simplemente para tantear una oportunidad. Las razones de esa frustración, ya que no pudo debutar en el Covent Garden, son dispares.

La más común —y simplista— es que Nellie Melba, la diva australiana (a quien un chef le dedicó la célebre *Copa Melba*), que actuaba en ese teatro, se negó a subir al escenario si en el mismo estaba "esa niña portuguesa". Semejante imposición hubiera implicado, de antemano, una aceptación de Regina por parte del empresario del Covent Garden, lo cual a todas luces es improbable. Quienes sostienen esta teoría[6] omiten especificar en cuál ópera iba a debutar y en qué papel; por otra parte, es inimaginable aceptar que Regina se iniciaría como *prima donna* en *La Sonámbula*, nada menos que en Londres, como se ha sugerido en alguna oportunidad. Sería desconocer las reglas de esa profesión. Otra de las versiones que circulaba en Lisboa —la de las malas lenguas— deslizaba que el empresario londinense que la escuchó cantar creyó que, si le daba un papel, el público rompería el teatro. Más creíble es la hipótesis publicada algunos meses después, en *Noticias da Noite* de Lisboa. Regina viajó efectivamente a

---

[6] Gastón Federico Tobal: *De un cercano pasado.*

Londres con la intención de *proponerle* al empresario del teatro cantar *La Sonámbula*, de Bellini; pero ya la había cantado hacía poco la Bussel en ese escenario y la idea fue desechada. Ésa fue, claro, la explicación formal. Quedaba otra oportunidad, y esta vez era concreta: cantar en el papel de Zerlina, en *Don Giovanni*, de Mozart, siempre que Cotogni llegara a tiempo para actuar en esa ópera, lo que no sucedió. Regina se debatió —como Zerlina— en el *vorrei e non vorrei* mozartiano; la posibilidad de debutar hubiera sido en condiciones temerarias; sola, sin Cotogni como apoyo, en un teatro desconocido, en una ciudad extraña. Según el periódico, "desistió de debutar, volvió triste a Lisboa, guardando en silencio su deseo de que la tierra que la vio nacer le diese, también, el bautismo de su arte".

Los días que pasó en Londres —posiblemente financiados por Marino Mancinelli y por Cotogni— deben de haber marcado a Regina. Era su primer viaje al exterior, a un país cuyo idioma no entendía, intentando debutar en un teatro que figuraba entre los primeros del mundo. Las esperanzas, las ilusiones, la buscada oportunidad se esfumaban, y el desánimo debe de haber cundido entre estas dos mujeres. No tenían amigos en esa ciudad y, probablemente, sólo se relacionaron con el empresario del Covent Garden.

El regreso de Regina y su madre a Lisboa debe de haber sido particularmente humillante, al menos para la debutante frustrada. Felicia podía refugiarse en una constante de su vida matrimonial: la ingratitud, la incertidumbre de las carreras vinculadas con el arte. La historia parecía repetirse y, según testimonios, se opuso a que su hija continuara cantando. No podía culpársela. Hacia 1887, eran pocos los artistas que ganaban grandes cantidades de dinero, salvo algunos cantantes y divas que se podían contar con los dedos de la mano. Pintores, escultores o escritores, podían apenas sobrevivir con su arte, y recién habría que esperar hasta entrado el siglo XX, con su maquinaria publicitaria, para que las actuaciones, o las obras, alcanzaran cifras millonarias. Regina, en cambio, tuvo que enfrentar a la gente de Lisboa apenas regresó de Londres; eran inevitables los encuentros en la Avenida, en los paseos, en los teatros, y sin duda la habrán acosado a preguntas que, sistemáticamente, se negó a responder. Pero ese primer fracaso no la amedrentó. Estaba decidida a cantar y sólo debía esperar una nueva oportunidad.

Es aquí cuando esta adolescente decepcionada, pero que creía en su talento, muestra toda su fuerza. Londres le había negado la posibilidad de debutar, y acaso entendió que el proyecto fue desmesurado, quimérico. Pero *había* estado en el Covent Garden discutiendo un presunto debut con el empresario. Ésa era una realidad que ninguna cantante portuguesa podía exhibir. Si la criticaban en Lisboa, o se reían de ella, poco importaba; se aferró a esa experiencia y decidió que si en Inglaterra no había podido cantar *La Sonámbula*, la cantaría en el Teatro Real de San Carlos, en Lisboa. Esa decisión fue de Regina, y Felicia nada pudo hacer para impedirla; pero, sin duda, contó con el apoyo de su hermana mayor, Constanza, como también de José, que pocos años después ya era empresario del San Carlos.

En aquellos días de noviembre de 1887, las tensiones iban en aumento en el hogar de los Pacini, en la rua nova da Trindade. Felicia había descubierto en su hija una voluntad inquebrantable: el poder irresistible del arte, de un escenario, ejercían sobre ella la misma atracción de la cual había sido víctima Pietro Pacini. La frustración vivida en Londres no la había disuadido de continuar con la carrera de las tablas; por el contrario, Regina se empecinaba en su vocación y apuntaba nada menos que a un debut en el San Carlos, teatro que había acabado con los sueños de Pacini. Y se movió con celeridad, como si ese *momentum* —finalmente, estaba en boca de toda la Lisboa artística y mundana— fuese irrepetible. Hizo jugar ante Valdez un hecho concreto, indiscutible, que sólo ella podía esgrimir entre todas las aspirantes a *prima donna* que albergaba ese teatro: haber estado, aunque más no sea para discutir la posibilidad de un debut, en el Covent Garden. Valdez cedió ante esa adolescente hija de un hombre con quien no solamente había trabajado, sino al que, también, había estimado; después de todo, Regina tenía una voz sublime. Pero previamente tendría que pasar por una suerte de examen.

La primera prueba a que fue sometida, fue una audición con Pontecchi, músico del San Carlos, que resultó satisfactoria. Luego, un ensayo con orquesta —sólo uno. Debe de haber sido conmovedor, para Regina, tener a la totalidad de los músicos del teatro literalmente a sus pies, en el foso, acometiendo aquellas arias conmovedoras; supo cantar acompañada por la orquesta —lo cual no es una virtud fácil— y aceptó algunos consejos de Marino Mancinelli. Y, por fin, Valdez dio su veredicto: le daría la oportunidad de cantar el papel de Amina —el principal— de *La Sonámbula* y, quince días después, el de Lucía, en *Lucía de Lammermoor*, de Donizetti. El debut se fijó para el 5 de enero de 1888.

Debemos aceptar que Felicia no pudo estar ajena, como madre, en estos días definitorios para su hija. Si bien había mostrado una notoria ambivalencia con respecto a la carrera de las tablas no menos cierto es que esa actitud tenía, como ya hemos visto, sus fundamentos. Habría que agregar, sin embargo, una motivación más. Como católica, abominaba del "estilo divas del *bel canto*", que, en aquellos años, era encarnado por Adelina Patti y Nellie Melba. Los divorcios y los escándalos de la primera y los romances reales de esta última, eran demasiado para su educación pequeñoburguesa y sus principios cristianos. No era la clase de mujer que proyectaba en su hija sus propias frustraciones, aspirando a que fuera rica y célebre, aunque tuviera que dejar los escrúpulos por el camino. ¿Cómo conciliar entonces, en Regina, la educación que había recibido con un futuro posiblemente deslumbrante, tentada por príncipes, por el dinero, por la fama? Pero tampoco podía oponerse a esa vocación.

Fue en esa época cuando Felicia, angustiada, temiendo por el futuro de su hija, recurrió a un sacerdote italiano que ya vivía en Lisboa cuando bautizaron a Regina, y amigo de su marido. Próspero Peragallo habitaba una mísera estancia junto a la iglesia de Nuestra Señora de Loreto, en el Largo das duas Egrejas. Hasta allí fueron madre e hija, antes del debut, a transmitirle las dudas de sus conciencias. Escuchó cómo Felicia le abría su corazón. Su respuesta aún la recordaba Regina, a pesar de haber pasado más de cincuenta años. "En el teatro, como en todas partes —señaló Peragallo a Felicia—, hay gente buena y mala. Si la pequeña puede tener en él un gran porvenir, no sería justo malográrselo. Ella es buena y con la educación cristiana que le has dado, no abrigues temor, seguirá siendo buena." Esas palabras deben de haber tranquilizado la conciencia de Felicia y, posiblemente, lograron resolver un conflicto que podría haber perturbado no sólo un debut, sino, también, una carrera y una vida. Al despedirse, el sacerdote le dijo a Regina, tomándole la mano:

—Yo iré contigo a los ensayos.

Y Peragallo cumplió con su palabra, porque estuvo en el San Carlos, gozando, antes del estreno, con la música de Bellini.[7]

Lisboa, a pesar de ser pequeña y provinciana, poseía un nutrido grupo de melómanos particularmente exigente, que eran los habitués del Teatro Real de San Carlos. Ahí estaban, ocupando palcos y plateas, apretujándose en el "paraíso", juzgando implacablemente a cantantes y directores de orquesta. Un *mi bemol sobreagudo* imperfecto, por parte de una soprano, podía desatar una reacción de dimensiones casi teológicas, como si se tratara de la peor herejía, y la *prima donna* podía llegar a ser condenada por esa minúscula sociedad lisboeta a ser quemada por el Santo Oficio. La exquisitez musical y el esnobismo flotaban en ese teatro, como luego sucedería, en otras latitudes, en el Teatro Colón de Buenos Aires.

Ese año, la temporada de ópera del Teatro San Carlos había incluido a dos divas conocidas por el exigente público de Lisboa: Emma Nevada y la legendaria Adelina Patti. *La Sonámbula* y *Lucía de Lammermoor* fueron cantadas por la primera con tal grado de perfección, que el público estalló en aplausos, inundando el escenario de flores. Semejante éxito perjudicó, en cambio, a la temperamental Adelina Patti, que ya comenzaba el descenso de su carrera, por razones de edad: tenía 44

---

[7] Gastón Federico Tobal, obra citada

años. Al cantar el *Vals de la sombra*, de *Dinorah*, de Meyerbeer, fue abucheada precisamente porque, quince días antes, los melómanos del San Carlos lo habían escuchado cantado por la Nevada. Y fue la misma noche que cantó la Patti, cuando se anunció que el 5 de enero una debutante, Regina Pacini, interpretaría el papel de Amina en *La Sonámbula*.

A partir de ese momento, Lisboa se dividió en atacantes y defensores de Regina. Qué noticia deliciosa para comentar en el Chiado, donde la adolescente podía ser despedazada o endiosada por una legión de condes y marquesas, puntualmente *à la page* en materia de ópera. O entre dos carreras ecuestres en el hipódromo. O en uno de los cuatro salones de prestigio, alternándola con las últimas novedades de París. Qué sobremesa emocionante, en el restaurante Silva, precisamente para quienes acababan de presenciar el *auto da fe*, en el San Carlos, de Adelina Patti. "Se ha tomado el teatro por una plaza de toros", decían unos. "Marino Mancinelli la escuchó, lo mismo que el maestro Machadinho, y consideran que es extraordinaria", sostenían otros. "Es un insulto", opinaban los más ofendidos. "Jaime Batalha Reis afirma que es un prodigio", se replicaba.[8] Nada parecía más importante, para muchos habitantes de Lisboa, que el debut de Regina. Qué importaba la abultada deuda que la casa de Braganza tenía con el Estado, y que permitía a republicanos, anarquistas y *carbonari* conspirar contra la monarquía. Quién se preocupaba por la errática política colonial portuguesa que, tres años después, produciría el incidente de Shiré, en África, y la humillación de Portugal por parte de

[8] Gervasio Lobato, obra citada.

33

Gran Bretaña —con quien tenía una ancestral alianza— cuando la flota inglesa sitió a Lisboa. Quién podía imaginar que, en exactamente veinte años, el rey Carlos y su hijo, el príncipe Luis Felipe, serían asesinados en el Terreiro do Paço. Esa *belle époque*, ajena a los grandes cambios sociales y económicos, se regocijaba sólo con la exquisitez; paradójicamente, el destino de Regina Pacini estaba en manos de aquellos para quienes un *mi bemol sobreagudo* era la más sagrada de las causas. No en vano Eça de Queiroz, nuevamente en *Los Maias*, crea un diálogo apropiado a esa sociedad.

"—Éste es un país desgraciado.

—Peor, querida señora, mucho peor. Éste es un país cursi."

Regina confesó, a lo largo de su vida, que sólo una vez no padeció lo que los ingleses denominan *stage fright*, es decir, el terror que padecen cantantes y actores al salir a escena. Y eso sólo sucedió, curiosamente, en su debut en *La Sonámbula*. Tal vez por tener dieciséis años y por ser la gran oportunidad de su vida, la inseguridad y el terror a enfrentar al público permanecieron ocultos en lo más recóndito de su ser. Los días previos al estreno debieron generarle tal ansiedad, que comparativamente esa prueba de fuego en el escenario de su infancia no constituía una amenaza. Además, el tiempo apremiaba. Debía asistir a los ensayos, prestando la más absoluta atención a las indicaciones de Machadinho, que dirigiría la orquesta; someterse a pruebas de vestuario y de maquillaje; alternar, en los mejores términos posibles, con los otros miembros del elenco, que podían considerarla una aventurera. Ese vértigo producido por una actividad que no conocía pausa fue su sostén. Luego, de noche, compartía con su madre, con José y Constanza, sus ilusiones y sus desvelos. Porque, a esa altura, había cesado toda oposición a la carrera artística de Regina: las cartas estaban echadas y sólo quedaba rezar.

Y, por fin, llegó la noche del jueves 5 de enero de 1888. Los landós, las berlinas, llegaban al Teatro Real de San Carlos, ese templo de estilo italiano que se construyó en un año y que se inauguró el 30 de junio de 1793, con *La ballerina amante*, de Domenico Cimarosa. Esa copia del San Carlos de Nápoles era obra de un arquitecto, José Costa e Silva y del gobierno absolutista del marqués de Pombal. El foyer era reducido —acaso una *gaffe* del arquitecto— y esa noche podía considerarse atestado. Había llegado el sublime momento donde se medirían atacantes y defensores de Regina, un duelo reservado para los fanáticos del *bel canto*; la nobleza asistiría, impávida, a la iniciación, con la indiferencia de quienes asistían al Coliseo romano; los críticos teatrales que representaban a treinta y cinco medios de difusión —una cifra sorprendente si se tiene en cuenta el tamaño de la ciudad—ocupaban lugares estratégicos; Augusto Peixoto, cuyo seudónimo era María da Fonte y escribía las célebres *Crónicas de Lisboa*, refleja el espíritu de esa noche: "Manos aristocráticas, finamente *gantées*,[9] jugueteaban nerviosamente con prismáticos de madreperla con incrustaciones de oro; las risas disimuladas tenían un timbre metálico. Las dudas se entrecruzaban en un charloteo continuo, algunas veces rechazadas por la fe, pero el escepticismo seguía ganando terreno; los críticos afilaban sus bisturíes; los *habitués* se atrincheraban en su rigidez; viejos con calvas relucientes como grandes bolas de marfil,

[9] Enguantadas

mostraban su señorío, pero diciéndose a sí mismos que esa noche sería un fiasco". Si bien Regina afirmó, en años posteriores, que esa noche estaban el rey Luis y la reina María Pía en el palco real, como también la legendaria Adelina Patti, ninguna de las treinta y cinco críticas del debut hicieron referencia a ellos, lo cual hace suponer que no asistieron.

Si había incertidumbre en el foyer, en la platea y en los palcos, en el camarín de Regina, atestado de flores hasta el punto de hacerlo irrespirable, se bordeaba la histeria. La debutante, contemplándose en el espejo, soportaba los retoques del maquillaje; el ojo crítico del vestuarista; las últimas indicaciones del maestro Machadinho, el director de orquesta; las instrucciones del regisseur, para que no olvidase los movimientos escénicos prolijamente marcados; las señales que le haría el apuntador, si olvidaba la letra. Y, además, el nerviosismo de Felicia, de Constanza y de José.

En otro sector de la ciudad, el padre Próspero Peragallo, en su reducida habitación en el Largo das duas Egrejas, encendió un cirio para alumbrar la cruz que le acompañara desde su ordenación, y rogó al Señor que ayudara a esa niña.

La Sonámbula, de Vincenzo Bellini, ópera con la cual Regina haría su debut, databa de 1831, y fue compuesta *ad majorem gloriam* de una cantante extraordinaria, Giuditta Pasta, y de un tenor no menos legendario, Giovanni Bautista Rubini. Obra característica del *bel canto*, no constituye un desafío demasiado temerario para una soprano ligera, como, por ejemplo, *La Traviata*, de Giuseppe Verdi, que exige a quien haga el papel de Violeta Valéry un registro diferente para cada uno de los cuatro actos. En efecto, se empieza por soprano ligera y se termina en soprano dramática. *La Sonámbula* es una ópera menor de Bellini, al menos si se la compara con otras del compositor, como *Norma* o *I Puritani*. Si bien a fines del siglo pasado estaba de moda, en el siglo XX perdió vigencia. Baste señalar que, en el Teatro Colón de Buenos Aires, sólo se representó dos veces. Su argumento —una historia de amor situada en las montañas suizas—, su condición de ópera estática (entra un cantante y cumple con su aria mientras los otros lo observan), terminaron por restarle fuerza, si se la compara con prodigios del género, como *Turandot*, de Puccini. Sin embargo, Regina debería enfrentarse con una *cavatina* en el primer acto que podría ponerla en dificultades, *Come per me sereno*, y con un rondó, en el acto tercero, *Ah, non giunge!*, que exige un despliegue de coloratura.

Llegó por fin el momento que toda Lisboa esperaba. Las luces del teatro disminuyeron en intensidad hasta apagarse, el director tomó la batuta y la orquesta inició la breve obertura. El trayecto, para Regina, del camarín al escenario, debe de haber estado rodeado de un dramatismo tragicómico: su propio estado nervioso, las palmadas afectuosas, Felicia santiguándose, las manos juntas de asistentes apuntando hacia el cielo, en actitud de súplica, y ella avanzando hacia el escenario de su infancia, al espacio de los sueños. Se colocó entre bastidores, ya que debería ingresar al coro de aldeanos bajando una colina, y esperó la señal.

Qué habrá pensado, qué habrá sentido. Su vida dependía de ese escenario que conocía como a la palma de su mano y, también, de su voz, de su aplomo, de su coraje, del sentido heroico que podía encerrar esa espera. Ahí terminaban las fantasías de ser una cantante prodigiosa, capaz de cualquier proeza; ahí estaba Lisboa, ese público que no perdonaba una imperfección;

acaso retumbaba en sus oídos un viejo dicho portugués, *santos de casa não fazem milagres*, es decir, que sus congéneres no le perdonarían la vida, por el hecho de ser portuguesa y joven; ahí debería medirse con Adelina Patti, que la noche anterior había cantado, en ese mismo escenario, *Crispín*, y con Emma Nevada que, quince días antes, había cantado nada menos que *La Sonámbula*; y estaba, por último, Pietro Pacini, ese padre que llevaba dentro de sí que había muerto pobre y cansado, y que ahora sí podría ser reivindicado. Bajó de la colina, resuelta a pisar fuerte. No se escuchó ni un solo aplauso. El clima que imperaba en la sala fue definido por el crítico del diario *O Dia*: "Había una opresión general, agravada por la expectativa que generó el debut. El público estaba ansioso, febril, como si temiera un desastre que le dolería profundamente, dado que se trataba de una niña que se crió entre nosotros y que aquí creció, que todos conocemos, y que venía a reclamar su bautismo de artista para entrar en la vida errante y fascinante de la escena lírica".

Cantó *Come per me sereno* y, apenas concluida la cavatina, se produjo un silencio ominoso. Un segundo que podía sepultarla. Pero ya estallaban los aplausos, se oían los bravos, el público se ponía de pie, azorado por "una voz sorprendente, de un timbre purísimo, homogénea en todos sus registros, dotada de una afinación perfecta y vocalizada nítidamente, hasta en la suavidad de la media voz, que aquella niña sabía modular en un murmullo delicioso".[10] La ovación no sólo debe de haber conmovido a Regina; también le dio la seguridad, el aplomo para llegar al final. Y si *La Sonámbula* es considerada una ópera menor de Bellini y esca-

---

[10] Gastón Federico Tobal, obra citada

semejante a una *prima donna*. Las críticas que se publicaron al día siguiente fueron unánimes y consagraron a Regina como a una promisoria estrella del *bel canto*. Conviene reproducir las más significativas, ya que es inevitable, dado el estilo periodístico de la época, la abundancia de vocativos. El *Jornal do Commercio* resalta la valentía de la debutante: "Elegir una ópera como *La Sonámbula*, en vez de cualquier *romanza* convenientemente estudiada, preparada y *rabâchée*; debutar en estas circunstancias en el San Carlos en vez de intentar esta primera proeza en cualquier recital en un teatro particular, son actos que traducen un raro coraje, una confianza íntima ilimitada, que son un justo y fundamentado reconocimiento de los propios méritos, una conciencia de fino temperamento, una sangre fría que sólo los bienaventurados pueden tornar realizables". Rabecão Grande, en *Pimpão*, escribió: "El arrojo, la audacia de esa gentil niña de 17 años fue verdaderamente asombroso; sólo en aquella edad se tienen esos atrevimientos heroicos: el resultado estuvo completamente a la altura del compromiso y, más de una vez, se justifica el proverbio latino *Audaces fortuna juvat*".

Algún crítico señaló que Regina tenía en escena "los movimientos automáticos de quien no sabe nada de lo que allí se va a representar, lo cual es justificable en una neófita", pero basta repasar el *Correio da Manhã* para entender hasta qué punto el debut había producido un impacto. "Si leyéramos en un diario extranjero que en Francia o en Inglaterra, o en Italia, en un teatro donde está cantando la Patti, donde hace quince días la Nevada produjo el delirio en *La Sonámbula*, una niña de 17 años, ayer perfectamente oscura, debutó como dama ligera —el mismo género de la Patti— cantando *La Sonámbula*, la ópera que hace pocas noches fue divina-

40

mente cantada por la Nevada, y logró en esa ópera y en ese debut una ovación extraordinaria, una de las ovaciones más brillantes, espontáneas y unánimes que se hayan hecho en ese teatro, quedaríamos asombrados, y envidiando mucho al público privilegiado que tuvo el placer de ver debutar a una artista tan extraordinaria, que debutando en estas circunstancias extremadamente peligrosas, logra hacer de sus primeros pasos un triunfo excepcional".

Habría que preguntarse si en París o en Londres se hubiera *permitido* un debut parecido, o, si precisamente el espíritu provinciano de Lisboa contribuyó a ese estreno. Sea como fuere, el éxito alcanzado por Regina era merecido. No es extraño, dada la época, que algunos medios de difusión en vez de publicar una crítica, optaran por la poética. Tal es el caso de Luiz Osorio, en *Novidades*, del cual reproducimos dos estrofas:

REGINA PACINI

¡Nunca siquiera te vi, reina de la alborada!
Pero tengo derecho a saludarte en el arrebol
Quien aprecie tu país y amaneció en la estrada
Saludando a la misma luz, bebiendo el mismo sol.

¡Artista, prueba bien tus alas grandes!
¡Niña, observa primero a donde la visión te lleva...!
Como el águila real has de habitar los Andes
Y —derramando la luz— has de vivir en la tiniebla.

Folha do Commercio también publica una poesía, firmada —modestamente— por Mario.

En el debut de una cantante portuguesa

REGINA PACINI

Niña: el cielo azul de Portugal
Donde las estrellas refulgen castamente
De un brillo virginal
Fui dosel de tu cuna de inocente
Te ama el cielo azul de Portugal

Pero siento que la alegría se levanta
Para besarme en beso celestial
Cuando ella habla y canta
Como si fuera un ave santa
Nacida bajo el cielo de Portugal.

Regina, convertida de la noche a la mañana en la reina de Lisboa, endiosada por la crítica, reverenciada por los melómanos, requerida por la nobleza, debe haber caído en un estado próximo a la embriaguez. La prueba de fuego había pasado y, ahora, debería cantar en *Lucía de Lammermoor*, que, si bien era una ópera más exigente para una soprano ligera, al menos no padecería la ansiedad, el temor al fracaso del estreno de *La Sonámbula*. Felicia, en cambio, miraba hacia otros horizontes. Su hija había triunfado y le esperaba un porvenir promisorio, si sabía mover bien los hilos. Era imperativo que prosiguiera con los estudios de canto, pero no con el bueno del maestro Milani, a las once de la noche, en una oscura calle de Lisboa, sino en París, con la célebre Mathilde Marchesi, condesa Castrone, o, como se la conocía, la Marchesi. Había enseñado a cantar a Emma Nevada, a Ilma di Murska, a Emma Eames, a Frances Alda y a la más legendaria, Nellie Melba. Ella haría de Regina una diva. Luego vendrían los contratos, las giras por los mejores teatros europeos y el imprescindible dinero. Y Felicia sería el instrumento, el control, la administradora de una carrera fabulosa. Si había tenido dudas, cargos de conciencia, o menospreciado las quiméricas empresas de su marido, ahora todo eso se esfumaba ante una realidad que había irrumpido casi mágicamente; el triunfo de su hija lavaría los años de pobreza, de desilusión, de desesperanza.

Pero Regina tenía otra dura prueba por delante: *Lucía de Lammermoor*. Vale la pena reproducir la crítica de un diario de Lisboa, *Correo da Noite*, publicada al día siguiente del estreno: "Nueva consagración de su raro talento recibió Regina Pacini cantando *Lucía de Lammermoor*. La protagonista del idilio musical de Bellini, se transformó en la infeliz doncella del melodrama de Donizetti; y si con la ópera del maestro siciliano Regina Pacini había conquistado un lugar elevado en la escena lírica, en la partitura del célebre compositor de Bérgamo no sólo la conservó, sino que logró aumentarlo. Primorosa en la *cavatina*, especialmente en el allegro, Regina Pacini atacó la frase del concertante con brío y sentimiento, exprimiendo con suprema verdad el estado convulsivo de Lucía. En el final del *ensemble*, una ovación imponente dirigida en particular a la joven y ya eminente cantante resonó en la sala, apenas se escuchó la última nota de la soprano, un *si bemol agudo* sustentado con vigor por la voz brillante y argentina de la nueva estrella lírica. Donde Regina Pacini obtuvo un éxito colosal fue en el aria de la locura. No seremos lisonjeros si afirmamos que, en muchos puntos de esa difícil como también bella página de música, la casi debutante de ayer fue más correcta en la entonación y más precisa en la agilidad que algunas cantantes de gran reputación universal. Citaremos, por ejemplo, el primer paso en *sextas* con la flauta en el *larguetto*, las escalas cromáticas ascendentes y las cadencias del *allegro*. Regina Pacini cantó con verdadero sentimiento todos los andantes del aria, finalizando el *larguetto* con la misma volada que la Nevada, sin alteración de una sola nota, sin el cambio de una sola articulación, conservando la misma pureza de igualdad en la forma de vocalizar, pero dando mayor realce a los diferentes y complicados pasos de agilidad que le permite su voz en volumen y en timbre, lo cual la ubica por encima de la Nevada".

Los elogios y los descubrimientos se sucedían unos a otros en los medios de difusión. *Bandeira Portuguesa* señaló que Regina llegó al *re bemol sobreagudo*, que la Patti lograba en sus buenas épocas, y cantó el *rondó* sorprendentemente, mejor que la Nevada.

Pero no conforme con el éxito, Regina logró su tercera proeza esa misma temporada: cantó *Crispín y la Comadre*, de Luigi y Federico Ricci, una ópera cómica compuesta en 1850. Había atravesado tres géneros —romanza, tragedia y comedia— en menos de un mes, y comenzaba su carrera internacional.

DOS

UN PRÍNCIPE DE LAS PAMPAS

Si Lisboa, a comienzos de la década de 1880 era provinciana, Buenos Aires ni siquiera alcanzaba esa categoría; era una aldea. Desparramada a lo largo del Río de la Plata, su costa era un barrial que se adentraba varios centenares de metros en las aguas; los habitantes de la ciudad sólo divisaban los barcos, próximos a la línea del horizonte: para llegar hasta ellos, debían utilizarse carretas. Ni siquiera tenía puerto. La edificación era chata y no sólo en sentido geométrico: las casas eran sorprendentemente iguales, con una puerta desproporcionada en el medio, flanqueada por dos ventanas o, a lo sumo, tres.

Cuesta creer que los porteños puedan haber vivido en casonas donde la distribución de los ambientes parecía obra de arquitectos que habían perdido el juicio. Para ir de un dormitorio al salón, había que atravesar patios a la intemperie, como si se desdeñara la comodidad de un pasillo interno; para ir al baño, había que recorrer no menos de cincuenta metros, hasta los fondos, que era el lugar destinado al aseo. Pero nadie mejor que Daniel García Mansilla para describir la ciudad. En *Visto, oído, recordado. Estampas del pasado*, narra su primera impresión de la aldea al llegar de Europa.

"Como Buenos Aires carecía entonces de puerto, fondeó el *Congo* en 'balizas exteriores' y el hermano mayor de mi madre, el general Lucio V. Mansilla, vino a buscarme en un vaporcito especial. Desembarcamos en la boca del Riachuelo. Mal sabría describir la impresión extraña de exotismo que me causó prima facie esta bendita tierra de mis mayores, tan distinta de la civilización de la Europa tradicional y refinada en la que hasta entonces había vivido. Todo me parecía primitivo y distante como cosa del Extremo Oriente...

Desembarcamos en junio de 1887. Junto con otros coches, la volanta o victoria del general Mansilla nos esperaba y en ella subimos mi madre, mi tío y yo. El cochero, un criollo muy trigueño, de librea, sombrero alto y escarapela argentina, ostentaba tamaños bigotes, detalle que en Europa constituía una perfecta herejía...Tan pésimamente pavimentadas se veían las calles que cada vez que el coche salía del plácido deslizar sobre los rieles del tranvía, padecíamos tremendos sacudimientos capaces de llevar el hígado a la boca; algo, de verdad, escandaloso.

Se me figuraba el país como una enorme colonia de improvisados. La famosa 'Casa Rosada', célebre en nuestra historia, se me presentaba como un adefesio de increíble desacierto que parecía a la vez una estación de ferrocarril, un pabellón de feria colonial o un templo masónico; algo que no tenía compostura. La ciudad, enormemente extendida, de calles angostas y casas bajas, edificada sobre terrenos subdivididos como un cementerio, con viviendas de ocho varas de frente y detrás un estrecho cañón a veces de mucho fondo, dos ventanas a la calle y un vano desproporcionado, constituía una metrópoli de puertas para jirafas. En los

46

edificios de más de un piso, por puro espíritu de contradicción, no existía un balcón a la misma altura de la casa contigua, sin duda para singularizarse."

Los porteños —como también los salteños o los tucumanos que descendían de viejísimas familias de la colonia— respondían, en sus costumbres, a la rusticidad que tanto impresionó a Daniel García Mansilla. Las casas ostentaban pesados muebles coloniales, pasados de moda, y a la mesa llegaban descomunales fuentes de carbonada, puchero, asado y locro. Qué diferencia con los muebles *boule* o Segundo Imperio de los salones parisinos, con la profusión de cuadros y brocatos, arañas y escaleras de mármol; qué abismo con el complicadísimo protocolo de una mesa en lo de los príncipes de Caraman-Chimay, donde cada cubierto estaba destinado a cada uno de los quince platos que componían un menú y donde cada copa estaba reservada a los mejores vinos de Francia. Buenos Aires era apenas una aldea en los confines del mundo, pero, inevitablemente, estaba a punto de despertar.

En 1874, llegó a esta barrosa orilla del Río de la Plata un vapor francés, *Le Frigorifique*, y este hecho que casi pasó inadvertido, cambiaría la historia del país. El buque incluía un sistema inventado por el científico francés Charles Tellier, que permitía mantener congelados, durante meses, a varios productos. La Argentina exportaba cueros y sebo, que no eran perecederos; a partir de ese momento, se abrirían mágicamente los mercados y las carnes podrían llegar a todos los rincones del mundo. Acaso por primera vez, los argentinos descubrieron algo superior, sagrado, que estaba más allá de la ideología, de las guerras civiles, de las divisiones partidarias, de los caudillos, de los unitarios, de

47

los federales, de los autonomistas y de los liberales: el dinero.

¡Qué fácil era ganarlo, para los estancieros de esa época! Veinte o treinta mil hectáreas en la pampa húmeda —curiosamente una suerte de unidad agrícola para las extensiones de entonces— aseguraban ingresos económicos descomunales. ¡Qué fácil era administrar esas vastas propiedades, sin siquiera tomarse la molestia de ir a conocerlas! La naturaleza había prodigado a esas tierras con pastos naturales, ríos, lagunas y bañados, con lo cual no había que invertir un solo centavo, salvo en alambrados y bretes; un mayordomo se ocupaba de que la hacienda llegara puntualmente a la feria con el peso apropiado. ¡Qué oportuna había sido la inmigración europea! Los cereales eran sembrados y cosechados por esos desconocidos campesinos italianos o yugoslavos y para eso se habían creado las "colonias": para que otros trabajaran y corrieran con los riesgos. Sin mover un dedo, los estancieros obtenían ganancias que, en los años venideros, por razones de mercado, se transformarían en fabulosas.

Ese imprevisto maná que cayó sobre los terratenientes despertó, entre otras cosas, la curiosidad. Cómo sería Europa y aquella ciudad legendaria, París. A principios de la década de 1860, eran pocos los que se aventuraban por esas latitudes, salvo los diplomáticos; el más conspicuo representante de las pampas fue el general Lucio V. Mansilla, amigo de la emperatriz de Francia, Eugenia de Montijo, mujer de Napoleón III. España fue, en un principio, la puerta de entrada para los argentinos, desde el punto de vista social: descendían de los conquistadores y hablaban el mismo idioma. El duque de Alba, o el del Infantado —varias veces Grandes de España— no eran inaccesibles para Mansi-

48

lla, y en Madrid conoció gente que le permitió el acceso a las Tullerías. Si la corte de la reina Victoria de Inglaterra era hermética y profundamente burguesa, la corte de Napoleón III era el polo opuesto: mundana, cosmopolita y con una nobleza obviamente menor, dado el origen reciente de los Bonaparte. Lucio V. Mansilla debe haber cautivado a la emperatriz Eugenia, que era española: cómo resistirse a ese impecable *causeur*, a ese hombre insólitamente refinado que provenía de las pampas salvajes. Era tal su amistad, que Mansilla se atrevía a decirle a la Emperatriz, en relación con los célebres romances de Napoleón, "¡No le aflojés!".

Pero no todos los argentinos poseían el mundo de Mansilla. El duque de Morny (medio hermano por parte de su madre, Hortensia de Beauharnais, del emperador Napoleón III y notable hombre de gobierno) en 1869, preguntó cierta vez quiénes eran esos seres que deambulaban por París, con brillantes en la pechera y ropa exagerada. Se le respondió que provenían del "país del cuero", y desde ese preciso momento, los bautizó *rastaquouere*.

En la década de 1880, la curiosidad por París y la rentabilidad de la tierra permitieron que los habitantes de Buenos Aires viajasen a esa ciudad legendaria. El impacto debió haber sido profundo: las avenidas, los parques, las fachadas, las mansardas, los grandes modistos, la exquisitez de la comida, de los vinos, y el idioma —dulce y refinado— les debe de haber provocado un estado próximo al asombro, a la perplejidad. A diferencia de los norteamericanos, que admiraban a Europa, pero que no renunciaban a su condición de pueblo nuevo y mercantilista, los argentinos se creyeron europeos: compraron muebles, alfombras, coromandeles, cuadros, vajilla, contrataron institutrices francesas para sus hijos, vestidos de Worth, aprendieron a expresarse en francés, como si jamás hubieran vivido en un país remoto y semibárbaro. Cometieron el error de creer que trasplantando objetos y costumbres a su tierra incorporaban cultura. En realidad, sólo copiaban gestos.

Buenos Aires, durante la presidencia del general Julio A. Roca, era el último baluarte del atraso, en contraposición al "progreso": la Campaña del Desierto había terminado con el problema del indio y el Estado había ganado miles de leguas de tierras fértiles; el telégrafo y el ferrocarril revolucionaron las comunicaciones y, sin embargo, Buenos Aires se mantenía ajena a los cambios, en su condición de insalubre pueblo colonial. Le había llegado la hora, pero se necesitaba un hombre con prestigio, determinación y una voluntad arrolladora para transformarla en una gran metrópoli que nada tuviera que envidiar a las capitales europeas. Además de esa empresa mayúscula, debía vencer el peor de los obstáculos, el más temible de los enemigos: los propios argentinos, quienes se resistían al cambio y al crecimiento.

Ese hombre fue Torcuato de Alvear, padre de Marcelo.

Los Alvear —a quienes es inevitable referirse— son parte misma de la historia argentina. Y fueron la casualidad y la tragedia —en grado superlativo, como se verá más adelante— las que tejieron el destino de esta familia e hicieron que uno de sus miembros, Carlos de Alvear, el general de las guerras de la independencia, se radicara en el país.

El primer Alvear que vino a estas tierras fue Diego, un español con tendencia a emprendimientos exóticos; hacia fines del siglo XVIII, participó en una expedición científica a las Filipinas y, en 1774, levantó el plano de la isla Trinidad, en los confines australes. En Buenos Aires, adonde finalmente llegó, casó con Pepa Balbastro, perteneciente a una familia rica y tradicional. La vida del matrimonio Alvear fue una perfecta aventura, enmarcada por la selva, los salvajes, los traslados, el nacimiento de seis hijos. Durante diecisiete años vivieron en la jungla. Don Diego formaba parte de la comisión de límites entre España y Portugal, lo cual lo obligó a vivir en la selva misionera acompañado por su infatigable mujer, quien se negó a regresar a las comodidades de Buenos Aires. Uno de sus ocho hijos (dos habían nacido en Buenos Aires), Carlos, nació el 25 de octubre de 1789 en Santo Angel Custodio, un villorrio de las Misiones frecuentemente amenazado por los indios tupís, que solían asesinar a los habitantes de las aldeas e incendiar cultivos y propiedades. El niño creció en la selva y ese medio —un trópico desmesurado, permanente— contribuyó a formar la personalidad de quien luego sería el general Carlos de Alvear. Cómo resistirse a la libertad, al calor, a la humedad opresiva, al río y a la flora impenetrable, a la *rara avis* y a la serpiente, al jaguar y al tapir. Durante doce años, ese niño hizo de la naturaleza una suerte de concepción del mundo, diferente, sin duda, a aquellos que se educaban en colegios religiosos. Y si la pasión, la empresa arrolladora, la vehemencia, el arrebato, como también la ley selvática de supervivencia —al menos en política— fueron características del general Alvear, habrá que buscar las raíces en esa selva misionera.

En 1801, los Alvear regresaron a Buenos Aires, donde les esperaba una noticia: Benito, el hijo primogénito, que había egresado en 1799 del Real Seminario de Nobles de Madrid acababa de fallecer, a los dieciocho años, víctima de la fiebre amarilla, en Cádiz. La muerte y la tragedia se empezaron a cernir sobre esta familia al embarcarse rumbo a España, donde se radicaría, en 1804. Don Diego, por ser un marino consumado, viajaría en la fragata *Medea*: al ser el oficial de mayor graduación, debió reemplazar al segundo comandante y mayor general de la división, Tomás Ugarte, quien había enfermado de gravedad. Su mujer y seis de sus hijos viajarían en otra fragata, la *Mercedes* y, como si el destino urdiera las vidas de esta familia, Carlos acompañó a su padre en la *Medea*, por ser un muchacho inquieto y rebelde que perturbaba a sus hermanos.

Las fragatas, acompañadas por dos más, la *Clara* y la *Fama*, que transportaban caudales provenientes de Lima y de Buenos Aires, navegaron durante cincuenta y siete días. Carlos de Alvear tenía quince años de edad y, a su experiencia en la selva, ahora agregaba el mar, la navegación de vela, la importancia de los vientos, la tempestad, la calma chicha que sumía en la desesperación a las tripulaciones, en suma, descubría la relación primigenia entre el hombre y el mar. Y, de pronto, la costa de España y la legendaria Cádiz. Atrás quedaban la selva, el mar y un oscuro, pobre virreynato. Pero la política de las grandes potencias preparaba la tragedia frente a la costa gaditana; España había permanecido neutral en la guerra que libraban Francia e Inglaterra y así lo entendían los tripulantes y los pasajeros de las cuatro fragatas provenientes de los mares australes. Sin embargo, Londres, presionado por acontecimientos bélicos, había dado la orden de atacar a los buques españoles en todos los mares y destruir a todos aquellos que no excedieran en su porte de cien toneladas.

Para Pepa Balbastro de Alvear comenzaba una nueva vida. Desde la cubierta de la *Mercedes* descubría la tierra donde viviría. Montilla, ese pueblo andaluz enclavado en las montañas cordobesas, donde estaba la casa solariega de los Alvear. Cuántas veces había escuchado a su marido hablar de la bodega de la familia, de sus parientes nobles, del duque de Medinaceli, de quien su suegro había sido tesorero. Todo ese deslumbrante mundo podía divisarse en la extensa costa gaditana y, absortos, sus hijos, Zacarías, María Josefa, Juliana, Ildefonso, Francisco Solano y Francisco de Borja, contemplaban desde la cubierta aquella tierra nueva. Pero apenas la nave dobló el cabo de Santa María, se encontraron con barcos ingleses. El comunicado de un oficial británico, que subió a bordo, fue lacónico: en nombre del comodoro Sir Graham Moore y por orden del gobierno de Su Majestad Británica, se había dispuesto la detención de los navíos. Las cuatro fragatas, con tripulación y pasaje, serían trasladadas a Inglaterra.

Y es aquí cuando la decisión de un hombre, el jefe de los buques españoles —en este caso apoyado por la oficialidad—, cambia no sólo la historia de una familia, sino, también, la de un país. En vez de rendirse, se decide dar batalla. El ensordecedor cañoneo debe de haber aterrorizado a Pepa Balbastro de Alvear, encerrada en un reducido camarote con seis de sus hijos. Qué sería de su marido, de su hijo Carlos, atrapados como ella en una batalla que nadie había previsto, después de dos meses de navegación. Habían atravesado los mares, los asfixiantes trópicos, luchando contra el implacable mareo y la repugnante comida de a bordo y, cuando todo parecía haber sido olvidado, surgía el horror de una guerra, el tronar del cañón, el inequívoco olor de la pólvora.

A la media hora de haber comenzado la batalla naval, la fragata *Mercedes*, donde viajaban la señora de Alvear y seis de sus hijos, voló por los aires. En un instante, los proyectos, las esperanzas, en suma, la vida, desaparecieron ante los ojos de don Diego de Alvear, que vio cómo su familia perecía, hundiéndose para siempre en las profundidades del océano Atlántico.

Carlos de Alvear, desde la cubierta de la *Medea*, entre el humo de la pólvora, conoció el horror, y supo, por primera vez, qué era la soledad.

Padre e hijo navegaron hasta Inglaterra, escoltados por las naves inglesas. El espanto y el remordimiento debieron acosarlos durante el trayecto: jamás supieron si algún miembro de su familia había sobrevivido a la explosión, o si pudo haber sido rescatado por ellos de las agitadas aguas. Ni siquiera se les dio la oportunidad. En Londres se les informó que todos habían perecido. Luego, vinieron las disculpas del rey Jorge III y del ministro de Marina, George Canning, como también la imprescindible indemnización; en efecto, don Diego recibió doce mil libras por parte del gobierno británico, lo cual era una fortuna. Carlos, durante la estada londinense, en 1805, asistió a un colegio dirigido por el hijo del duque de Broglie, y su padre, dispuesto a rehacer su vida y paliar el horror, casó con una inglesa, Luisa Ward, de quienes desciende la rama española de los Alvear. Esta saga ha sido minuciosamente descripta por una hija del segundo matrimonio de don Diego, Sabina de Alvear y Ward, en *Historia de don Diego de Alvear y Ponce de León*.

Carlos de Alvear, una vez en España, ingresó en la carrera militar, combatió contra las fuerzas napoleónicas y, en 1809, casó con Carmen Sáenz de la Quintanilla, en la Iglesia Catedral de Cádiz. Pero el joven militar de veinte años añoraba otras latitudes y la grandeza política que podían darle tierras lejanas. Buenos Aires había lanzado la primera chispa que se había desparramado por toda América y los aires de independencia soplaban entre los criollos. Necesitaba una sólida posición económica para insertarse en aquella sociedad virreinal a la cual pertenecían los Balbastro y, sin embargo, don Diego estaba lejos de reconocerle la herencia de su madre. Carlos demandó a su padre en el Juzgado de la Capitanía General de Marina con jurisdicción en la Isla de León, con intervención de la Escribanía Mayor de Denis Toval González Téllez. Recibió cien mil reales, dos mil libras sobre Londres y seis mil duros sobre Buenos Aires. De no haber perecido su madre y sus hermanos frente a las costas de Cádiz, no hubiera existido esa herencia, y difícilmente el joven militar se hubiera lanzado a liberar un país de la opresión española.

Con esa fortuna —que dilapidaría en las guerras de la independencia— llegó al Río de la Plata. A diferencia de José de San Martín, que no tenía apellido ni fortuna y que debió casarse con Remedios de Escalada, hija de un rico comerciante de Buenos Aires, Carlos era próspero, además de ser un Alvear y Balbastro. Su vida fogosa, su avidez por la gloria y el poder, su carácter arrollador, se volvieron en su contra al final de sus días. Ministro plenipotenciario de Juan Manuel de Rosas en los Estados Unidos, vivió durante catorce años en Washington, olvidado y poco menos que en la miseria; su hijo Urbelino murió ahogado en el río Potomac y, en Nueva York, se incendió la casa que alquilaba, perdiendo muebles, objetos de valor y papeles de la legación.

El héroe de la independencia, el político ambicioso,

el general de Ituzaingó falleció en la miseria en Washington en 1852. Hacía catorce años que no veía ni a su mujer ni a sus hijas y nunca llegó a conocer a sus nietos.

De los hijos del general Alvear, tres alcanzaron la notoriedad y sólo uno de ellos logró figurar en las páginas de la historia: Torcuato. El primer problema de los hermanos era su precaria situación económica; su padre los había dejado en la pobreza y emprender una carrera política o financiera sin fortuna era un esfuerzo estéril. Diego casó con Teodelina Fernández Coronel, hija de un rico estanciero con leguas de tierra en Chascomús, Necochea, Monsalvo, por citar algunos lugares. Qué fácil era hacer negocios, viajar, ingresar a los círculos políticos, fundar clubes, cuando se disponía de dinero. Pero Diego multiplicó por cien los bienes de su mujer: llegó a ser uno de los hombres más ricos de la Argentina (en el sur de Santa Fe poseía doscientas mil hectáreas) y su tren de vida era comparable al de los millonarios norteamericanos. Emilio casó con Delia Fernández Coronel, hermana de Teodelina, lo cual le permitió acceder a la política.

Torcuato solucionó su problema económico casándose con Elvira Pacheco, hija de Ángel, el general de Rosas, propietaria de leguas de tierra en La Pampa, Chacabuco y en los alrededores de Buenos Aires. En 1883, durante el gobierno del general Roca, fue designado Primer Intendente Municipal de Buenos Aires, y toda la fogosidad, el espíritu arrollador de su padre se repitió, esta vez en términos urbanísticos, en ese hombre que tomó la decisión —de eso se trataba— de cambiar la ciudad. La pasión y la voluntad —una característica de los Alvear— se prolongaría, también, en su hijo Marcelo.

Torcuato conocía París y había quedado admirado de la obra realizada por el barón de Haussmann, durante el Segundo Imperio: convirtió a una urbe plagada de callejuelas sinuosas, sin trazado, arrastrando aún la concepción medieval, en una ciudad deslumbrante, exquisitamente trazada, con avenidas, parques y diagonales. Por qué no hacerlo con Buenos Aires. Sobraba el dinero y había llegado la hora de dejar atrás la aldea colonial. Claro que estaban los argentinos, esos seres que temían el cambio y que preferían aferrarse a sus costumbres, por malas que fueran. Pero Torcuato no repararía en prejuicios y temores y, desde el primer día, quedó claro cuál era su espíritu y su determinación.

Arrasó primero con la Recova Vieja, un vetusto edificio que dividía la Plaza de la Victoria de la Plaza 25 de Mayo. Ese apéndice antiestético injertado entre dos plazas había sido adquirido por uno de los hombres más ricos de Buenos Aires, Nicolás de Anchorena, en 1836, en 240 mil pesos. Si existía un símbolo del atraso, de la época colonial, de la inmovilidad, era la Recova. Como solía —y suele— suceder en la Argentina, nadie creyó demasiado en los ímpetus demoledores de don Torcuato; a lo sumo, una proclama de progreso, un aplauso por sus buenas intenciones, pero finalmente todo quedaría en la nada. Los comerciantes de la Recova, y los Anchorena que cobraban los alquileres, podían dormir tranquilos. Después de todo, cada viajero que venía de París proponía cambios y nada se hacía, al menos en materia de obras públicas. Pero Alvear dio inequívocas muestras de seriedad en sus intenciones;

el Concejo Deliberante, en el mejor estilo vernáculo, suspendió al intendente, pero no porque amenazaba con una demolición: hubiera sido un ataque frontal a un hombre de prestigio y que llevaba uno de los apellidos más ilustres del país. Buscó un pretexto absurdo y la suspensión se basó en que los tarros de leche que se repartían en la ciudad estaban "mal cerrados".

Torcuato de Alvear, una vez repuesto en sus funciones, fue más expeditivo: expropió la Recova, por ley. Los Anchorena, dicho sea de paso, estaban encantados: el Estado les pagó nueve millones de pesos, una suma fabulosa para la época. Pero don Torcuato se dio el gusto de dirigir personalmente las obras de demolición, sugiriendo a las cuadrillas dónde debían clavar las picas. El resultado es la actual Plaza de Mayo.

Buenos Aires no contaba con una avenida céntrica y, naturalmente, Alvear ya había soñado —y trazado— su propio Boulevard des Italiens: partiría de la Plaza de Mayo y avanzaría en dirección oeste —después de arrasar con dos alas del Cabildo— y terminaría en la Plaza Lorea. Claro que, para eso, tendría que pasar por encima de las casas de varios propietarios y de la "mejor sociedad". Isabel Armstrong de Elortondo, riquísima terrateniente, estaba hecha una furia. Y qué decir de Carlos Zuberbühler. Inés Dorrego y Lezica y Juan A. Fernández no podían creer que serían desalojados por ley. Era el colmo de la prepotencia, del disparate. Plantearon, como era de esperar, la inconstitucionalidad de la ley de expropiación. La futura demolición que daría paso a la Avenida de Mayo dividió a la ciudad: los opositores, liderados por Antonino Cambaceres, lanzaron despiadadas críticas contra el intendente, intentando ensuciar el proyecto que, como se ve, es una tendencia innata de los argentinos. Ya era suficiente que el gobierno nacional estuviera en manos de un provinciano —el general Julio A. Roca, nacido en Tucumán— y haber padecido la presidencia de otro provinciano, Nicolás Avellaneda. Pero a pesar de las críticas, de los vericuetos legales y de las protestas, Alvear se salió con la suya: el 20 de octubre de 1886 se iniciaron las obras de demolición. Años después, una vez finalizada la Avenida de Mayo, causaba admiración en los europeos que visitaban Buenos Aires.

Miguel Cané solía escribirle a Torcuato desde París, señalándole que Buenos Aires carecía de plazas, donde los niños pudieran jugar y, el resto de los ciudadanos, pasear. A partir de ese momento, se apoderó del intendente la locura de los espacios verdes. La actual plaza Vicente López se llamaba originariamente Hueco de Cabecitas y, luego, 6 de Junio (en homenaje al Pacto firmado por Dalmacio Vélez Sársfield y el coronel Benjamín Victorica, precisamente el 6 de junio de 1860). Alcira Keen de Varela, fallecida hace muchos años, solía recordar: "A fines del siglo pasado mi padre, Enrique Keen, y mi madre, Alcira Gándara Casares, construyeron una inmensa casa gótica en la esquina de Arenales y Montevideo. El estilo gótico estaba de moda en esos años. Los Elortondo acababan de construir una en la esquina de Corrientes y Florida. La plaza era horrible y era como vivir en el campo: las calles eran de tierra, había vacas, y, también, una fábrica espantosa".

Hasta que llegó don Torcuato.

Un contingente de paisajistas, jardineros, botánicos e ingenieros agrónomos arrasaron con lo poco que tenía la plaza. La fábrica desapareció. ¿Qué convenía plantar? ¿Araucarias, plátanos, pinos, eucaliptus, tipas o palmeras? Estas últimas se le habían transformado en una obsesión (no en vano lo habían apodado *Palmerín*). Definitivamente, tipas —sentenció don Torcuato. Estaba maravillado con ese exuberante árbol norteño que alcanzaba un tamaño gigantesco con los años, y estuvo presente cuando se plantaron algunas de las 2.409 plantas y árboles. Y, si en la actualidad, la plaza Vicente López es una de las más bellas de Buenos Aires, es precisamente por las tipas. Sería largo enumerar las plazas y las obras realizadas por este intendente que no se detuvo ante nada, pero vale la pena mencionar a la plaza Rodríguez Peña, la Plaza Miserere (antiguamente un barrial poblado de carretas), la plaza Constitución —con sus correspondientes tipas— como también el Hospital Buenos Aires, San Roque, Asilo de Mendigos, Hospicio de las Mercedes, y la Asistencia Pública.

Otro de los problemas con los cuales terminó fue el de la falta de numeración en las calles. Adrián Beccar Varela, en *Torcuato de Alvear, primer Intendente Municipal de Buenos Aires*, señala: "La numeración de las casas estaba hecha sin ningún método, distribuida a capricho. En una misma cuadra figuraban números repetidos, cada cuadra contenía distinta cantidad de números, fuera cual fuere la cantidad de puertas que en ella hubiera. Por la numeración nadie podía orientarse y los extranjeros que llegaban a Buenos Aires tenían serias dificultades para encontrar el domicilio que buscaban".

La Recoleta no escapó al furor urbanístico de Alvear, que hizo construir allí un lago (ahora inexistente), con gruta y cascadas. Las grutas de cemento fueron una de las debilidades de este hombre, acaso porque las había descubierto en París en el Bois de Boulogne, en Buttes de Chaumont y en el parque Monceau. Estos esperpentos de concreto, que imitaban grutas naturales de líneas retorcidas (hoy en día podrían considerarse como del más sublime *kitsch*), se reprodujeron por la ciudad hasta tal punto, que motivaron más de una burla y de una queja. Cuando Torcuato construyó su nueva casa en la esquina de Cerrito y Juncal, en 1884, su vecino, el doctor Tedín, le planteó un problema de humedad producido, naturalmente, por otra gruta que Alvear había construido en su jardín.

Ningún hombre sin el carácter y la personalidad del intendente, sin la pasión que había heredado de su padre podría haber emprendido semejantes tareas y cambios. Y así como el general Alvear, al trazarse un objetivo, no reparaba ni siquiera en la amistad, Torcuato adoptó la misma estrategia que, más que racional, era emotiva. Su revolución urbanística, como era de esperar, produjo varios incidentes, pero ninguno alcanzó tal grado de escándalo como el que protagonizó con un hombre inmensamente rico, amigo personal, y de enorme prestigio: José Gregorio de Lezama. Este multimillonario, casado con una mujer no menos próspera, Ángela de Álzaga, habitaba lo que es en la actualidad el Parque Lezama y el Museo Histórico Nacional. La Quinta Lezama —así se denominaba en aquellos días— entorpecía un proyecto de Torcuato: la creación del Paseo Colón. Desde luego, José Gregorio de Lezama se opuso a que la Intendencia le rebanara un ápice de su magnífica propiedad y dio por terminado el asunto. Pero Alvear no pensaba desistir de su emprendimiento y, para doblegar a su amigo, le trabó embargo por el cobro de créditos que tenía la Municipalidad.

Se había llegado demasiado lejos y, nuevamente, la ciudad se dividió.

La *coterie* y el chisme tenían su epicentro en un triángulo céntrico, formado por la Rotisserie Mercier, el Café de París y la Confitería del Águila. Qué *boccato di cardinale* para los políticos y funcionarios que asistían a esos santuarios. Aquellos que provenían de las filas del autonomismo, aplaudían al intendente; los liberales que respondían al general Mitre —sus eternos rivales— lo atacaban, señalando que Lezama había sido humillado. Las discusiones iban en aumento, hasta el punto de convertirse en escandalosas. Aunque, en realidad, la Confitería del Águila, en la esquina de Cangallo y Florida, estaba acostumbrada a esos desenfrenos. César Viale, en *Estampas de mi tiempo*, los recuerda. "En la sobremesa del banquete de despedida de su vida de soltero que se le ofreció a Rodolfo Beazley, en el Águila de la calle Florida, uno de los comensales subióse a la mesa y en forma entusiasta dio los pasos de un *cakewalk* impecable que los restantes coreaban con la música y mientras golpeaban las manos y pies al consiguiente ritmo norteamericano."

. Poco después, Alvear había triunfado. José Gregorio de Lezama, ante la mirada atónita de funcionarios municipales, se dirigió a la Intendencia y mantuvo una reunión, a puertas cerradas, con el amigo que lo había embargado. Cuando salió del despacho, Torcuato le tendió la mano y los dos hombres se saludaron como si nada hubiera ocurrido. Lezama no sólo donaba los terrenos pedidos, sino, también, otros que eran de su mujer, en la calle Cochabamba, para que el Paseo Colón fuera deslumbrante. También se ofreció a pagar el adoquinado.

Ésa era la sangre que corría por las venas de Máximo Torcuato Marcelo de Alvear, a quien finalmente llamarían Marcelo. Nacido en Buenos Aires, el 4 de octubre de 1868, sus primeros años transcurrieron en la casona de Florida, entre Córdoba y Temple (hoy Viamonte), poblada de patios y enredaderas. Era el menor de siete hermanos (tres fallecieron en la infancia) y con un sorprendente parecido físico con su madre, Elvira Pacheco. Desde pequeño había oído hablar de política en su casa: el general Alvear y, su otro abuelo, el legendario general Ángel Pacheco, eran modelos omnipresentes, como también lo sería su padre. Vale la pena recordar que la candidatura a presidente de Julio A. Roca fue lanzada, en 1879, desde lo de Alvear, donde cuarenta hombres prominentes se reunieron en un té memorable.

Durante su infancia, Buenos Aires aún estaba libre del furor parisino. Abundaban las viejas casonas pobladas de patios y la vida era simple y sin galicismos. Marcelo cursó sus estudios en el Colegio Nacional Buenos Aires, sin figurar entre los mejores estudiantes —en realidad, fue bastante irregular. Pero se recibió en 1885 e ingresó en la Facultad de Derecho.

Para esa época, ya existía el virus de París. Don Torcuato construyó una fastuosa residencia en Juncal 1082, esquina Cerrito, que era una asombrosa mezcla de estilos. Y era comprensible. Los argentinos volvían de Europa intoxicados con Francia e Italia y los arquitectos vernáculos, al diseñar los nuevos palacios del barrio norte, interpretaban lo que deseaban los clientes y agregaban lo que habían estudiado en los libros. El resultado fue un estilo que combinaba arbitrariamente fachadas italianas con toques franceses, el *art nouveau* y el neoclásico. Hubo que esperar hasta después de 1910 para que los arquitectos franceses diseñaran palacios de líneas absolutamente puras (los que construyó Sergent), como el Errázuriz o el Bosch Alvear.

Los Alvear también sucumbieron al canto de la sirena, es decir, París. Carlos Torcuato, hermano de Marcelo, casó en abril de 1888 en la iglesia de Saint Honoré, de esa ciudad, con María Elina González Moreno, miembro de la primera familia argentina instalada en Francia por placer y no por razones políticas, como había sido el caso de la hija del general San Martín, Mercedes. Que los González Moreno vivieran en esa época en París en un hotel particular en la rue Copernic, y tuvieran, además, un *château* en Versailles con veintiséis habitaciones,[1] puede mirarse desde ángulos distintos; como una mera extravagancia de sudamericanos ricos, o como el comienzo de un error en el cual cayó toda una generación, el de creerse europeos. Ángel de Alvear —hermano de Marcelo— eligió para casarse a una de las herederas más ricas del país, María Unzué, propietaria, entre otras cosas, de setenta mil hectáreas de la mejor tierra, en el partido de Rojas, provincia de Buenos Aires. A modo de homenaje a Francia, en su estancia, San Jacinto, hizo construir un castillo normando de ochenta habitaciones. Por último, Carmen de Alvear, la mayor de los hijos de Torcuato, quien en 1885 —a los treinta años— quedó viuda de su matrimonio con Apolinario Benítez, decidió que lo mejor para ella y sus hijos era irse a vivir a París.

Carmen sería la más rica de los hermanos y cumplió con los objetivos sociales que se había impuesto en la vida, es decir, vivir principescamente. De niña solía

[1] Pedro Fernández Lalanne: *Los Alvear*

el parecido físico y el hecho de que era el único que aún no se había casado, deben de haber contribuido a que fuera el "mimado" de Elvira Pacheco de Alvear. No es casual que en las postrimerías de su vida, cuando la fortuna de Marcelo estaba casi extinguida, construyese una quinta en la localidad de Don Torcuato (en terrenos que había heredado de su madre) a la que llamó *La Elvira*. También hay que considerar que, a fines del siglo pasado, las relaciónes entre padres e hijos eran diferentes a las actuales, que fueron modificadas por un drástico cambio en las costumbres, en la economía y, especialmente, por la psicología freudiana. Torcuato de Alvear —como los estancieros, los políticos, los funcionarios de esa época— cumplía un rol específico en la familia, más institucional que afectivo. El ejército de mucamas, mucamos, jardineros, cocheros, lavanderas, cocineros, planchadoras, niñeras e institutrices extranjeras, que habitaban en las grandes mansiones, si bien formaban una comunidad, estaba lejos de permitir la intimidad y la expresión continua de los sentimientos. Marcelo, como la mayoría de los niños de familias ricas, tenía más contacto con la servidumbre, en términos cotidianos, que con sus padres. Pero recibió, sin duda, el amor de su madre. Ya adulto, su afinidad por el arte y por la música —solía llorar al escuchar ciertas arias— debe haberla heredado de ella; no porque Elvira Pacheco haya sido melómana, sino por su sensibilidad, lo que jamás escapa a la formación de un hijo. También ese vínculo —más allá de las costumbres amatorias de la época que le tocó vivir— debe de haber favorecido su incorregible espíritu de mujeriego.

La juventud de Marcelo en nada se diferenció de la de otros jóvenes pertenecientes a su misma clase social. Manejaba su *mail coach*, jugaba con el gigantesco perro

San Bernardo, frecuentaba las *garçonnières*, tenía amoríos y aventuras, y se dedicaba al deporte, una pasión que lo acompañó a lo largo de la vida, en particular, el tiro y la esgrima. También —lo cual era típicamente porteño— tenía afición a integrar patotas con los consiguientes escándalos. La política no podía ser ajena a él, siendo un Alvear y habiendo presenciado tantas reuniones en casa de su padre. Se aproximó a ese mundo, en primer término, por vocación y, luego, por oposición al "régimen", es decir al gobierno del presidente Miguel Juárez Celman. Si los seis años durante los cuales gobernó Julio A. Roca (y en los que Torcuato fue intendente) se caracterizaron por un despegue del país —los ferrocarriles, el puerto Madero, la remodelación de Buenos Aires, la reestructuración del ejército, entre otros logros— el gobierno de Juárez Celman —concuñado de Roca y cordobés— fue exactamente el polo opuesto. Esto aceleró la inclinación política de Marcelo.

El gobierno consideraba que el Estado era mal administrador y que debía dejar en manos privadas los servicios públicos. José María Rosa, en *Historia Argentina*, describe las vicisitudes de aquella época: "En 1886, el presidente anunció al Congreso, en un mensaje con citas de Spencer y referencias a la 'mala administración que hacen los Estados', la venta de Ferrocarril Andino (hoy San Martín), formalizada a fines del año anterior a Juan E. Clark. Que lo revendió enseguida a una empresa inglesa, la Great Western, traducida al español como 'Buenos Aires al Pacífico'. A la enajenación del Andino, e invocando los mismos móviles —y con idénticas facilidades— siguió el Central Norte (hoy Belgrano) a una firma británica, Hume y Cía, intermediaria de otra empresa de la misma nacionalidad, la

Central Cordoba Railway. Siguiendo el ejemplo de la Nación, Máximo Paz, gobernador de la provincia de Buenos Aires, se desprende del floreciente Ferro Carril Oeste (hoy Sarmiento). La venta se formalizó en 41 millones de pesos a un representante —George W. Drabble— de la empresa británica Western Railway formada expresamente a ese objeto. A esas ventas siguieron las del ferrocarril a las Colonias propiedad de Santa Fe, y del Entrerriano de su provincia. En la política de desprendimiento el gobierno arrendó las obras sanitarias de la capital por 45 años a una compañía inglesa, The Buenos Ayres Supply and Drainage Co., en junio de 1888. Para construir las obras se emitiría un empréstito de 25 millones, que tomó la casa inglesa Baring, comprometiéndose a entregar 21 millones a la empresa constructora. Una política de despilfarro y mano abierta acompañaba la enajenación del país".

Los ferrocarriles y los servicios públicos, a diferencia de la actualidad, eran rentables y habían sido hechos por argentinos. La economía de especulación llegó a límites insostenibles. Los Bancos, inclusive los provinciales, llegaron a emitir moneda, y la Bolsa de Comercio de Buenos Aires se transformó en el centro especulativo por excelencia, donde las fortunas se hacían o deshacían de la noche a la mañana.

La oportunidad de entrar en la política —si es que así pueden denominarse los primeros intentos de Marcelo— fue precisamente el régimen del presidente Juárez Celman. La Rotisserie Mercier era el punto de reunión de aquellos jóvenes que consideraban que algo debía hacerse en señal de protesta. Ni violencia armada ni huelga, tan típicas de este siglo, sino apenas un club político para "restablecer las prácticas constitucionales y combatir el orden de cosas existentes". ¿Quiénes eran esos jóvenes? En realidad, pertenecían a las mejores familias: Marcelo de Alvear, Carlos Rodríguez Larreta, Octavio Pico, Ángel Gallardo y Emilio Gouchón. A fines del siglo pasado, la política estaba en manos de las clases altas; los obreros carecían de representación y el sufragio, como lo entendemos en la actualidad, era inexistente. ¿Cuál fue la respuesta al club político urdido desde la Rotisserie Mercier? Un banquete. Preparado por otro grupo de jóvenes socialmente no menos deslumbrantes: José Nicolás Matienzo, Benito Villanueva, Lucas Ayarragaray, Leopoldo Díaz —por nombrar algunos— que, desde los salones del Operai Italiani, demostraron ser "incondicionales" a Juárez Celman, apoyando la candidatura de Ramón J. Cárcano para la sucesión presidencial. Conviene aclarar que, en esa época, los presidentes eran designados y no elegidos por voto popular.

Francisco Barroetaveña publica en *La Nación* un artículo, *Tu quoque juventud, en tropel al éxito*, castigando a los jóvenes "carcanistas" y se transforma en una celebridad de la noche a la mañana. No precisamente por el texto —florido y hasta cursi—, sino porque se había encendido la chispa que finalmente voltearía al régimen. El 1º de septiembre de 1889, se realizó el mitin de la Unión Cívica de la Juventud en el Jardín Florida, en la esquina de Paraguay y Florida, con el objeto de "proclamar con firmeza la resolución de los jóvenes de ejercitar los derechos políticos del ciudadano con entera independencia de las autoridades constituidas y provocar el despertamiento de la vida cívica nacional".

Hasta ahí la historia. Hubo discursos, aplausos, elocuentes ausencias —entre ellas, la del general Mitre— y una inflamada oratoria finisecular. Marcelo llevó a

69

su padre. Torcuato pronunció un discurso de mero compromiso. Leandro Alem, en cambio, se robó el acto.

El ardor, la vehemencia del viejo caudillo autonomista —retirado de la política desde 1880—, sus barbas blancas, sus gestos, el timbre de la voz y la claridad de conceptos, hicieron delirar a la juventud reunida en el Jardín Florida. Pero, sobre todo, impactaron a Marcelo. Qué oscura corriente, qué inexplicable atracción se produjo en ese joven de 21 años al ver y a escuchar a Alem, que pertenecía a un mundo social y económico opuesto al de su padre. Qué zona de su conciencia fue despertada por aquel hombre olvidado, pero aún brillante. La conmoción debió haber sido profunda: poco tiempo después, Marcelo fue secretario de Leandro Alem.

El vínculo entre el viejo político y el joven aristócrata, más allá de la ideología, hay que rastrearlo en un punto en común que acaso los unía. Alem era hijo de Leandro Antonio Alem, mazorquero de Rosas. John Lynch, en *Juan Manuel de Rosas*, describe a la organización: "Los miembros de la mazorca, los superterroristas, eran reclutados en los grupos sociales más bajos, a menudo de la policía y los serenos, e incluían delincuentes y degolladores profesionales. Sus líderes eran Ciriaco Cuitiño y Andrés Parra, notorio y siniestro par, asesinos y organizadores de asesinatos. Otros mazorqueros conocidos fueron Nicolás Mariño, Manuel Troncoso, un horrible gigante asesino y Leandro Antonio Alem". Este último fue ejecutado en 1853. Cualquier joven aristócrata hubiera sentido un fuerte prejuicio y hasta repugnancia ante el hijo de semejante criminal; pero no hay que olvidar que el abuelo materno de Marcelo, el general Ángel Pacheco, pertenecía al régimen de Rosas y era su brazo militar. El mazorquero

Alem, su brazo policíaco. Sólo así puede haber pasado por alto esa macabra genealogía. Alem, en cambio, estaba halagado, ante el solo hecho de que un Alvear —nieto de un general de la Independencia, hijo de un célebre intendente— le demostrara semejante admiración.

Marcelo, de la mano del viejo caudillo, descubrió que en política podían existir principios. La idea moral era sagrada. "Es la única que puede regular la vida de las sociedades" —sostenía Alem. "Nuestra moral en todas las esferas de la vida, debe servir de escuela y de fuente de inspiración a todos los demás pueblos. El interés material será para un pueblo de mercaderes, no para el nuestro." La ética y una ley electoral que garantizara la libertad de sufragio fueron las enseñanzas de ese hombre modesto, austero, que habitaba el barrio de Balvanera. Pero había que ponerlas en práctica, instrumentar la forma de aplicarlas. Fue ahí cuando Marcelo se inició en el comité, en las asambleas populares, cuando entró en contacto con gente que no vivía en la parroquia del Socorro. No deja de sorprender su elección. Lo previsible, en todo caso, es que hubiera continuado con la línea conservadora, empañada por los ímpetus juveniles, por el irresistible deseo de cambiar el mundo. Pero, en suma, se habría tratado de un divertimento más, prontamente olvidado. Por el contrario, si bien puede parecer contradictorio que un Alvear se lanzara a luchar por las reivindicaciones populares, por la ética y la austeridad —algo de lo cual se le acusó hasta el fin de sus días—, la raíz de esa decisión no es contradictoria. Su abuelo, el general Alvear, había sido un revolucionario: luchó para terminar con un sistema y dar paso a otro. Su padre, a su manera, también había sido un revolucionario. Cómo,

71

si no, transformar a Buenos Aires, convertirla en una gran ciudad, luchando con habitantes retrógrados, criticado y obstaculizado por sus propios pares. Marcelo llevaba en la sangre ese espíritu, y su decisión de ser secretario de Alem y luchar por ideales, más que una contradicción, era una herencia.

En julio de 1890 se produjo la Revolución del Parque, en la cual Marcelo —al menos, notoriamente— tuvo poca intervención. Pero el gobierno cayó y Carlos Pellegrini fue el nuevo presidente. A fines de ese mismo año, fallecía Torcuato de Alvear, a quien se le había ofrecido nuevamente la intendencia de Buenos Aires, la cual no pudo aceptar por razones de salud. Su entierro en la Recoleta podría engrosar la lista de las contradicciones argentinas. Toda la ciudad le rindió homenaje, como si hubiera debido esperar hasta su muerte para entender en qué había consistido su genio, su voluntad inquebrantable. Pellegrini y Mitre —este último desde París— se deshicieron en elogios. Por suscripción popular —50 centavos por persona— se decidió hacerle un monumento. El hombre que arrasó con el trazado colonial y paupérrimo de Buenos Aires, que enfrentó a uno de sus ciudadanos más ricos e ilustres, José Gregorio de Lezama, que desató las iras de comerciantes y aristócratas, finalmente había sido comprendido y valorado.

A los veintidós años Marcelo había perdido a su padre; sus hermanos estaban casados y viajaban por el mundo —con epicentro en París. Esa muerte debe haber fortalecido su vínculo con Leandro Alem. Era el único, ahora, que podía transmitirle ideales políticos y enseñarle cómo manejarse en ese mundo. Además, había heredado. Don Torcuato había sido inmensamente rico: poseía, entre otros bienes, cien mil hectáreas en La

Pampa, donde esta provincia se junta con las de Buenos Aires y Córdoba (en la actualidad, las localidades de Bernardo Larroudé e Intendente Alvear); también, cuatro mil hectáreas en Chacabuco. A Marcelo le correspondieron trece mil hectáreas en La Pampa y dos mil setecientas en la provincia de Buenos Aires. Esa fortuna le permitiría ser independiente, hasta en política.

Al dividirse la Unión Cívica, Marcelo no dudó un instante: su destino estaba junto a Alem. El maestro organizó las fuerzas políticas y el alumno, día a día, comité por comité, fue aprendiendo. Marcelo fue uno de los fundadores de la Unión Cívica Radical —un hecho cuyo significado no comprendieron sus detractores dentro del partido, pero cuyo alcance sí entendió Hipólito Yrigoyen— y firmó, como secretario del Comité Nacional, el acta de fundación, el 2 de julio de 1891. En septiembre de ese mismo año, el joven Alvear, el habitante del barrio del Socorro, el rico heredero, el habitué de la Rotisserie Mercier, de los teatros y las *garçonnières*, conocería lo que su familia y su posición social le habían negado: el país y su pueblo.

Alem inició la gira electoral por el interior en apoyo de la fórmula Yrigoyen-Garro; en el mismo vagón y en calidad de secretario, viajaba Marcelo. Rosario, Córdoba, Tucumán, Santiago del Estero, Mendoza, San Luis fueron algunas de las provincias que verá por primera vez. Ésa era la Argentina, una extensa planicie ínfimamente arbolada, con una perpetua línea del horizonte. Ocasionalmente, un monte de paraísos, una estancia, una estación de tren rodeada por un puñado de casas. Todo estaba por hacerse en esa inmensidad. Y en cada estación ferroviaria, el pueblo se apretujaba para ver y escuchar a Leandro Alem, a ese anciano fogoso que los comprendía y que les llevaba un futuro ético y promisorio. Ahí estaban el peón y el capataz, el carnicero y el maestro, el tendero y el albañil, la chinita con su hijo en brazos y la señora del comerciante, aclamando al caudillo, aplaudiendo, delirando. Qué diferencia con los salones de Buenos Aires, afectadamente franceses; con las conspiraciones en la Rotisserie Mercier. Qué insignificantes le deben haber parecido a Marcelo las intrigas políticas de los señores acaudalados que manejaban el país a su antojo. Ese pueblo se ofrecía, aún virgen, a quien supiera responder a sus necesidades, y ese contacto, esa primera aproximación, deben haber dejado una profunda huella en el joven político.

La gira fue apoteótica y no sólo en las estaciones ferroviarias de campaña. En Salta y Tucumán hubo bailes, banquetes y permanentes homenajes, como si toda la ciudadanía hubiera estado esperándolos. En Salta Marcelo cumplió 23 años, el 4 de octubre; Alem decidió homenajearlo a su manera: fue hasta el dormitorio de su secretario con la pava, el mate y unos bizcochos, una demostración de afecto íntimo y austero. El caudillo, el hijo del mazorquero, el político brillante que enardecía a las masas, le rendía ese sencillo tributo y ambos disfrutaron de ese cumpleaños tan diferente al que le hubieran prodigado en la mansión de la calle Juncal. Alvear jamás lo olvidó. D'Andrea Mohr, taquígrafo y secretario de Marcelo a partir de 1937 hasta su muerte, recuerda: "El 5 de septiembre de 1938 estábamos almorzando en el Hotel Savoy, en Tucumán. Estaban Alvear, Cantilo y la gente de esa ciudad, como Alberto J. Paz y García Fernández. Un groom me trae un telegrama. Era de mi madre, deseándome feliz cumpleaños ya que cumplía veintiuno ese día. Al final del almuerzo, Alvear ordena que traigan copas de champagne. '¿Para qué?' —pregunté. 'D'Andrea..., dijo Alvear, no hay mejor regalo que cumplir veintiún años...'

" 'Marcelo había averiguado qué decía el telegrama. Esa noche, naturalmente, le agradecí su gentileza. 'Dejáte de joder...', me dijo Alvear. 'Me hiciste acordar de mi juventud, cuando tenía tu edad y andaba con Alem aquí por el norte. Leandro se enteró que era mi cumpleaños y supo festejármelo'."

Ese mismo año, es decir 1891, Alvear se había recibido de abogado, presentando la tesis "De los albaceas". Había adquirido conocimientos jurídicos y, al mismo tiempo, aprendido los rudimentos de la política de la mano de Leandro Alem; sin embargo, aún le faltaba conocer otros aspectos propios de estas latitudes y que padecería a lo largo de su vida, como la deportación. En efecto, a comienzos de 1892, en el mejor estilo de los gobiernos argentinos, se acusó a los radicales de estar preparando una revolución, lo cual significó, sin más, que el doctor Marcelo de Alvear y Pacheco —junto con otros correligionarios— fuera detenido y trasladado a la corbeta *La Argentina*. Como enseña la historia con respecto a los presos políticos, los lugares de detención se vuelven progresivamente más sórdidos (piénsese en María Antonieta y en su dramático descenso —Tullerías, Temple, Conciergerie). Luego, se lo trasladó a la cañonera *Paraná*, para ser finalmente arrojado al pontón *Rossetti*. En ese transporte no estaba sólo Marcelo. Se hallaba la flor del radicalismo, entre ellos, Leandro Alem. Hacinados, sin las mínimas condiciones de higiene, ante la indiferencia absoluta de Carlos Pellegrini, pasaban las semanas. Marcelo era demasiado joven para sentirse humillado —sólo tenía 23 años— y, a lo sumo, extrañaría las comodidades de la calle Juncal, de los hoteles de provincia. Pero constituía una aventura única. El hecho de que no se había respetado ni su apellido ni su fortuna lo ponía en pie de igualdad con los otros políticos detenidos. Ya no era el nieto de un prócer, el dueño de miles de hectáreas, o el hijo del intendente. Era un radical más, soportando las penurias, las incomodidades de la precariedad. Qué distinto sería cuarenta años después, al ser nuevamente deportado, con más de sesenta años a cuestas y luego de haber sido presidente. El mugriento transporte *Pampa*, y el interminable viaje a Lisboa fueron quizá las peores humillaciones que le tocó vivir. Pero en el pontón *Rossetti* recién comenzaba la lucha de los radicales, con Alem a la cabeza y la posibilidad de una verdadera revolución los mantenía alertas, como si la esperanza les hiciera olvidar su situación.

Los gobiernos argentinos no se han caracterizado por aplicar castigos ejemplares, a diferencia de otros países. Poco después, los presos fueron liberados, desembarcándolos en Montevideo.

La revolución —una más abortada, para el radicalismo— no tardó en llegar. El exilio de Marcelo y sus correligionarios fue breve, como era de suponer. A mediados de 1892 está de regreso en Buenos Aires y se lanza abiertamente a la política cuando el Comité de la provincia de Buenos Aires le delega el segundo distrito electoral. Y fue en esa época cuando trató al hombre que llevaría a la Unión Cívica Radical a sus máximas alturas, con quien —cerca del final de la vida de ambos— tendría diferencias, recelos, y una ininterrumpida sucesión de *faux pas* que terminarían agriando la relación: Hipólito Yrigoyen. Cenaban en el Café de París, y el caudillo radical le profesaba admiración al joven Alvear. Por eso, cuando estalló la revolución al año siguiente, el 30 de julio de 1893, Marcelo no estaría sólo junto a Leandro Alem, sino también al lado de Yrigoyen, quien presidía el Comité de la provincia de Buenos Aires.

Ese día, la revolución se pronuncia en 80 de los 82 partidos de aquella provincia, después de haber triunfado en Rosario y en Santa Fe. Yrigoyen había sido el gestor del estallido, minuciosamente preparado, y tanto la ideología como los objetivos eran claros.

"Entendemos derrocar al gobierno para devolverlo al pueblo a quien se le ha usurpado, a fin de que lo reconstituya de acuerdo a su voluntad soberana y lo enaltezca con la elección de sus mejores hijos" manifestó Yrigoyen. En realidad, estas palabras algo altisonantes no apuntaban sólo a poner fin a un gobierno, sino a que en la Argentina, de una vez por todas, los comicios fueran legislados, reglamentados, para acabar con un sistema que, utilizando arbitrariamente los padrones y aplicando un descarado fraude, perpetuaba en el poder a la eterna camarilla.

No es objeto de este trabajo narrar los pormenores de la revolución de 1893, pero sí, en cambio, la actuación de Marcelo. Su misión era tomar la comisaría de Temperley, un punto estratégico, y resistir hasta la llegada de Hipólito Yrigoyen y los sublevados. La orden se le comunicó la noche del 30 de julio, mientras asistía a una función en el Teatro Lírico, y no perdió ni un instante, hasta el punto que ni siquiera pasa por su casa para cambiarse de ropa, lo cual significa, ni más ni menos, que partió a hacer la revolución de frac. Tomó la comisaría de Temperley y, durante tres días, casi sin dormir, temiendo la irrupción de tropas del gobierno, Marcelo resistió. Era un eximio tirador y no hubiera dudado en recurrir a las armas de haber sido necesario. Pero no lo fue. Yrigoyen llegó al frente de mil quinientos hombres e instaló su cuartel general en Temperley, en un chalet cercano a la comisaría. El 6 de agosto, Alvear recibió acaso una de las máximas satisfacciones de aquel período de ímpetus juveniles: la visita de Leandro Alem, quien recorrió el campamento junto con una nutrida delegación. Maestro y alumno se volvían a encontrar en el terreno, como en la gira por las provincias, como en el pontón *Rossetti*, pero, esta vez, Marcelo demostró que había aprendido las lecciones y oficiaba, además, de dueño de casa.

Se nombra a un gobernador provisorio de la provincia de Buenos Aires —el doctor Juan Carlos Belgrano—, quien de inmediato organiza su gabinete. Alvear es nombrado ministro de Obras Públicas. A los 25 años, accedía a su primer cargo oficial, instalado en La Plata, programando con su inveterado espíritu organizativo los próximos pasos. No los hubo: días después el gobierno intervino la provincia y procedió a desarmar a los revolucionarios.

Los últimos años de la década de 1890 enfrentaron a Marcelo con la soledad. Las actividades políticas, después del fracaso de la revolución, quedaron muy reducidas y el radicalismo debería esperar veinticinco años hasta llegar finalmente al poder. Si bien Alvear intervino, al menos formalmente, en la vida partidaria, no ignoraba que el momento histórico de la Unión Cívica Radical distaba mucho de estar maduro. En 1895, fallece Elvira Pacheco de Alvear, lo cual significó no sólo la pérdida de su madre, un vínculo profundo del cual le sería difícil prescindir, sino, también, el hecho de encontrarse, por primera vez, solo.

Regina y Felicia en 1898. Su madre fue el factor decisivo en su carrera artística.

Marcelo T. de Alvear hacia 1893.

Alvear *(izquierda)* en las afueras de Lisboa, poco antes de casarse, con familiares y amigos de Regina.

Regina y Marcelo en Niza, hacia 1905, con José Pacini *(izquierda)*.

Regina, *circa* 1907, año de su casamiento. *"Una de las voces más exquisitas de principios de siglo..."*

Marcelo cabalgando en el Bois de Boulogne en París, 1910.

Coeur Volant, en las afueras de París, el epicentro de
la vida mundana de los Alvear.

Regina en 1922 al
comenzar su vida
como primera dama.

Lily Pons, a quien Regina conoció en Río de Janeiro y la propia Regina, en la playa de Copacabana.

Alvear con el rey Alfonso XIII de España, en Santander, durante la gira que realizó en 1922 como presidente electo.

Marcelo y el príncipe de Gales, futuro Eduardo VIII, en Buenos Aires, 1925.

En la Costanera durante el invierno de 1938.

Rodeada de admiradores, ya transformada en una venerable dama.

Sus hermanos hacía años que estaban casados, que habían hecho su vida lejos de Buenos Aires, ya sea por haberse instalado en París —como su hermana Carmen— o por los prolongados viajes que realizaban. La casa de la calle Juncal le debió parecer desmesuradamente grande, silenciosa, solitaria. Se habían acabado para siempre los bailes, los banquetes, los almuerzos que reunían a veinte personas, y su madre, que era el motor de esa vida social, ya no estaba. Qué congoja habrá sentido al contemplar los salones desolados, la mesa del comedor vacía, los dormitorios que sólo albergaban recuerdos de otras épocas.

Por si eso fuera poco, el 1º de abril de 1896 se suicidó Leandro Alem, el maestro.

Ese repentino sentimiento de orfandad a través de la pérdida de su madre y de un político que, en cierta medida, cumplía una función paterna, unido a la falta de actividad política, deben haberlo sumido en la tristeza. Tampoco había más giras proselitistas por el interior del país, o revoluciones donde descargar su vitalidad y sus esperanzas. La ausencia de Alem, por otra parte, debe haber mermado su entusiasmo en lo referente a las posibilidades más o menos inmediatas del radicalismo para acceder al gobierno. Marcelo tenía amigos y socios en su estudio jurídico de Florida 79, pero la profesión no le apasionaba, como quedaría demostrado en los años venideros.

La muerte de Elvira Pacheco de Alvear lo transformó en un hombre riquísimo. A las propiedades que Marcelo había heredado de su padre, se sumaban ahora otras, lo cual significó que, en La Pampa, poseería treinta mil hectáreas, y casi siete mil en Chacabuco, además de diversos bienes. Fue en esa época cuando descubrió París. Su hermana Carmen casó en 1896 con el príncipe bávaro José de Wrede (cumpliendo, por fin, con sus sueños germánicos), matrimonio que debe haber impresionado a los Alvear, como también al resto de los porteños. Esos casamientos, hechos más por la fortuna —o dote— de la novia que por amor, eran la única forma que tenían los argentinos de acceder a la nobleza europea, aunque, en realidad, esta última los ignoró. Para Marcelo, el hecho de asistir a la boda en Ginebra y de conocer ese mundo, debió haber sido regocijante. Tenía veintiocho años, una inmensa fortuna, era apuesto y eximio deportista, factores que constituían óptimas credenciales para ingresar en esas alturas sociales.

Se le ha criticado a Alvear, como político, su origen patricio, lo cual para muchos equivalía a no poder consustanciarse con los problemas de su pueblo. También se pensaba que su pasión por París, donde viviría lujosamente más de veinticinco años, poco condecía con la austeridad de un Hipólito Yrigoyen. En parte, es cierto. Pero a los veintiocho años, millonario y apuesto, sin actividad política donde pudiera intervenir significativamente y sin familia, no se le podía pedir que renunciara a la ciudad más fascinante del mundo. Viajó varias veces a Europa. Pero el amor no lo encontraría allí, sino en su ciudad natal, Buenos Aires.

TRES

EL ENCUENTRO

Regina Pacini había conquistado Lisboa, pero su triunfo constituyó un hecho aislado y tenía por delante un largo camino. Felicia, su madre, había aceptado la vocación de artista de su hija y no ignoraba que sólo una sólida formación, un continuo aprendizaje, podrían hacer de ella una cantante célebre. París y la Marchesi —que había enseñado a cantar a las grandes divas— eran el objetivo y hacia allí partieron. Quién financió esa estada y las clases de canto, lo ignoramos, aunque sería lícito suponer que recibieron algún subsidio del Teatro Real de San Carlos, la única institución capaz de ayudarlas. Claro que no se trataba únicamente de perfeccionar la voz, sino, también, de establecer claramente cuáles serían las reglas del juego que impondría Felicia. El aceptar la carrera de las tablas para su hija tendría su precio, es decir, que la madre la acompañaría en París (no podría haber sido de otro modo, ya que Regina tenía, en 1888, diecisiete años) y, en el futuro, sería su representante, lo cual significaba estar presente en todas las giras.

Ingresar en la carrera del *bel canto*, en aquella época, generaba expectativas distintas a las del presente siglo. Eran, entonces, tiempos de divas, de caprichos, escándalos y amoríos. ¿Quiénes reinaban en ese sublime firmamento? En primer lugar, la legendaria Adelina Patti, que a pesar de tener cuarenta y cinco años, no había abandonado sus elevados cachets ni sus extravagancias. El monto de sus honorarios causaba conmoción. Harold C. Schonberg, en *Los Virtuosos*, señala: "En la década de 1880, (Adelina Patti) recibía cinco mil dólares por función, además de un porcentaje de la venta de billetes. En ocasiones, recibió aun más, como ocurrió en 1882, en el festival de Cincinnati cuando su empresario, el coronel Mapleson le pagó ocho mil dólares por representación, haciendo saber a la prensa que era 'la suma más alta que esta invalorable dama jamás ha recibido en concepto de honorarios'". El mundo estaba intrigado y encantado. En 1883, un matemático contó las notas que Patti entonaba en el rol de Semiramide y calculó que recibía 42 5/8 centavos por nota. Otro genio de los cálculos de Boston, dijo que, en *Lucía de Lammermoor*, Patti recibía 42 1/2 centavos por cada nota que cantaba. En América circulaba la broma que la única cantante (*singer*) más rica que Patti era la compañía Singer de máquinas de coser. Sus honorarios aparecían en la primera plana de los periódicos. Debajo de un titular de un periódico neoyorquino de 1903 aparecía el siguiente detalle:

ADELINA PATTI Ganará aquí
5.000 dólares por concierto
50% de los ingresos que superen 7.500 dólares
375.000 dólares por sesenta conciertos
56 dólares por cada minuto que permanezca en escena
2,60 dólares por segundo
3,47 por cada nota
0,50 cada vez que respire

La reina de la excentricidad —y de los altos cachets— fue la soprano australiana Nellie Melba, que no permitió que ninguna rival la opacara. Harold C. Schonberg[1] señala: "En 1903, asistió (Melba) a una representación de *Bohème* en el Covent Garden y, desde el palco que ocupaba, cantó el si agudo del final del vals de Musetta. Fritzi Scheff interpretaba el rol de Musetta. Cuando cayó el telón, Scheff, indignada, fue presa de un ataque de histeria y no pudo continuar la función". Escandalosa hasta en sus romances —el que protagonizó con el duque de Orleans fue el más renombrado—, desmesurada en sus honorarios hasta el punto de recaudar dos millones de dólares por sus discos, poseía rasgos únicos que la hicieron célebre. Su odio contra la soprano Ema Calvé era tan profundo, que había enseñado a su loro a desmayarse cuando alguien pronunciaba el apellido "Calvé".

Ése era el ambiente en el cual deberían moverse Regina y su madre. Claro que Felicia tenía objetivos claros: deseaba que su hija ocupara un lugar prominente entre las deidades del *bel canto* y ganase una fortuna acorde con su prestigio. El dinero que jamás había tenido, la pobreza en la cual la sumió Pietro Pacini pertenecían definitivamente al pasado. Eso exigía enormes sacrificios económicos y una disciplina férrea. La Marchesi, creadora de tantas divas, podía darle a su hija la técnica y, también, los futuros contactos teatrales: quién se negaría a ofrecerle importantes roles a una egresada de Matilde Marchesi, dotada de una voz prodigiosa; qué empresario rechazaría a Regina después de su triunfo en Lisboa. Pero la disciplina, los perma-

[1] Obra citada

83

nentes ejercicios y los estudios eran apenas una parte de la formación de esa adolescente; también estaban los principios cristianos, marcados a fuego. Felicia conocía la ligereza de los artistas, su vanidad, su desenfreno, su narcisismo. Así como las *prime donne* eran capaces de ganar fortunas, podían despilfarrarlas de la noche a la mañana. Y qué decir de los amores. Asediadas por príncipes, millonarios y aventureros, constituían un bocado fácil: las alhajas, las flores y la galantería hacían tabla rasa con los preceptos religiosos inculcados en la infancia. Ella estaría allí en todo momento, exigiendo disciplina, espantando a pretendientes inoportunos.

Es sugestivo —y hasta previsible— que madre e hija eligieran a Madrid como punto de partida de una deslumbrante carrera. En primer lugar, la ciudad, si de ópera se trataba, poseía un público menos exigente que el de Londres o el de París, estas últimas acostumbradas a la Melba, a la Patti y a otras descollantes divas. Esas ciudades *eran* el santuario de la ópera. Madrid, en cambio, prefería las zarzuelas, un género musical de profundo arraigo entre sus habitantes, lo cual disminuía las exigencias en lo que respecta a elencos y directores de orquesta. Y, también, no hay que olvidar que Felicia era española, nacida en Cádiz, y deseaba volver a su tierra con todos los laureles.

Regina debutó en el Teatro Real de Madrid en 1890 y, durante cinco años, cimentó su fama cantando en la capital española y recorriendo el interior del país. En realidad, tardó poco en conquistarlos: su voz, su juventud y el hecho de pertenecer a esa tierra por el lado materno, se tradujeron en ese fenómeno único, incomparable, de convertirse en una estrella. Basta leer *El Diario*, de Cádiz, del 10 de septiembre de 1892, para entender la magnitud de su presencia.

"*Teatro Principal.*— Anoche tuvo lugar el beneficio de la célebre diva Regina Pacini.

El programa compuesto de distintas partes de las obras en que más se distingue la señorita Pacini, fue ejecutado por ésta con el gusto y arte que sabe imprimir a su trabajo.

En el primer acto de *Los Puritanos*, obtuvo una verdadera ovación en el concertante, que el público interrumpió con sus aplausos, teniendo que salir a escena varias veces.

En el rondó del tercer acto de *Sonámbula*, que cantó de inimitable manera, se repitió la ovación para la artista.

El público arrojó flores y palomas a la simpática diva.

Ésta recibió de sus admiradores dos abanicos, uno con varillaje de nácar y el otro de carey, infinidad de ramos de flores a cual más elegantes, llamando especialmente la atención una monumental canastilla del Casino Gaditano; un caprichoso ramo en cuyo centro aparecía una pequeña paleta con pintura alegórica, del Sr. Ghersi, y otro ramo con las iniciales de la diva, del empresario señor Rodrigo."

Más adelante *El Diario* señalaba:

"Mr. Fétis, el ilustre director del Conservatorio de Bruselas, decía que el aria más difícil que se ha escrito es una de las de Astrifiammante, aquella que está en *re menor* y en que se encuentran ciertos agudísimos *pizzicatos* de ejecución casi imposible.

Regina Pacini deja en Cádiz el recuerdo más admirable de su genio y agilidad, cantando la noche del 9 de septiembre de 1892 el aria más difícil que ha creado para una soprano de primer orden el talento portentoso de Mozart, con el que ha sabido identificarse la inteligente diva, por medio de una interpretación brillantísima".

Durante esos cinco años, Regina volvió puntualmente a Lisboa a cantar en el Teatro Real de San Carlos frente al público que la había consagrado por primera vez. Cómo olvidar su debut y el calor de los melómanos portugueses aquella noche de enero de 1888. Ahora, además de adoración, los lisboetas le profesaban respeto. Había pulido las imperfecciones vocales y se movía por el escenario con absoluto dominio del espacio, en *La Sonámbula*, en *I Puritani*, en *El Barbero de Sevilla*, en *La Flauta Mágica*. Lisboa se deshizo en agasajos, en regalos, en banquetes. Si bien le faltaba a Regina conquistar los grandes teatros líricos de Europa, nadie dudaba que estaba en el camino correcto. Sólo tenía diecinueve años.

En abril de 1893, recibió el máximo honor que se otorgaba a los cantantes portugueses: Cantante Real de Cámara. Eso significaba que el rey Carlos I la designaba para actuar en los grandes acontecimientos que se llevasen a cabo en el palacio de las Necesidades.

Los tiempos, para Felicia, habían cambiado. El dinero entraba a manos llenas, las invitaciones en Lisboa se multiplicaban y ahora el propio rey de Portugal reconocía el esfuerzo, la disciplina y el talento de su hija. El día que fueron recibidas en palacio, habrá sentido que tocaba el cielo con las manos. Para Regina, era una emoción más, una de las tantas de los últimos años: excesivamente joven, sin haber vivido las frustraciones que condenaron artísticamente a su padre, reverenciada y adorada por el público, por la crítica y por los melómanos, consideraba que ingresar en el palacio real era un tributo suplementario que se le rendía, como quien los recibe por derecho divino. Qué diferencia podía existir entre las ovaciones del Teatro Real de Madrid, las flores que llovían sobre el escenario, los bravos, y una ceremonia en el palacio de las Necesidades, donde un rey la honraría con un cargo puramente académico. Ella estaba en camino de convertirse en una diva internacional y, por lo tanto, poco podía impresionarla. Para Felicia, en cambio, era el comienzo de su desquite. Que toda Lisboa supiera quiénes eran ella y su hija. Si habían vivido en la pobreza, si habían rogado a Valdez, el empresario del Teatro San Carlos para que diera una oportunidad a la joven, si Pietro Pacini había muerto pobre y fracasado, ya no lo recordaba.

Vestidas de punta en blanco, con las alhajas justas para la ocasión, ingresaron en el palacio de las Necesidades, donde reinaban los Braganza. Qué delicia ser recibidas por el joven monarca, mientras sirvientes de librea revoloteaban por los salones y montaban guardia en los pasillos. Con qué seguridad hicieron la reverencia y pronunciaron las palabras precisas —ni una de más— que imponía la etiqueta. La reina Amelia, nacida Orleans, debe de haber contribuido a que esa ceremonia meramente protocolar se transformase en un diálogo simple y sincero; si bien no ignoraba la etiqueta de la Corte, era doctora en medicina, lo cual le permitió conocer otros ambientes. Esta reina de origen francés también había conocido el exilio en Inglaterra, al ser destronado su abuelo, Luis Felipe de Francia. Amelia y Regina simpatizaron al instante y cada viaje que hizo la cantante a Lisboa visitó a la Reina, más por cariño que por cortesía.

La realeza —y sobre todo la española— impresionaba a Felicia. Lisboa era una ciudad pequeña y en ella habían vivido; Madrid, en cambio, poseía una Corte hermética, presidida por la reina Regente, Cristina. Sin embargo, para aquella mujer no había puertas infranqueables, ni siquiera las del Palacio de Oriente. El 10 de agosto de 1893, a las dos y media de la tarde, Regina y su madre fueron recibidas por la Regente. Felicia sabía sacar partido de esas áureas entrevistas. Durante años su hija sería invitada a palacio, por la reina Cristina, para escucharla cantar. Otro de los frecuentes invitados era el violinista Pablo Sarasate.

En 1895, comenzó la carrera de Regina a escala internacional. Debería enfrentarse con otro público diferente al de Portugal y al de España, que nunca había oído hablar de ella y a quien poco le importaba su juventud. Tenía veinticuatro años y debía conquistar a Europa con las únicas armas de su voz y su talento. El primer contrato fuera de los límites de la península ibérica se lo ofreció el Teatro Acquarium, de San Petersburgo, un recinto particularmente riguroso, frecuentado por la nobleza rusa y los melómanos de siempre. Hacia allí partieron Regina y Felicia, en tren. El fenómeno —las ovaciones, los bravos, los bises— se repitió igual que en Madrid y en Lisboa: la voz de esa desconocida cautivó al público hasta el punto que, dos años después, regresó para cantar en el Teatro Conservatorio, de San Petersburgo, y en el Teatro Imperial, de Moscú. No era de extrañar que, junto con el éxito, llegaran los intentos de seducción por parte de nobles y oficiales del ejército, como Regina lo admitió con posterioridad. Pero ahí estaba Felicia, evitando que su hija perdiera la cabeza. Justo ahora, que se convertía en una *prima donna* podía echarse todo a perder por culpa de un príncipe ruso o un apuesto húsar. Felicia no sólo negociaba los contratos y administraba el dinero, sino que también la resguardaba de situaciones previsibles; éste fue el comienzo de una nefasta sobreprotección. Su madre pensaba, decidía y actuaba por ella. Hasta tal punto llegaba su obsesión que, durante las funciones, en vez de estar en la platea o en el camarín, permanecía entre bastidores para controlarla.

Regina no sólo perfeccionó su voz y su técnica durante las giras internacionales. Aprendió, asimismo, a ser una señora. Los *cosidos* de Lisboa en la rua nova da Trindade, en una mesa simple, en compañía de sus hermanos José y Constanza, habían sido desplazados por deslumbrantes banquetes, por comidas íntimas, a la luz de las velas, en los mejores restaurantes de Varsovia. Y ahí surgían las complicaciones. Cómo vestirse. En qué idioma hablar. Cuándo usar la batería de tenedores, cuchillos y cucharas y con cuál plato. Qué copa levantar primero, habiendo no menos de cinco sobre la mesa. ¿Se doblaba la servilleta, o se la abandonaba como cayese una vez concluida la cena? En esa *belle époque* pródiga en extravagancias y frivolidades, los modales adquirían una importancia desmedida. Si bien a una *prima donna* podía perdonársele que ignorara ciertas convenciones (la grosería de Nellie Melba era célebre), Regina se propuso ser semejante a cualquier gran señora de la época, realidad que luego demostraría al casarse con Marcelo de Alvear. A medida que progresaban sus giras artísticas, aumentaban sus conocimientos mundanos, sus romances. En Varsovia, en tres temporadas (1896, 1897 y 1898) recibió una propuesta de matrimonio por parte de un oficial del ejército polaco que ni siquiera consideró.

Y en el Madrid de 1897, Regina ya había adquirido un óptimo pulimento.

Un diario madrileño publicó, ese mismo año, en la sección *Ecos de Sociedad* una información reveladora. "En la legación de Portugal, en honor de la eminente *diva* Regina Pacini, se verificó anoche un suntuoso banquete en la residencia de los condes de Macedo, al que asistieron además de Madame Pacini, madre de la notable artista y del hermano de ésta, José, el vizconde de Alenquer, el subsecretario de la Presidencia, vizconde de Irueste, el marqués de Valdeiglesias, los condes de Asmir y del Cuzal, el encargado de Negocios de Portugal y el Sr. Vasco". Felicia Quintero de Pacini, ahora era denominada *Madame*. José Pacini, su hijo, figuraba en las crónicas de sociedad, posiblemente por ser el empresario del Teatro Real de San Carlos, de Lisboa, cargo en el cual la influencia de Regina, a través de su propio prestigio y su amistad con la reina Amelia, debió de ser decisiva. ¿Cómo describía la crónica a la homenajeada? "Elegantísimamente ataviada con traje de raso blanco y grupos de rosas, luciendo sobre el escote del vestido una flecha de rubíes y brillantes y en las orejas dos enormes turquesas orladas de brillantes".

Se ha hablado muchas veces de la fealdad de Regina, de su estatura excesivamente baja, que volvía inexplicable la decisión de Marcelo de Alvear de casarse con ella. Ésa es la imagen de una mujer que había pasado los cincuenta años, cuando fue primera dama de la Argentina. Pero en 1897, con sólo veintiséis años, encuadraba dentro de los cánones de belleza finiseculares: de figura menuda, ojos negros y peinado *à la concierge*, poseía una piel delicada, una mirada provocativa y una inequívoca sensualidad. La noche del banquete en la legación de Portugal debe de haber causado impacto su atuendo y su elegancia, su manera de mover las manos, de sonreír, de desplazar la mirada, de articular la voz. Porque esa noche —como solía hacerlo en las grandes recepciones— cantó acompañada por un pianista música de

Gounod y, *last but not least*, aires populares españoles. Era imposible no sucumbir ante semejante seducción. Felicia había logrado un producto perfecto. Ahí estaban admirándola la escritora Emilia Pardo Bazán, los duques de Sotomayor, de Plasencia, la duquesa de Bailén, de Nájera y el cuerpo diplomático casi entero, incluyendo al embajador de la Argentina. Los banquetes en su honor en Madrid se repetían. El embajador inglés la agasajó y, como era de esperar, le obsequió un broche de brillantes.

En diez años, Regina —y su madre— habían pasado de la oscuridad a la enceguecedora luz que otorga la celebridad y el dinero. Sus vidas transcurrían en grandes hoteles, en los mejores teatros líricos, en las embajadas, en los palacios de la nobleza, en las casas de los modistos más renombrados, en los trenes internacionales. Constanza Pacini había casado con un portugués, Cámara, y vivía en Lisboa, ciudad que jamás abandonaría; José, empresario del Teatro Real, también se había casado, adquiriendo prestigio —y dinero— en su profesión. El mundo ahora era de ellas, a un paso de la Ópera de París, del Covent Garden de Londres. Pero había que seguir cantando y engrosando las arcas; en aquella época, Sudamérica era un periplo obligado por los altos cachets que se pagaban, como también por la exigencia del público, tan culto y versado como en los mejores teatros europeos.

A mediados de 1899, se embarcaron rumbo a Montevideo y Buenos Aires. Regina encontraría el amor. Felicia, en cambio, un enemigo implacable que perseguiría a su hija por el mundo durante ocho años y que terminaría arrebatándosela, truncando una carrera artística por la cual había luchado incansablemente: Marcelo de Alvear.

El debut de Regina en Montevideo, el 15 de julio de 1899, fue apoteótico. El público uruguayo —un raro fenómeno rioplatense— estaba absolutamente *à la page* en materia de óperas y cantantes: poco le impresionaba una *prima donna* extranjera, salvo que demostrara su capacidad y su talento. Una Nevada o una Patti podían llegar a ser abucheadas en esa ciudad abismalmente lejana de los centros de cultura, a pesar de ser legendarias, si no estaban a la altura de las exigencias. El programa en el Teatro Solís incluía *Lucía de Lammermoor*, ópera de Donizetti a la cual los uruguayos no eran particularmente afectos: la consideraban anticuada, una suerte de reliquia lírica, sólo apta para los trinos y gorgoritos de una soprano ligera. Regina eligió esa ópera, desafiando el gusto de la época y a un público poco complaciente.

Vale la pena reproducir casi textualmente la crítica de la función, publicada el 17 de julio de 1899 en el diario *El Día*, de Montevideo, para comprender la fascinación que ejerció Regina. El crítico musical la tituló "¡DIVA!"

"Una soprano ligera es para mí, por lo general, una mujer que se ha tragado un fonógrafo. La máquina canta, vocaliza, trina y gorgogea desde dentro, y la mujer permanece impávida, indiferente y ajena por completo a la voz que le surge de la garganta. Por mi parte, antojos tenía de ver una cantante que fuera excepción a la monotonía de esa regla. Y anoche la he encontrado. Para unos lo más notable de la Pacini será su voz de una pureza exquisita, de un timbre cuya suavidad tiene algo de poéticamente sugestivo, de un asombroso equilibrio en toda su extensión; para otros, será *virtuosidad* pasmosa que se revela en la limpieza de las vocalizaciones más difíciles, en la nitidez y seguridad de los *pichettati*, en la rara facilidad del trino, en la singular agilidad de la voz, cuando se lanza a todo escape escalas arriba y escalas abajo cuando juguetea en los arpegios, cuando brinca rápida en los *grupettos*, y cuando revolotea en los giros caprichosos de las cadencias finales. Para otros, en fin, será su silueta elegante y aristocrática, sus modos y sus aires de señorita *comme il faut*, y la irradiación de poesía y de pureza que se desprende de toda su persona..."

"Para mí, que admiro todo eso, hay en la Pacini algo más raro y de más valor: hay el talento interpretativo, la preciosa facultad de sugestionar al público con las vibraciones del propio sentimiento y el arte supremo de exteriorizar su propia emoción por procedimientos de una sencillez encantadora. Nada de desplantes, ni de gritos, ni de grandes gesticulaciones para expresar los diferentes matices del sentir; la delicadeza del espíritu se revela en los gestos armoniosos y mesurados, en la extraña suavidad de la mirada, en el encanto seductor de la sonrisa. Yo definiría de esta manera la índole interpretativa de la opinión: es el sentimiento aprisionado por el Buen Gusto...El suyo es el temperamento más fino, más delicado y más selecto que he visto en las tablas."

"Si es sobresaliente la *diva*, tan sobresaliente fue la ovación al final del *rondó*. Hubo seis *llamadas*, a cada una de las cuales doy un sentido distinto. En la primera, el público la *llamó*... ¡Divina!... después: ¡Grande! después: ¡Graciosa! después: ¡Simpática! después: ¡Bonita! Y, por último: ¡*Chic*!... En dos palabras: lo que era justo. A gran actriz, gran admiración...Y me consta la sinceridad del entusiasmo general porque fui a confundirme con la muchedumbre, aglomerada en el último piso del teatro, porque práctico en los secretos de su acústica, sabía que allá, en lo alto, es donde mejor se saborea el primor de sus gorgoritos, y donde mejor se aprecia la pureza de sus *filaturas*... Esto me dio la ocasión de echar un piropo a la *diva*, pues, cuando fui a presentarle mis felicitaciones al camarín, alguien me preguntó: 'Pero Vd...dónde estaba, que no lo he visto en su palco? Estaba en el paraíso —contesté. ¿En el paraíso? ¿Y por qué? —dijo entonces la *diva*, muy extrañada. —Señorita, para estar en situación... Había oído decir que era en el Paraíso... donde se oía cantar a los ángeles.' "

Más allá de las vehemencias finiseculares del crítico musical uruguayo, la crónica revela algunos aspectos de Regina, que trascienden lo meramente técnico: su aire aristocrático, su elegancia y hasta su belleza. Esa noche, en el Teatro Solís, había un argentino que constituiría el primer paso de una historia de amor. En efecto, Diego de Alvear —primo hermano de Marcelo— había quedado impactado y, cuando fue presentado a la diva, puso la ciudad de Buenos Aires —próxima etapa de la gira— a los pies de Regina. Y no era un eufemismo. Diego, perteneciente a la rama más rica de los Alvear, dueño de una inmensa fortuna, *bon vivant* y viajero, era capaz de tirar la casa por la ventana con tal de cumplir con su palabra.

Regina conquistó a Buenos Aires con la misma rapidez con que había cautivado a Montevideo. El empresario del Teatro Politeama, Nino Bernabei, había apostado fuertemente a ese debut porteño, en una época donde no existía el sistema de abono y los cantantes cambiaban permanentemente de repertorio —debían

94

cantar hasta cuatro óperas— para atraer al público. *El Barbero de Sevilla* fue el vehículo perfecto para la diva: el papel de Rosina parecía haber sido escrito para ella, a juzgar por las ovaciones que se le tributaron, incluyendo las del presidente Julio A. Roca y sus hijas. Pero vamos a omitir las críticas musicales y la reacción de la sala esa noche: se produjo un hecho mucho más importante y sutil que definiría la vida de Regina. Después de la función, Diego de Alvear —a quien había conocido en Montevideo— se dirigió al camarín en compañía de su primo, Marcelo de Alvear. Regina, décadas después, confesaría a Gastón Federico Tobal los pormenores de ese encuentro. "Había llegado a mí su cartel de buen mozo y conquistador (se refiere, claro, a Marcelo). Pero le confesaré a usted que no tenía interés en trabar nuevas amistades, porque en temporadas como aquellas en las que los empresarios, sin contar con abonos que les asegurasen una entrada previa, debían cambiar los espectáculos forzando a las figuras principales a un continuo ensayo, el tiempo me era poco para el estudio, porque sabrá, mi querido amigo, que la inconsciencia de chiquilla que di muestra durante mi presentación en Lisboa, habíase trocado en continua zozobra. Mi audacia inicial me costó luego dieciocho años de emociones y angustias. Marcelo —bien lo sabe usted— era por demás atrayente, pero para halago de una mujer como yo, que no fue bonita, tenía bastante con las propuestas de matrimonio que más de un apuesto oficial ruso me hiciera en Varsovia, durante las temporadas que allí canté, y, sobre todo, no olvidaba las instancias reiteradas de dos gentilísimos caballeros de la más rancia nobleza, el uno polaco, el otro italiano, que me las repitieron durante muchos años."

El primer encuentro con Marcelo, para ella, careció

de lo que los franceses denominan *coup de foudre*, es decir, ese golpe de pólvora que desata misteriosamente una pasión incontrolable. Era un hombre apuesto más, como tantos que había conocido en varias ciudades europeas y, a lo sumo, se habrá sentido halagada del asedio que practicó Marcelo a partir de su ingreso en el camarín. Pero nada más. Para él, en cambio, se trató de un desafío. Sin duda había conocido mujeres de todo tipo en Buenos Aires y en París, pero no hay que olvidar cierto espíritu de *coleccionista* en el joven Alvear. Qué joya deslumbrante para agregar a su colección. Había actrices, bailarinas, mujeres casadas, *cocottes*, empleadas, cupletistas y, ahora, una *prima donna*. Sólo tenía que desplegar el estilo mundano y galante que conocía bien para que Regina sucumbiera a sus irresistibles encantos aristocráticos. Le obsequió un costoso anillo y le hizo llenar el camarín de flores.

Regina no se impresionó. Aun más: estaba acostumbrada a los regalos. Un diario que se publicaba en Buenos Aires en italiano enumeró los obsequios que recibió la cantante: "Prendedor con brillantes y perlas, regalo del presidente de la República, Julio A. Roca. Alhajero cincelado, la empresa Bernabei. Estatuilla de bronce, del señor Giudice Caruso. Bombonera con miniatura, del señor Guglielmo Caruson". La lista incluía, además, un prendedor de oro y brillantes, un abanico, un vaso artístico, un nécessaire de oro, uno de plata y centenares de flores. También el diario señalaba: "Un anillo con gran solitario obsequiado por un admirador que permanece en el incógnito, aunque presumimos que se trata de un gran señor, M.T.D.A.". Las iniciales son, naturalmente, de Marcelo Torcuato de Alvear.

Regina aceptó las flores. Pero devolvió el anillo.

¿Lo hizo para establecer que no era fácilmente conquistable? Ni el Presidente de la República ni quienes le regalaron otros costosos obsequios tenían dobles intenciones. Alvear, sí. ¿O, por el contrario, su negativa a aceptar el anillo fue para provocarlo? Marcelo estaba perplejo: había sido rechazado. Un Alvear. El soltero más codiciado de Buenos Aires. Un riquísimo terrateniente. Sin embargo, volvió al Politeama a escucharla cantar, todas las funciones, y no cesó de llenarle de flores el camarín, único regalo que ella aceptaba. Comprendió, mientras Regina cantaba sus prodigiosas arias, que esa voz le llegaba al corazón: en el palco, Marcelo cerraba los ojos y se dejaba transportar por la música, por esa voz suave que lo conmovía, y hubo quienes afirmaron que las lágrimas se le deslizaban por las mejillas. También comprendió que Regina no era precisamente una cupletista, a quien se la podía impresionar con técnicas seductoras. Era una artista de primera línea y una mujer exquisita.

Durante su estada en Buenos Aires, Regina y Marcelo se vieron en circunstancias puramente formales: un banquete en alguna legación, algún recital en lo de una prominente familia. Ella se despidió del público porteño y regresó a Madrid.

Se ha dicho, y la leyenda contribuyó a ello, que Marcelo la persiguió por el mundo durante ocho años hasta llevarla al altar. Aceptar esa hipótesis sería caer en esquemas simplistas. En parte, es cierto. Pero solamente en parte. Alvear concilió su necesidad de vivir en París, de viajar por Europa, con el asedio a Regina: era tan importante lo uno como lo otro. Si la Unión Cívica Radical hubiera estado en el poder en 1899 y él hubiese ocupado un cargo importante, la supuesta persecución jamás habría existido. Pero Marcelo, ese año, estaba desocupado, y sentía una necesidad imperiosa de vivir en Europa a cuerpo de rey, ya que su fortuna se lo permitía. No hay que olvidar que los porteños conformaban una sociedad joven, con escasa identidad, de una prosperidad extrema, ávidos por conocer y copiar modelos extranjeros, en particular franceses. Tampoco se puede aceptar que la siguió por todos los teatros donde ella actuó: él tenía su propia vida, sus amigos, sus actividades deportivas y, también, sus romances. Posiblemente, además de Madrid, la habrá escuchado cantar en París, Londres y Montecarlo, lugares en donde Alvear podía sentirse a sus anchas. Pero cuesta creer que la haya seguido a Odesa o a Bucarest.

La primera escala europea de Marcelo, después de haber partido Regina de Buenos Aires, fue Madrid: la diva, además de actuar en el Teatro Real, vivía en esa ciudad. También Carmen de Alvear, princesa de Wrede y hermana de Marcelo. Hemos señalado, en un capítulo anterior, que, para los argentinos, la puerta de entrada a la aristocracia europea era Madrid: los españoles eran más abiertos a los millonarios extranjeros que los franceses o los ingleses, para quienes, en términos puramente sociales, los sudamericanos no existían. Carmen, inmensamente rica, vivía con su marido y sus hijos en un deslumbrante hotel particular en la calle Serrano, dando fiestas y banquetes donde los invitados no bajaban de duques o embajadores. Pedro Fernández Lalanne, en Los Alvear, describe ese mundo fastuoso: "Los príncipes (de Wrede) habían inaugurado su palacete y recibido a sus relaciones en una fiesta que por su boato motivó comentarios. Concurrieron, según informó el diario La Época, de Madrid, los embajadores de Austria y Alemania, las duquesas de Tetuán, Bailén, Almodóvar del Río, Valencia y otras figuras de la sociedad española rica, fastuosa y cortesana, de la que dejó testimonio Vicente G. Quesada, que fuera ministro argentino en la capital del Reino. Mientras los Wrede vivieron en Madrid, la residencia lució deslumbrante de luces y flores traídas a carradas desde los jardines de Valencia, en las suntuosas fiestas que acostumbraban a dar y en las cuales hacían su presentación las niñas de la sociedad española".

Para Marcelo, Madrid era el lugar que lo convertía en un sudamericano respetable. Si bien, como se decía antes, un caballero se conocía en la mesa y en un salón de juego, y a él le sobraba el señorío, la presencia de Carmen y su tren de vida principesco cumplían una doble función: el palacio de la calle Serrano era una suerte de continente donde podía sentirse a gusto, en familia, y, por otra parte, para los madrileños era el hermano de la princesa de Wrede, lo cual le abría las puertas de los mejores salones. Pero su objetivo no era social. Durante aquella temporada en España, el camarín de Regina en el Teatro Real de Madrid estaba lleno de flores que le enviaba Marcelo. Y si había que ir a San Sebastián, donde ella debía cantar en el Gran Casino, a beneficio de los soldados que habían intervenido en la guerra de Cuba, hacia allí partía el impetuoso Alvear.

Regina, para ese entonces, estaba más que halagada. Cómo resistirse a ese hombre de treinta y un años, alto, apuesto y elegante. Su actividad artística la había obligado a renunciar a todo aquello por lo cual clamaba su corazón, y su vida se había limitado a estudios, ensayos, funciones y permanentes traslados. No podía darse el lujo de enamorarse. Primero estaba su carrera y debía dejar de lado *les affaires de cœur*. Podía, claro, tener un romance, a pesar de la perpetua presencia de su madre: una comida en un restaurante a la luz de las velas, posiblemente con zíngaros, y hasta una noche apasionada, como corresponde a una mujer de veintiocho años. Pero nada más. Al día siguiente tendría que tomar un tren y atravesar Europa, o asistir a un agotador ensayo, o dar un recital en el Palacio de Oriente. Qué hombre podría soportar semejante abandono. Pero ahí estaba Marcelo de Alvear, asediándola, enviándole flores obsesivamente. Y, quizá, por primera vez, en aquel invierno madrileño, supo lo que era estar enamorada.

Para Marcelo, en cambio, Regina era un trofeo mayor, como el cazador que espera pacientemente a un ciervo hasta darle el tiro certero. Era inimaginable, en 1899, que un Alvear —al menos, para los cánones de Buenos Aires— tomara en serio a una artista. Las divas, como las actrices, por más célebres que fueran, formaban parte de las conquistas que engrosaban la historia pasional de un hombre de mundo. Si los propios reyes las tenían, por qué no un millonario sudamericano. Hasta el propio rey de Portugal, Carlos I de Braganza, había sucumbido ante los encantos de una cortesana, la escandalosa Gaby Deslys. Qué decir del príncipe de Gales con la señora Keppel. O de los amores del káiser Guillermo II con una inglesa, de quienes desciende una familia argentina. La hombría, en aquellos años, se medía más por la conquista de mujeres legendarias, que por la fidelidad en el matrimonio. Y Marcelo se había propuesto obtener ese trofeo mayor.

Sin embargo, poco después —en marzo de 1900— Alvear regresó a Buenos Aires, no se sabe si por amores contrariados con Regina, o porque ella debía cumplir compromisos artísticos en otras latitudes. Los pocos meses que pasó en la Argentina los dedicó, entre otras cosas, a coquetear con el radicalismo; en efecto, en julio se cumplieron los diez años de la revolución del Parque, y Marcelo integró una columna, con otros líderes partidarios, que desfiló por las calles porteñas.[2] Pero la Unión Cívica Radical nada podía hacer durante el gobierno del general Roca. Alvear, a fines de 1900, regresó a París.

¿Cómo vivía un millonario argentino en esa ciudad? Marcelo se instaló en el Ritz. Afortunadamente, había compatriotas en París dispuestos a gastar dinero, a ir a las carreras de Auteuil, a comer en Maxim's y a seducir mujeres. Entre ellos, su sobrino Adams Benítez Alvear, hijo de Carmen. Entre estos dos hombres se creó, desde entonces, un sólido vínculo afectivo: viajarían juntos, y años después, Adams sería el único Alvear presente en el casamiento de Marcelo. Su sobrino, posiblemente, careció del imprescindible afecto que se recibe en la infancia y eso motivó que Marcelo se transformara en una suerte de padre. Apolinario Benítez falleció siendo él niño y el excesivo acento de Carmen en lo formal, en lo extranjero, en las relaciones afectivas glaciales, en los modales de la nobleza, en el cuidado a cargo de institutrices, lo privó del amor. Hasta que su madre murió, en 1926, se vio obligado a besarle la mano. Y hubo dos hechos que marcaron a Adams. El primero, el haber padecido poliomielitis y ser físicamente feo; el último, haberse enamorado de Clara Roca, hija del general.

El amor entre estos jóvenes fue de acuerdo con las pautas de principios de siglo: él la visitaba en la casa de la calle San Martín, pasaba días en La Larga, la estancia de Roca en Guaminí, se encontraban en los

[2] Pedro Fernández Lalanne, obra citada

grandes bailes, o en el teatro. Y, sin más, se enamoraron. Adams, un día, se decidió a pedirle al general la mano de su hija y hacia allí fue, a la vieja casona poblada de patios en el centro de Buenos Aires. Roca lo escuchó. Su veredicto fue implacable: era imposible que él se casara con *Cocha*, como llamaban a Clara. Sin dar demasiadas explicaciones, intentó hacerle olvidar a Adams su petición. Pero el joven Benítez Alvear pertenecía a una de las familias más prominentes del país, inmensamente rico, con una madre que se había convertido en princesa de Wrede. No se lo podía despachar sin ninguna explicación. ¿La oposición se debería, acaso, a la enfermedad que había padecido en su infancia? Pero no era un inválido y presionó al general para que revelase los verdaderos motivos de su decisión.

Y Roca no tuvo —*malgré lui même*— más remedio que dárselos.

—Ese matrimonio es imposible. Sos hijo mío.

Años después, Adams casó con Victoria Cañás, ante la feroz oposición de Carmen, que no asistió a la boda.

Clara Roca, en cambio, murió soltera.

París, a fines de 1900, imponía una serie de ritos que practicaban puntualmente los millonarios argentinos, fuese un Anchorena, un Unzué o un Alvear. Maxim's, el restaurante de la rue Royale, era el epicentro de la sociedad internacional, de los artistas, y de todos aquellos que deseaban ver y ser vistos. Un argentino no precisamente millonario, Carlos de Soussens, describió la Nochebuena de 1900 en el célebre restaurante, donde surge inequívocamente el estilo de Marcelo de Alvear.[3]

[3] *Caras y Caretas.* 1922

102

Soussens llegó a Maxim's en compañía del periodista parisino Pierre Paul Plan, del escultor Viber y el crítico de arte Charles Morice, con la intención de deleitarse con un tardío ponche. En una mesa contigua, se encontraba Marcelo con un grupo de amigos. Soussens relata el encuentro con sus compatriotas: "Y entre abrazos y apretones, decenas de copas se me tendían. Lloraba yo y reía a la vez, tal era mi alegría, mi emoción ante tantas pruebas de cariño. Les expliqué mi presencia. Deslumbrados por la gloria de mis acompañantes, me rogaron que fuese a invitarlos a participar de la 'frugal' mesa de los argentinos.

—¡Tendrán, sin duda, la bondad de disculparnos si hemos olvidado nuestro traje de plumas en casa...!

"Cuando transmití el mensaje, mis ilustres amigos se mostraron encantados ante la perspectiva de conocer en carne y hueso a auténticos pieles rojas. Sin embargo, un incidente se produjo: al pedir nuestra adición, que debía ser algo formidable, el *maître d'hotel* nos explicó:

—*Monsieur d'Alvear m'a défendu de vous la passer.* ('El señor Alvear me ha prohibido que les dé la cuenta')

"Al aproximarnos a los argentinos, todos se levantaron con las más efusivas muestras de admiración. Así es que presenté sucesivamente a Marcelo, Eduardito Avellaneda, el 'barón' Zubiaurre, el Tigre Ramírez, Manuelito Argerich, el cordobés Funes y otros señores de mucha o ninguna importancia."

. Esa actitud de munificencia sería característica de Marcelo de Alvear a lo largo de toda su vida y le crearía, con el tiempo, serios problemas económicos. Pero a fines de 1900, treinta mil hectáreas en La Pampa y siete mil en Chacabuco constituían una riqueza inagotable, capaz de solventar cualquier extravagancia. La carne argentina, pagada a precio de oro por los frigoríficos que se habían establecido en el país, era una suerte de varita mágica que realizaba los placeres, los caprichos, las aventuras más imprevisibles. Con sólo vender quinientos terneros al año, un argentino vivía como un rey en Europa.

Marcelo amaba París y no porque esa ciudad, en aquella época, estuviera de moda o impusiera las costumbres. El idioma, la arquitectura, la cocina francesa, la seducción de las mujeres, lo atraparon desde el primer momento, y prueba de ello es que, hasta 1934, vivió varios años en París. Los demás países europeos eran meros espacios de tránsito, como los grandes centros de aguas termales, o las temporadas hípicas en Inglaterra. Y su ciudad natal, Buenos Aires, se convirtió también en una urbe transitoria. A mediados de 1901, volvió a la Argentina con su inseparable sobrino, Adams Benítez Alvear, para volver, al poco tiempo, nuevamente a París. Y como Regina debía actuar en Buenos Aires en el mes de septiembre, emprendió otra vez el regreso. Las idas y venidas de Alvear eran consecuencia directa de su asedio a Regina, en Madrid, o en cualquiera de las ciudades donde ella actuaba. Y, aunque él no estuviera presente, el camarín estaba siempre lleno de sus flores. Regina, décadas después, confesó a su sobrina Delia Gowland Peralta Alvear de Bengolea, que sólo dos estímulos la hicieron vivir en aquellos días: el aplauso del público, al caer el telón, y la persecución de Marcelo.

La temporada lírica de 1901, en el Teatro San Martín, en la calle Esmeralda, fue particularmente brillante. En primer lugar, porque cantaría Regina Pacini; por último, porque todo Buenos Aires estaba al tanto de su romance con Marcelo de Alvear. El diario *El Tiempo*, al publicar la crítica de *El Barbero de Sevilla* (la primera ópera que cantó esa temporada) describió así la velada: "El popular San Martín tenía anoche todo el aspecto de una sala aristocrática por excelencia. El golpe de vista primero traía a la memoria el recuerdo de las grandes veladas de la Ópera, pues era más o menos el mismo público el que ocupaba las aposentadurías. Si en vez de claros y vistosos trajes, rematados por sombreros, hubiera habido algunos escotes, la ilusión hubiera sido completa. En verdad que el pretexto de la anomalía valía la pena y merecía por cierto el homenaje. Dicho pretexto era Regina Pacini, la eximia cantatriz que en una sola temporada supo conquistarse a todo Buenos Aires gracias no sólo a su exquisita voz, sino a su maestría en el arte del canto, del que no existe secreto alguno que ella no posea".

El pretexto, en realidad, fue otro. Para quienes la ópera tenía la misma trascendencia que ir a tomar el té, o asistir a una fiesta de beneficencia, la ocasión era única. Un contingente de señoras que llenaban las columnas de las páginas de sociedad que publicaban los diarios, no dejaron una entrada sin comprar. Cómo sería la última conquista de Marcelo, esa soprano petisa y narigona, como decían las malas lenguas. Pero ahí estaba todo Buenos Aires en las plateas, en los palcos, perforándola con prismáticos y *lorgnettes*. Una voz sublime, dirían unos. Nadie se enamora de una voz, responderían otros. El propio Marcelo, desde su palco, asistió a todas las funciones que se prolongaron hasta el mes de noviembre, y donde Regina cantó en *Bohème*, *Lucía de Lammermoor* y *Los Puritanos*, con la cual se despidió.

Todo el mundo, claro, estaba encantado con Regina. Después de todo, Marcelo era un *homme du monde* y una diva era a lo menos que podía aspirar. La recibieron en los salones más importantes, la agasajaron, precisamente porque a nadie se le ocurrió que Marcelo se casaría con ella. Era impensable, absurdo. Un romance de esa naturaleza —en la medida de que se tratara de eso, nada más— no desafiaba a las reglas hispánicas, en cuanto a religión, y victorianas, en cuanto a costumbres. Por el contrario, era bien visto. Después de semejante experiencia flamígera, Marcelo "sentaría cabeza" y elegiría a una señorita argentina, de buena familia, para formar un hogar. Mientras tanto, que se divierta. Que adquiera experiencia. Y las matronas porteñas le permitieron esa *impasse*, porque sabían que, tarde o temprano, sus zarpas caerían sobre el soltero más codiciado de la ciudad. Ahí estaban formando fila las "chicas" de Álzaga, Anchorena, Dorrego o Peña para llevarlo al altar.

El 8 de diciembre de 1901, Regina zarpó de Buenos Aires a bordo del *Cap Verde*. La próxima vez que pisara esa tierra, lo haría en calidad de señora de Alvear.

Felicia estaba de parabienes. No por el romance de su hija con Marcelo —al cual no le daba mayor importancia— sino porque todo aquello por lo cual había luchado se estaba concretando: Regina había sido contratada para cantar, en junio de 1902, en el Covent Garden de Londres. Y nada menos que junto a Enrico Caruso. Los amargos recuerdos de aquel viaje a Inglaterra, en 1887; la incertidumbre, el mendigar una oportunidad, la derrota, se esfumaban frente a ese contrato. Ahora sería recibida con todos los honores y ella manejaría los altísimos cachets, como siempre. Para Regina, volver a Londres significaba acaso borrar una humillación. A la vez, le reconfortaba el saber que el director de orquesta sería Luigi Mancinelli, hermano de Marino, protagonistas de aquella frustración londinense.

En realidad, había vuelto a Londres después de su primer viaje a esa ciudad. Fue en 1889, para cantar en *La Sonámbula* en el papel de Amina, pero ese debut pasó sin pena ni gloria. Actuó en Her Majesty's Theatre, en Haymarket y en mayo de ese mismo año el *London Illustrated News* no la proclamó precisamente como una diva del *bel canto*. "*La Sonámbula* —señalaba el diario— fue producida por el señor Mapleson el martes pasado, para el debut de Mlle. Regina Pacini, del Teatro Real, de Lisboa, cantante de la cual recibimos comentarios altamente favorables. Demostró ser una artista intelectual, con una voz de soprano pura y bien cultivada, apropiada para la alternativamente patética y florida música asignada a Amina. Lamentablemente, es deficiente el volumen de voz que se requiere para un teatro tan grande como Her Majesty's Opera, pero como aún es una adolescente, su volumen de voz puede llegar a aumentar a medida que pasen los años. Mientras tanto, hay mucho que admirar en su canto terminado y simpático."

El público británico distaba de ser el de Lisboa o Madrid: carecía de la pasión latina y hasta los críticos musicales adolecían del espíritu flemático de los súbditos del imperio. En efecto, las críticas en *The Times*, o en el *Daily Telegraph* no apelaban a los vocativos ni al lenguaje poético de fines de siglo, lo cual era inimaginable para un periodista inglés, que miraba con desdén las costumbres "continentales". Si bien Regina consideraba un triunfo personal su debut en Londres en el Covent

Garden, como también un paso decisivo en su carrera de soprano, debería enfrentar a una audiencia difícil, no por lo glacial de sus manifestaciones, sino por el repertorio. *Lucía de Lammermoor* y *Elixir de amor*, ambas de Donizetti —en las cuales intervendría— eran consideradas por el público inglés dos antiguallas inexplicablemente resucitadas por el Covent Garden. La música de Wagner atraía cada vez más a los melómanos y el *bel canto* en su expresión más pura estaba pasado de moda, constituyendo, a la vez, un género menor. *Lucía de Lammermoor*, para los ingleses, era el colmo. Una absurda tragedia ubicada nada menos que en Escocia, insoportablemente melodramática, cantada en italiano. La locura y muerte de Lucía, como el suicidio por amor de Edgardo de Ravenswood, sólo podían ser considerados por los británicos, *of the utmost bad taste*, es decir, de un mal gusto extremo. Qué diría Sir Walter Scott, que había escrito *The bride of Lammermoor* (La novia de Lammermoor), sobre la cual se basaba la ópera. Hasta tal punto era menospreciada, que era regla general en el Covent Garden que el público se retirase después de la muerte de Lucía, dejándolo a Edgardo en la más absoluta soledad para que se suicidara cantando *Tu che a Dio spiegasti l'ali, oh bell'alma innamorata.*

Para ese auditorio debería cantar Regina.

La noche del 6 de junio de 1902, sosteniéndose Regina Pacini y Enrico Caruso uno al otro, lograron la más sublime perfección vocal, como si la ópera, en realidad, hubiera sido compuesta para ellos. El milagro de Lisboa se repitió. La sala estalló en aplausos (nadie se retiró durante el suicidio de Edgardo de Ravenswood), en ovaciones, en bravos. La cortina bajó y subió cinco veces en el saludo final y hasta el propio Luigi Mancinelli, que dirigió la orquesta, debió salir al proscenio de la mano de Regina. El duque y la duquesa de Fife, los miembros más prominentes de la realeza que habían asistido a la función; los pares del Reino; los lords del imperio; los críticos musicales, convertidos en una verdadera multitud, habían sido hipnotizados por esas voces. Conviene señalar que la presencia de Enrico Caruso fue decisiva para el triunfo. Un tenor mediocre, o sin el prodigioso talento del legendario cantante, habría puesto a Regina en serias dificultades. El mismo éxito, idéntico delirio se produjo el 17 de junio, cuando cantó *Elixir de amor*, también con Caruso. *The Westminster Gazette* (refiriéndose a *Lucía*) señaló que "la propia Melba difícilmente hubiera cantado mejor que Pacini la escena de la locura".

El conservador *The Times*, al hacer la crítica el 7 de junio, profundizó el enigma del frustrado debut de Regina, en el Covent Garden, en 1887. En un capítulo anterior, afirmamos que uno de los misterios de su vida fue ese viaje a Londres, donde presuntamente cantaría *La Sonámbula*. El diario londinense señaló: "La señorita Regina Pacini nos deparó una agradable sorpresa en la ocasión, con aviso previo. Pocos, probablemente, entre el público, *reconocieron en ella a la cantante muy joven que apareció aquí en el primer año del jubileo bajo la administración del señor Lago*". El jubileo al cual se refiere el crítico musical fue el de la reina Victoria, precisamente en 1887, año en que Regina se trasladó a Londres. Si creemos al diario británico, habrá que admitir, entonces, que ella cantó en algún papel menor en el Covent Garden y por motivos inexplicables lo ocultó al volver a Lisboa. Gervasio Lobato, como ya hemos visto, negó que hubiera cantado. Los verdaderos motivos —haya o no actuado— que encerró ese viaje jamás se sabrán. *The Times* continúa: "Tan admirablemente utiliza la señorita Pacini su voz ligera y bella de soprano, es tan simpática su calidad, tan maravillosamente fluida y terminada su técnica, que se pasa por alto la estupidez, desde el punto de vista moderno y dramático, de la ópera en la cual cantó. No existe motivo para comparar a la señorita Pacini con otras cantantes: su versión es, por todos lados por donde se mire, buena en sí misma. El señor Caruso es vocal y dramáticamente admirable".

The Times era el único árbitro para calificar a una soprano: la sobriedad de sus críticas musicales, la economía de adjetivos en comparación con otros diarios ingleses, consagraron a Regina.

Tuvo la oportunidad de cantar nuevamente con Enrico Caruso al año siguiente —*Elixir de amor*— en el *Théâtre de Monte-Carlo* y, a partir de entonces, los grandes teatros líricos admitieron la presencia de una nueva diva en ascenso, capaz de reemplazar a la Melba. Regina tenía treinta y dos años y nada podía detener su carrera, a excepción, claro, del amor.

Marcelo de Alvear vivía prácticamente en Europa, salvo cuando realizaba sus viajes ocasionales a Buenos Aires. La visitaba en Madrid; se encontraban en París, en Montecarlo o en Londres, y en 1903 le propuso casarse: su vínculo sólo podía crecer y subsistir con el matrimonio, lo cual implicaba que ella debería abandonar su carrera artística. La persecución ya llevaba cinco años, desde aquella noche en que había cantado en Buenos Aires por primera vez, y no tenía sentido vivir separados, encontrándose fugazmente en alguna ciudad europea.

Esa propuesta espantó a Regina.

Había luchado toda su vida para llegar a la cumbre. Acumuló una fortuna. Era adorada por los públicos más exigentes, invitada a los palacios reales, cubierta de costosos regalos. Los diarios hablaban de ella en términos excelsos; los críticos musicales la idolatraban. Cómo dejar ese mundo de halagos, de fortuna, de ambición, de celebridad, para casarse con un sudamericano que sólo ostentaba la actividad de deportista. Nunca más cantar en el Covent Garden, en el Teatro Real de San Carlos, en la Scala de Milán. Jamás escuchar el aplauso y las ovaciones de su público, que era su máxima satisfacción, su razón de ser, su vida misma. Casarse con un argentino, sabiendo que sería rechazada por su condición de artista. Soportar los desprecios. Tirar una carrera a la que pocos podían acceder —apenas un puñado de elegidos—, reverenciados en el mundo entero. Qué garantía, qué seguridad tendría de que Marcelo no se cansara de ella y que, definitivamente fuera de un escenario, la siguiese amando.

Pero su lucha, su fortuna, el placer que le brindaba el exhibicionismo, la música, los temores, las presiones de Felicia y la fascinación de un escenario se estrellaban contra una única realidad de la cual no podría escapar. A esa altura, estaba enamorada —hasta la desesperación— de Marcelo.

Se incorporó silenciosamente, deslizándose, para evitar despertarlo. Los brazos de Marcelo aún la aprisionaban, como si no pudiera aceptar la mínima separación, ni siquiera durante el sueño. Tomó asiento al pie de la cama, se cerró la bata como si se protegiera de alguna oscura amenaza y lo contempló: dormía sin emitir un sonido, pacíficamente. Las primeras luces del alba apenas iluminaban el dormitorio de Marcelo, pero bastaban para reco-

nocer ese espacio enclavado en la Avenue de Wagram. Cuántas noches, desde que había llegado a París, había pasado en esa habitación; cuántas palabras susurradas al oído; cuántas confesiones pronunciadas en la penumbra. Esa noche deberían separarse una vez más, como si los permanentes traslados formaran parte de ese amor que había crecido entre giras artísticas, camarines y hoteles: ahora sería Bucarest y una vez más El elixir de amor el factor de desunión.

Marcelo se movió repentinamente y tanteó las sábanas. Descubrió su ausencia. Se apoyó torpemente sobre sus codos y la reconoció al pie de la cama.

—Regina...—susurró, mientras le tendía los brazos.

Cómo resistirse a ese gesto, casi el de un niño en la cuna que quiere ser alzado. Se acurrucó a su lado, sintió el calor de ese cuerpo y descubrió que el aplauso de una sala enfervorizada era un pobre estímulo comparado con esos brazos que nuevamente la aprisionaban. Nunca sería capaz de olvidar ese dormitorio, ni el olor a lavanda de las sábanas, ni su propia fotografía enmarcada en la mesa de luz, junto a la de los padres de Marcelo.

—Duerma, mi amor...—insistió él.

Regina cerró los ojos para complacerlo. Pero no podía dormir. Pronto volvería al hotel donde se alojaba con su madre, para escuchar los mismos reproches, idénticas condenas. Felicia aceptaba de mala gana sus escapadas nocturnas: había descubierto en su hija una voluntad imposible de doblegar, un desafío que no admitía tregua. De nada servían los argumentos para alejar a Marcelo de sus vidas: estaba omnipresente, ya fuera en París, en Madrid o en Bucarest. Los camarines permanentemente inundados de flores; los puntuales telegramas; las cartas de amor que llegaban a todos los confines de Europa cuando salían de gira.

Ese amanecer, mientras Marcelo dormía, sintió acaso por primera vez que algo había cambiado dentro de ella. Separarse —como lo harían esa noche— implicaba otra clase de pena: no significaba sólo el dejarlo, sino, también, el estar condenada al perpetuo movimiento, a los impersonales cuartos de hotel, a la falta de la imprescindible intimidad. Cómo amaba ese dormitorio, los pocos muebles que había comprado Marcelo, las pesadas cortinas de brocato que se empecinaban en mantener la habitación en penumbras, como si quisieran aislarlos de la calle, de los peligros. Comprendió que ya no podría vivir como lo había hecho hasta entonces. Los permanentes ensayos, la emoción y el nerviosismo de un estreno, el aplauso embriagador, la seguridad y la independencia que otorga el dinero nada significaban si le faltaba el amor.

Había permanecido inmóvil, sintiendo la pesada respiración de Marcelo. Supo, entonces, que su vida estaba junto a ese hombre, aun a costa de la gloria.

Felicia empezó a odiar a Alvear. Lo que había sido un romance hasta cierto punto pintoresco, se transformó en la peor de las amenazas. Su hija era capaz de abandonar una carrera por un hombre que, si bien inmensamente rico, no era europeo o noble; apenas un sudamericano elegante y mundano. En aquel año de decisiones, madre e hija entraron en un *maelstrom*, en un torbellino de discusiones y acusaciones mutuas. Felicia trató de convencerla de la locura que iba a cometer con todos los argumentos que tenía a mano, que no eran pocos. Marcelo era un diletante y pronto se cansaría de ella. En Buenos Aires nadie la recibiría. Si el matrimonio fracasaba —lo cual era probable— le sería difícil retomar su carrera de soprano. Regina sabía todo aquello. Sin embargo, prefirió perder la fortuna y la gloria. No a Marcelo.

El 11 de marzo de 1904, Regina cantó por última vez en el Teatro Real de San Carlos de Lisboa, donde había debutado aquella noche memorable, despidiéndose para siempre de aquel escenario de la infancia. Había tomado la decisión de casarse con Marcelo de Alvear. La ovación, cuando el telón cayó, fue apoteótica; los lisboetas lamentaban perder a una diva excepcional que, de algún modo, les pertenecía. Pero sus compromisos artísticos en Bucarest, en Roma, en Nápoles, en París y en Madrid, se extendían hasta comienzos de 1907, lo cual significaba que habría que esperar tres años para concretar la boda. Tres años de separaciones, de viajes, de incertidumbre.

Marcelo, en 1904, decidió establecerse definitivamente en París mientras Regina viajaba por Europa. Se instaló en un departamento en uno de los mejores barrios de la ciudad, 119 Avenue de Wagram: desde ese punto se trasladaba a los teatros líricos donde ella actuaba. Alejado de la política, ajeno a la revolución radical de 1905, se dedicó a los habituales pasatiempos de los millonarios porteños en Francia: patrocinar célebres duelos en el Bois de Boulogne, o realizar un raid aéreo en globo de París a Chartres. El 22 de octubre de 1905, una nueva muerte golpearía a Marcelo: la de su hermano Ángel, que falleció en París —en el hotel Ritz— después de una larga enfermedad. Su viuda, María Unzué, una de las cinco mujeres más ricas de la Argentina, respetó el testamento de su marido, quien legaba a Marcelo extensas y valiosas tierras en las puertas de Buenos Aires, en lo que luego sería la localidad de Don Torcuato. María Unzué de Alvear no necesitaba acrecentar su fortuna. Pero tampoco estaba dispuesta a aceptar a una cantante en la familia: desde el momento en que se anunció el compromiso matrimonial, se transformó —de por vida— en enemiga mortal de Regina, a quien nunca recibiría en su casa.

Por fin llegó 1907. Habían pasado tres años y Marcelo anunció su boda, que se realizaría el 29 de abril de ese año en Lisboa, en la iglesia de Nuestra Señora de la Encarnación. En Buenos Aires, estalló el escándalo. Si bien todo el mundo había estado al tanto de sus intenciones matrimoniales, nadie hasta entonces creyó que las llevaría a cabo: su relación con Regina era puramente pasional y transitoria. Se olvidaría de ella y sólo sería un personaje más —célebre, claro— de un vasto anecdotario. Pero al anunciar su casamiento, Marcelo había ido demasiado lejos. Las matronas porteñas cuyas vidas transcurrían en reuniones de beneficencia, en tés, en aburridas veladas, dieron por perdidas sus esperanzas de capturarlo para alguna de sus hijas y, peor aún, lo consideraron una ofensa. Había roto las reglas. Un caballero no se *casaba* con una cantante. Tampoco los señores aristocráticos vieron con buenos ojos ese desafío: había mujeres para seducir, y mujeres para llevar al altar. Así lo entendió el propio hermano de Marcelo, Carlos Torcuato de Alvear, también intendente de Buenos Aires, como su padre, que hizo esfuerzos desesperados para evitar la inminente boda en Lisboa. Pero ninguno de los argumentos que utilizó persuadieron a Marcelo: su decisión estaba tomada, su palabra dada, y no se echaría atrás.

El 28 de abril de 1907 —un día antes de la ceremonia— Regina y Felicia fueron a visitar a la reina Amelia de Portugal, en el palacio de las Necesidades. La diva se retiraba de la escena y quería despedirse de aquella mujer en quien siempre había encontrado afecto y comprensión. A la familia real, por el contrario, el casamiento le resultaba apropiado; el rey Carlos de Braganza conocía a Alvear, a quien consideraba un *gentleman* y un eximio deportista —virtudes indiscutibles para la época— y más de una vez habían practicado juntos el tiro a la paloma. La Reina dio una inequívoca muestra de cariño: se desprendió de un prendedor que llevaba puesto —un trébol de cuatro hojas— y se lo entregó a Regina.

—Tómalo —dijo la soberana. —Me ha traído la suerte que deseo para ti.[4]

Menos de un año después, el rey Carlos y el príncipe Luis Felipe serían asesinados, en el Terreiro do Paço, en presencia de la reina Amelia, quien protegió de las balas de los anarquistas con su propio cuerpo a su otro hijo, el príncipe Manuel. Menos de dos años después, caería la monarquía lusitana y Amelia de Portugal iniciaría el camino del exilio.

Pocos días antes, en París, un grupo de no más de cuatro amigos despedía a Marcelo de su vida de soltero. Había recibido un telegrama de Buenos Aires, firmado por quinientas personas, pidiéndole que desistiera de la boda. Tomás Vallée, que estuvo presente en esa despedida, recordaba antes de fallecer: "Fue doloroso. Había estado infinitas veces en la casa de Marcelo, en Cerrito y Juncal, siempre llena de amigos, el comedor rebosante de gente. Aquella noche en París, éramos apenas un puñado de compañeros para despedirlo. El haber recibido ese telegrama lo había herido de muerte."

[4] Gastón Federico Tobal, obra citada

Marcelo no se casaba con Regina por compromiso, ni por capricho. Esa mujer le había llegado al corazón. No pertenecía a su clase social y, además, era artista. Pero sabía reconocer a una señora y a un ser humano profundamente cristiano, cualidades que ella poseía. En cuanto a su familia y la gente de Buenos Aires, se podía dar el lujo de ignorarlos: él era un Alvear. No concebía la vida sin Regina y así fue hasta su muerte.

Marcelo tomó el tren a Lisboa, acompañado por su sobrino, Adams Benítez Alvear, el único argentino —no ya pariente— que haría acto de presencia en la boda. Sus hermanos le habían dado la espalda, acaso cuando más los necesitaba.

Royal Opera, Covent Garden

THE GRAND OPERA SYNDICATE, LIMITED.

Manager ... ... M. ANDRE MESSAGER

THIS EVENING'S PERFORMANCE.

Wednesday, July 9th, at 8.30,

DONIZETTI's Opera,

Lucia di Lammermoor

(IN ITALIAN.)

Lucia ...	...	... Mlle. REGINA PACINI
Alice ...	...	... Mlle. BAUERMEISTER
Enrico	...	... Signor SCOTTI
Raimondo	...	... M. JOURNET
Arturo	...	... Signor MASIERO
Normano	...	... Herr REISS
Edgardo	...	... Signor CARUSO

Conductor ... Signor MANCINELLI

Secretary and Business Manager, Mr. NEIL FORSYTH.

Elenco del Covent Garden de Londres en el cual figura Regina en el papel principal, 1902. Enrico Caruso fue su partenaire.

CUATRO

CONTRA MUNDUM

Marcelo, posiblemente, sabía con qué se iba a encontrar en Lisboa. Los Pacini —y sus amistades— probablemente constituían para él un grupo humano remoto que vivía en Portugal, del cual Regina y Felicia hablaban con cariño, pero que aún no había dejado de ser algo impersonal. Su futura familia política, al llegar, debe de haberlo incomodado. Si bien habrá sospechado que debería enfrentarse con costumbres, modales y hasta físicos diferentes, su repentina corporización sin duda significó una suerte de conmoción. Qué diferentes a los Alvear, de hablar suave y mundano, a las mujeres exquisitamente vestidas por Worth y Drecoll. Qué abismo con los argentinos que vivían en París y gastaban fortunas en adquirir un refinamiento europeo. Regina conservó, en un álbum, las fotografías de aquellos días de abril de 1907. Se lo ve a Marcelo, vestido de negro, con sus impresionantes bigotes, el ancho sombrero y el anillo de sello que usaba en el dedo meñique, como lo hacían los lords ingleses o los nobles españoles, rodeado por paisajes bucólicos —una playa, un panorama rocoso— y por aquellos lusitanos que bien podrían confundirse con un puñado de campesinos.

119

No sabemos qué sintió y si realmente comprendió la responsabilidad que asumía. Lo que no ignoramos es que había ido a Lisboa a casarse y que jamás pensó en echarse atrás. Pero la boda estaba condenada a ser diferente, a ser el polo opuesto de lo convencional, más por razones puramente sociales que por esnobismo.

A las nueve de la mañana del 29 de abril —hora en que, según los diarios, se realizaría la ceremonia— la iglesia de Nuestra Señora de la Encarnación estaba atestada de gente que pujaba por entrar, por ocupar un lugar de privilegio. Claro que ni eran invitados, ni pertenecían a la ancestral nobleza lusitana: eran curiosos que no querían perderse el casamiento de la única diva del *bel canto* que había dado Portugal. Pero la novia no aparecía nunca por el gran portal, ni se veía al millonario argentino que la iba a desposar. El diario *Correio da Noite* señaló: "Realizóse esta mañana, en la iglesia de la Encarnación, el casamiento de la ilustre cantora Regina Pacini con el conocido *sportsman* argentino Marcello Alvear. Cuál no fue el desencanto general, cuando en aquella ocasión en vez de aparecer la ilustre diva, surge de la sacristía una modesta pareja, ella una mucama, con su *toilette* compuesta por un simple vestido negro ribeteado en encaje blanco, y él un policía de campaña, con su cortejo de invitados. Se produjo en la iglesia un extraordinario movimiento. Los asistentes preguntaban, protestaban, hasta que se supo que la boda se había realizado dos horas antes, es decir, a las siete de la mañana."

De más está decir que la mucama y el policía campesino eran Regina Pacini y Marcelo de Alvear.

El diario prosigue: "De hecho, a las siete y media de la mañana, el reverendo García Diniz, con misa de esponsales, unió en matrimonio a la ilustre *prima donna* con el señor Marcello Alvear, revistiendo la ceremonia un carácter modestísimo. Acompañaban a los novios unas nueve personas y los desposados se arrodillaron junto al altar mayor. Nada más simple que la realización de aquel enlace, presenciado por apenas media docena de costureras de Ramiro Leão y por alguna que otra devota".

Un casamiento realizado entre gallos y medianoche, los novios poco menos que disfrazados. Esta aparente extravagancia, sin embargo, tiene su explicación. Marcelo y Regina no podían casarse como lo hubieran deseado, es decir, en una iglesia colmada de invitados, entre los que figuraran los Alvear, los Pacheco, las familias prominentes de Buenos Aires, los políticos, la nobleza europea y, también, los Pacini. La novia habría entrado, entonces, del brazo de su hermano, José, y habría avanzado hasta el altar vestida por Worth, con sus mejores alhajas, ante las miradas ávidas de ilustres invitados. Si eligieron ese vestuario, esa hora desusada, fue un rasgo de originalidad y también de esnobismo. Ya que nadie asistiría a la ceremonia, ellos optaron por ser, a su manera, únicos. Para los demás personajes que formaban parte de esa puesta en escena, debió de haber sido particularmente desilusionante, sobre todo para Felicia, que veía sus sueños de grandeza hechos pedazos. Su hija, una estrella de primera magnitud, casándose con menos pompa que una simple aldeana, sin siquiera haber podido invitar a los amigos más íntimos de Lisboa. Constanza y José, despidiéndose de su hermana que jamás volvería a cantar. Una oscura despedida. Adams Benítez Alvear, que idolatraba a su tío, era el único miembro presente de la familia del novio. Ni Carmen ni Carlos Torcuato ni María Unzué de Alvear habían depuesto la soberbia, los prejuicios, para brindarle a Marcelo, en ese momento supremo, el apoyo, el afecto por el cual acaso clamaba.

La boda marcó el comienzo de una relación casi de odio entre Felicia y Marcelo, que se prolongaría hasta el final de sus vidas. La madre jamás le perdonó que hubiera truncado la carrera artística de su hija y, tampoco, su condición de sudamericano rico, despreocupado, diletante. Sin embargo, Marcelo tuvo un acto de nobleza hacia esa mujer que era su inequívoca rival: exigió que la fortuna que había ganado Regina con sus actuaciones no la aportara a la sociedad matrimonial y quedara para Felicia.

Después de la boda, los novios partieron hacia Estoril para pasar la luna de miel. Habían decidido vivir en París, y a tal efecto Marcelo adquirió una mansión normanda en las afueras de la ciudad, en Marly, cerca de Versalles. Cœur Volant —tal era el nombre de la propiedad— era una adquisición previsible, a la moda. No era exactamente un castillo con quinientas hectáreas de parque, sino una casa grande, del mismo estilo de las que se construían en Mar del Plata (a su vez copiadas de Biarritz), con un espléndido jardín y que, sin duda, habrá costado una fortuna. Pero dejemos a Marcelo y a Regina en su *rêverie d'amour* de Estoril y detengámonos a analizar el mundo al que ingresarían y contra el cual deberían luchar.

El universo, naturalmente, era París. Entre 1904 y 1914, los argentinos que invadieron Francia se contaban de a miles. París resultaba más barata que Buenos Aires, gracias a la solidez del peso argentino y a los astronómicos precios de las carnes y de los cereales, pero lo económico era una causa aparente y encubría, en realidad, una actitud hedonística y esnob. Las argentinas se desvivían por los vestidos de Paquin, de Drecoll, de Poiret y arrasaban literalmente con la alta costura, modelos que luego una costurera de Buenos Aires podría copiar para las amigas o para las parientas pobres; todo lo que necesitaban para sus casas, lo ofrecía París: cubiertos de plata Tetard, muebles, vajilla, coromandeles, cuadros decorativos, alfombras persas, arañas con centenares de caireles, vasijas chinas, brocatos, es decir, todos los lugares comunes de la época. Y, de paso, podían instruirse en la compleja y refinada cocina francesa, para imitar en Buenos Aires, donde los menús familiares serían escritos en francés para asombro de aquellos comensales poco viajados. Y hasta conseguir un marido, para sus hijas, con título nobiliario. Si era un noble arruinado, o si se trataba de un casamiento donde el amor no intervenía, no tenía la mínima importancia: se lo compraba a cambio de una suculenta dote.

Los hombres admiraban las competencias hípicas en Longchamp o en Auteuil, los espectáculos de variedades, los restaurantes —Maxim's, La Rue y La Tour D'Argent eran puntos obligados— y, sobre todo, a las francesas. Ningún argentino podía considerarse versado en el amor si no lo había probado con esos seres deliciosos que poblaban los cafés y los bulevares. Benjamín Vicuña Subercasaux, escritor chileno que vivió en Francia en aquella época, describió su significado en *La ciudad de las ciudades*: "París es la capital del mundo; ante él las naciones no son sino grandes provincias. Todo el que puede, boliviano o japonés, viene a hacer sus estudios en París o viene más tarde a gastar una parte, o toda su fortuna, viviendo en el gran núcleo de la inteligencia y del placer. Me figuro que un papel semejante cupo en la antigüedad a Atenas y a Roma.

¿Cuántas personas incapaces de comprender el genio de la gran ciudad, incapaces de gozar con sus obras maestras, vienen a París nada más que por seguir una costumbre elegante? El francés no es hospitalario y el parisiense lo es menos. El desprecio por todo lo que es extranjero es el gran defecto de esta raza petulante y privilegiada. Se calcula en quinientos mil el número de extranjeros que, constantemente, se encuentran de tránsito en París. Si los parisienses no cuidan sus cocineros, sus artistas, sus 'cocotas', sus grandes hombres, sus museos y sus pavimentos, están perdidos. Solamente a eso deben su grandeza, costeada por todas las naciones del orbe".

¿Qué hacían los argentinos que pasaban meses en París? En realidad, nada. Se despertaban tarde, almorzaban en el Bois de Boulogne, hacían compras, asistían a las carreras de caballos, iban al teatro, cenaban en un restaurante de moda y hacían el amor con una francesa. Todos los días, sistemáticamente. Tampoco podían negar o esconder su condición de extranjeros ni su espíritu de *patota*: se relacionaban y compartían el tiempo con los mismos argentinos que estaban de viaje y eran pocos los que creaban vínculos de amistad con europeos. Los franceses, por otra parte, ignoraban a esos millonarios que hablaban en voz alta y mostraban signos de grosería en los restaurantes. Sólo admiraban su dinero y su belleza física.

Así como en la actualidad un argentino próspero que llega a Nueva York, por primera —o quinta— vez se relaciona con compatriotas por hablar el mismo idioma y tener idénticos códigos, evitando lo desconocido, lo mismo sucedía a principios de siglo en París. Cuánto más fácil les resultaba hablar la jerga, ejercitar el humor porteño, en vez de hacer el esfuerzo de relacionarse con los franceses a quienes no impresionaba el Barrio Norte ni la estancia, en un nivel que trascendiera lo superficial. Intentando ser europeos, quedaron encerrados en sí mismos. El dinero —que tenían a manos llenas— les hacía creer que eran importantes y les daba acceso a todo aquello que se podía adquirir, consumir o disfrutar.

Era inevitable, entonces, que el hombre argentino —sin acceso a los intelectuales y a la nobleza— recurriera al *demi-monde* para procurarse placer y diversión. Benjamín Vicuña Subercasaux[1] lo define a la perfección: "En la Francia contemporánea (se refiere, claro, a la de principios de siglo), en París, como en las antiguas islas del mar Egeo, la cortesana es dignificada: *honeste meretrice*. El gremio de las mujeres públicas lleva en París el nombre social de *demi-monde*. A las que lo forman, en el lenguaje del bulevard, se las llama *cocotas*. Existen en París tres condiciones de mujeres alegres: la *demi-mondaine*, que lleva título nobiliario; la *cocota* de restaurante y de café-concierto, y la *afrodita* que el Estado reglamenta y hace regir a la turca en las casas de tolerancia". Ese aspecto de la ciudad fascinaba al argentino, que se pavoneaba por los lugares de moda con esos seres patéticos y sofisticados, donde el afecto, el cariño —en realidad, el amor— estaba definitivamente ausente. Qué experiencia única, apasionante, irrepetible, para comentar con los otros argentinos que estaban en París el haber conquistado a una francesa de esta categoría y haber gastado una fortuna con ella. Qué aires podrían darse con los porteños que aún no conocían esas formas superiores de vida, cuando les comentaran sus andanzas en una mesa de la Confitería

[1] Obra citada.

del Águila. La superficialidad en las relaciones humanas tiñó en aquellos años el amor y la amistad con gente que no hablara su mismo idioma y no poseyera idénticas costumbres".

Si París era el arquetipo, el refinamiento, lo máximo a lo cual se podía aspirar, el placer desbocado, a París había que ir. Los vapores salían llenos del puerto de Buenos Aires y los diarios publicaban listas interminables de viajeros: el *Cap Arcona*, el *Cap Verde*, el *Koenig Friedrich Augustus*, por nombrar algunos de los más importantes templos acuáticos, transportaban miles de viajeros de las clases altas ávidos por estar en París. Poco les importaba, o, peor aún, ni siquiera tomaban conciencia de que, a pesar de ser millonarios, no escapaban al ridículo. El diario *La Razón* publicó, el 15 de junio de 1910, la siguiente crónica: "El 13 de mayo partió de Buenos Aires el paquete (por vapor) *Koenig Wilhelm II*. El menú del 25 de Mayo consistió en Caviar, Potage a la San Martín, caldo, Dorado hervido, salsa Nacional, papas, poulard a la general Urquiza, Espárragos de Córdoba, Lomo a la general Mitre, Bomba helada a la Argentina, Torta Centenario".

"La música de a bordo incluyó: 1) *Marcha de San Lorenzo; Marcha desfile del ejército*, de Silva; 2) *Juvel-Ouverture*, de Bach. 3) *España-Waltzer*, de Waldteufel. 4) *La Paloma, Mexicanisches Lied*, de Yradier. 5) *¡Che, te pasaste al patio!* Tango, de Grossi. 6) *Escuchá, chinita, mis lamentos*, fantasía de aires criollos populares, de Astengo. 7) *Pericón Nacional*, de Grasso". El diario también informaba que el 18 de mayo por la noche, en el puerto de Bahía, durante el baile en cubierta tuvo lugar el encuentro del cometa Halley con la Tierra, acaso lo único verdadero, auténtico de ese viaje.

Esta absurda crónica revela, sin embargo, una absoluta falta de identidad. Ya lo había notado Georges Clemenceau[2] cuando recorrió la Argentina: "Los argentinos no son españoles implantados en tierra de América. No. Sin que se lo confiese a sí mismo, el argentino está convencido que una mágica virtud de juvencia, que surge de lo más profundo de su suelo, lo ha revivificado totalmente, convirtiéndolo en un hombre nuevo que desciende de nadie, una suerte de ancestro de formidables generaciones futuras".

Al llegar a París, el argentino, si bien se trasladaba y vivía en *patota*, creía ser el elegido de los dioses. Todo se podía comprar, ante el asombro de los parisinos que veían arrasar sus tiendas, mueblerías y casas de alta costura por mujeres que aspiraban a ser más elegantes que las propias francesas. Clemenceau, en la obra citada, reproduce el comentario de la mujer de un diplomático en Francia: "Seis vestidos me bastan para la temporada de París. En Buenos Aires, doce." Claro que habría que empezar por diferenciar a los argentinos que viajaban. No todos poseían la misma fortuna, prestigio o figuración; existían claras —o, en algunos casos, sutiles— diferencias. No era lo mismo un provinciano que un porteño y, entre estos últimos, los apellidos encuadraban dentro de una rígida escala de valores. Porque además de competir económicamente, en extravagancias y en amores, el máximo trofeo al cual podían aspirar era ser reconocidos —como fuera— por la nobleza. El diario *La Razón* publicó el 20 de enero de 1913, con inequívoco asombro y orgullo, que Carlos Madero y su mujer, Sara Unzué, habían intervenido en una cacería en un *château* donde había prominentes miembros de la nobleza. Lo importante, entonces, no era

[2] *Notes de voyage dans l'Amérique du Sud.*

formar parte del círculo de Gertrude Stein, de Picasso, de Apollinaire o de Proust, sino simplemente ser recibidos en un castillo y tener la ilusión de que no existían diferencias sociales con un par de duques y tres marquesas.

Existía otra categoría de argentinos, por encima de los compatriotas en tránsito, que miraba con superioridad a quienes llegaban a esas latitudes: los que vivían en París. Dueños de fortunas colosales, habitando verdaderos palacios, cambiaron las costumbres porteñas por las francesas. Estaban absolutamente *à la page*. Para los hombres, asistir a las carreras de Longchamp o de Auteuil era un imperativo social, no deportivo. La verdadera competencia no estaba en las pistas, ni en los caballos, sino en la vestimenta. Había que superar la elegancia del rey Eduardo VII de Inglaterra, de Robert de Montesquiou, del marqués de Messa, del conde Boni de Castellane y, a la vez, demostrarles que eran sus pares, si no en historia y en linaje, al menos en buen gusto. Las fiestas estaban a la orden del día y los diarios porteños las reproducían con lujo de detalle, como también los más mínimos movimientos de esos seres privilegiados. El corresponsal de *La Razón* en París, el 27 de marzo de 1911 escribe: "La colonia argentina se prepara a asistir a las grandes reuniones. José Santamarina y su mujer, Sara Wilkinson, abrirán la temporada en el hotel particular que ocupaba la legación argentina en el Quai de Billy, ahora propiedad de Santamarina". Pero también estaba el gran baile de Mauricio Larivière, el regreso al lujoso departamento en el Hotel Prince's de María Adelia Harilaos de Olmos, y el empecinamiento de una dama argentina en preparar recetas criollas tales como carbonada y puchero en el Café de París, ante la invasión de argentinos.

Quienes vivían en París, olvidaron las costumbres del Plata. Nadie mejor que Benjamín Vicuña Subercasaux para analizar a esa generación para él perdida:[3] "Hay familias (sudamericanas) que se establecen en París y viven siempre en ese mundo de viajeros excitados, sedientos de placer. Naturalmente, los hijos de las familias que cometen ese tremendo error, viviendo en diversiones exageradas e incesantes, entre gente que no trabaja, acaban por creer que esa es la verdadera vida. Hay niñas que han nacido en la colonia de París y llegan a los veinte años desconociendo la familia, la religión, el trabajo y la moral. Sólo el lujo y el placer existen para ellas, un placer voluptuoso y fino que corroe las virtudes innatas".

"¿Qué decir de los hombres nacidos en ese medio? Producen los tipos más nulos que es posible imaginar, personajes sin patria y sin oficio, vividores escépticos y cínicos. Ellos no tienen la culpa; se han formado a imagen del mundo en que han vivido, conociendo a las personas en un momento pasajero y falso, creyendo que el placer es la única forma de la existencia, sin saber que toda esa gente en su tierra trabaja y lucha. La culpa la tienen los padres que se quedaron ahí donde sólo debieron pasar. Por vivir ellos alegremente hicieron la desgracia de sus hijos, puesto que los corrompieron y que la corrupción es la desgracia. París completa la educación de los extranjeros, afina los sentidos de la gente rica, y procura estaciones deliciosas. Pero no hay que quedarse mucho tiempo, no hay que formar a los hijos en esa colonia flotante que aprisiona y enloquece".

[3] Obra citada

129

La Argentina, años después, padecería las consecuencias políticas y económicas de una clase dirigente que le había dado la espalda a su tierra, a su historia y a sus costumbres.

La decisión de vivir en París, por parte de Marcelo y de Regina, no fue precisamente original. Podrían haber vivido en Madrid, en Roma o —si hubieran sido realmente audaces— en Buenos Aires. Eligieron, sin embargo, aquella ciudad donde serían ignorados por la mayoría de los argentinos, desconocidos por los franceses y condenados a alternar con la sociedad internacional, esos personajes cosmopolitas e impersonales, que sólo exigían el conocimiento de las reglas mundanas y el lujo. Cuando partieron de Estoril, una vez finalizada la luna de miel, lejos estaban de imaginar lo que les esperaba en París. Para qué preocuparse, si había que amueblar Coeur Volant, la magnífica propiedad que habían adquirido a un paso de Versalles. Rodeada de un deslumbrante jardín que admitía bosquecillos, colinas y hasta una foresta, la casa normanda, de tres pisos, no era precisamente espectacular, pero sí transmitía señorío, importancia. Baste señalar que, al venderla los Alvear en 1934 —después de haberla disfrutado veintisiete años—, la compró el conde de París, presunto heredero de la corona de Francia, y aún reside allí la familia.

A amueblar, entonces, Coeur Volant. Cuántas energías para elegir aquellos objetos fascinantes en remates y anticuarios de París y de Londres. Todo había que comprarlo, desde la mesa del comedor, hasta la última toalla del cuarto de huéspedes. Qué emoción disponer de miles de francos y de libras esterlinas para adquirir lo que se les antojara. Una escultura de Rodin, *La France*, o un biscuit en Sèvres de Falconet, *Psyché et les Amours* costaban una fortuna. Para Marcelo nada era inalcanzable. Y así acumularon potiches de porcelana china, tapicerías de Flandes, ídolos mayas íntegramente de oro, muebles, platería, porcelana y baccarat, sin retacear el precio. Después de todo, había miles de cabezas de ganado —y de hectáreas— para vender. ¿Había que desprenderse de una parte de los campos de La Pampa y de Chacabuco? ¿Era necesario vender cinco mil cabezas? Bastaba mandar un telegrama dando la orden y, como por arte de magia, millones de francos se acreditaban en una cuenta bancaria en París. Sobraban para seguir comprando automóviles, caballos, para mantener una numerosa servidumbre y para dar fiestas sofisticadas.

Cabría preguntarse, entonces, hasta qué punto intervino Regina en todas estas adquisiciones y si la inmensa riqueza no fue a la vez la fuente de los primeros conflictos en el matrimonio. Marcelo era de temperamento dominante y acaso dudaba del buen gusto de su mujer. Ella tenía una voz exquisita, sublime, pero no provenía de su mismo origen social. ¿Quién *elegía* los muebles o el color de un género? ¿Ambos, o Regina permanecía impasible mientras su marido decretaba qué había que comprar? ¿Dónde se colgaba un cuadro? ¿Quién decidía? Lo más probable es que fuese Marcelo y que sólo concediera decisiones menores a su mujer, como, por ejemplo, el color de una servilleta.

Una vez amueblado Coeur Volant, Regina se encontró con una casa de ensueño, pero sin haber intervenido en la decoración. El carácter de Marcelo, por otra parte, era un problema permanente. En 1911, cuando Regina fue por primera vez a Buenos Aires después de su casamiento, le confesó a María Vallée en el Plaza Hotel, donde se alojaba: "Al principio, pensé que mi matrimonio iba a fracasar. Marcelo era dominante y malcriado. Muchas veces me ponía un vestido y, de muy mal modo, me mandaba a cambiarme, como si yo hubiera elegido algo inapropiado. Con el tiempo, claro, nos amoldamos". Pero no era sólo su voluntad lo que quería imponer. Ella también descubrió, en su marido, un aspecto que la martirizaría, al menos hasta que entró en la vejez: el incorregible espíritu mujeriego de Marcelo. Era un seductor por naturaleza y, una vez que le echaba el ojo a una mujer, nada lo detenía, ni siquiera la condición de parienta. Tal fue el caso de Dominga Bosch de Pacheco, mujer de su primo, Román Pacheco, quien resistió elegantemente el asedio.

Los primeros años de los Alvear en París fueron difíciles. La *prima donna* de los grandes teatros líricos de Europa, la estrella de Lisboa, la diva a quien aclamaban los públicos más exigentes, ya estaba olvidada. Había dejado su carrera, su fortuna, su familia, por un hombre a quien amaba, pero que intentaba dominarla hasta en los más mínimos detalles. Eran las costumbres de la época y Regina lo comprendió. Poco a poco, Marcelo cambiaría, le daría un lugar más preponderante y ella, dotada de una sensualidad única, aprendió a conformarlo, a competir con otras mujeres, a darle —en definitiva— una sexualidad plena. Ese punto de unión estaba más allá del origen social, del dinero, de la dominación.

Mientras tanto, había que disfrutar de París. Estaban los paseos por el Bois de Boulogne, las cabalgatas, los estrenos teatrales, las comidas en Maxim's, pero Regina y Marcelo seguían segregados de los argentinos que vivían en París, o al menos de aquellos que importaban. Se ha dicho que en Coeur Volant recibían políticos, intelectuales y artistas, lo cual es cierto. Pero era un trato —y una cultura— epidérmica. En todo caso, los Alvear no formaban parte de esa constelación única, privilegiada e inaccesible que habitaba en Francia. Sería imposible imaginar a Marcelo y a Regina asistiendo a los célebres sábados de Gertrude Stein, en 27 rue de Fleurus. En ese salón poco pretencioso, atiborrado de cuadros, alternaban, conversaban, debatían Max Jacob, Guillaume Apollinaire, Pablo Picasso, Henri Matisse, Marie Laurencin, verdaderos creadores. Qué podían hacer los Alvear en ese grupo. Carecían de la cultura humanística necesaria y en lo de Gertrude Stein, más que las formas, el dinero o la tradición, importaba la inteligencia, la formación cultural, la creación, el talento y el genio.

Es comprensible que Marcelo y Regina, a pesar de haber gastado millones en objetos de arte, jamás hayan incursionado por lo del marchand Vollard, en la rue Lafitte, para adquirir, por ejemplo, un Cézanne; que nunca hayan visitado la galería de Durand-Ruel, o lo de Mademoiselle Weil, para comprar un cuadro que no fuera meramente decorativo. Como la mayoría de los argentinos, gastaron en marinas de Boudin, retratos de Boldini o en las ovejas de Chas Jacques, siguiendo más una moda que un criterio plástico profundo.

El constante movimiento, el trasladarse compulsivamente de un centro de moda a otro, representaba los primeros intentos del matrimonio para integrarse a la sociedad internacional. Las fotografías lo muestran a Marcelo en Dieppe, en 1908, jugando al tenis, o saliendo del mar envuelto en una bata; a los dos llegando a un pequeño castillo, también en 1908, en Fontaine; en Missingen, en 1910, acariciando un perro. La realidad era que, en París, seguían siendo ignorados. También en Buenos Aires. El diario *La Razón*, el 23 de abril de 1909, entre los argentinos que viajaban por Europa, menciona a Marcelo T. de Alvear y "familia", como si publicar el nombre de Regina constituyera una herejía. Sin duda Carlos Torcuato de Alvear, su hermano, los visitaba. No era el caso, en cambio, de las otras ramas de los Alvear, en particular la de Diego. A partir de entonces, Marcelo no tendría ningún trato, hasta su muerte, con sus primos. Ni siquiera asistió al entierro de su tía, Teodelina Fernández de Alvear, que había fallecido en París en abril de 1909. Y hablar de su tía, era referirse a una de las mujeres más importantes, prestigiosas y ricas de la Argentina. El entierro, ampliamente difundido por los diarios porteños, se realizó en París y no faltó ningún argentino que se considerara elegante. La interminable lista de asistentes incluía a Carlos María de Alvear, Carlos Torcuato de Alvear (hermano de Marcelo), Rodolfo Pirovano, Diego Lezica Alvear, Matías Errázuriz, pero no hubo la más mínima mención a Marcelo y a Regina.

Sin embargo, encontrarían una aliada.

Una noche, los Alvear asistieron al Teatro Trocadero y Marcelo divisó, en un palco, a una vieja amiga de su familia: Susana Torres de Castex. El encuentro fue recordado por uno de sus nietos, Mariano de Apellániz, en *Callao 1730 y su época*: "En el primer entreacto, Alvear fue de visita al palco que ocupaba Pototo (así era llamada la señora de Castex) y le dijo: 'Susana, vengo a presentarle a Regina'. A lo cual ella contestó: 'No, cómo me va a presentar a semejante celebridad; más bien explíquele quién soy yo'. Francas sonrisas de satisfacción brotaron de ambos rostros. 'Regina, esta es mi amiga más querida de Buenos Aires y esta es su hija

134

Susanita'. Esto fue relatado textualmente por mamá, testigo de la escena".

Susana Torres de Castex, o Pototo, como la denominaremos de ahora en más, no era una mujer convencional. Aspiraba rapé, jugaba al billar, corría a Bayreuth a charlar con Cósima Wagner, ofrecía veladas musicales en sus apartamentos del Hôtel de l'Athénée, y otras tantas extravagancias. Desde el momento en que la conoció, le abrió sus brazos a Regina. Pototo era, ante todo, ella misma, y así lo sería por el resto de sus días. Qué podía importarle lo que pensaran esas aburridas señoras de Buenos Aires que sólo se dedicaban a la beneficencia, o los indolentes argentinos que vivían en París. El 4 de abril de ese mismo año 1909, reunió a sus amigos en el Hôtel de l'Athénée, para escuchar cantar fragmentos de *Iphigénie*, de Glück, para escuchar versos y para culminar la velada con "chocolate a la argentina". Entre los invitados estaban Marcelo y Regina. *La Razón*, que publicó la crónica, se refirió a ellos como "Marcelo T. de Alvear y su esposa".

Pototo Torres de Castex les abrió el camino, y pronto le siguió una mujer no menos fascinante: Sara Wilkinson de Santamarina. Casada con un estanciero argentino multimillonario, dueña de un palacio en el Quai de Billy, impecable anfitriona, capaz de deslumbrar a sus invitados con conjuntos de danza exóticos, brindó la mano a los Alvear —y también su amistad. Claro que Sara Wilkinson, la hija de un jefe de estación ferroviaria argentina, había padecido los mismos desprecios que Regina y podía comprenderla. Pero, ante todo, era inglesa y su carácter sajón contribuyó a que observara con ironía, casi con desdén, los cuchicheos y maldades de las nativas del Río de la Plata. *She couldn't care less*. Entre estas dos mujeres surgiría un sólido vínculo y, siendo Regina primera dama, mantendrían una relación epistolar íntima, como se verá más adelante.

Coeur Volant abrió sus puertas a los argentinos que aceptaron a Regina. Su pasado había sido borrado de un plumazo por Marcelo —como si haber sido soprano ligera fuera una vergüenza—, hasta el punto que hizo sacar de circulación aquellos discos que había grabado su mujer a principios de siglo. Ella lo aceptó todo. Su carrera había concluido y sólo conservaba recuerdos que atesoró a lo largo de su vida, como aquel telegrama que Massenet le envió al Théâtre Sarah Bernhardt de París cuando debutó Regina. Estaba fechado en Vichy. *"Quels regrets être loin de Paris au moment de vos nouveaux et continuels triomphes. Recevez mes admirations et mes pensées reconnaissantes.*[4] O la invitación de la reina María Pía de Portugal con motivo de la visita de Eduardo VII al palacio de Ajuda. Sólo recuerdos. Pero Marcelo, si bien cortó de raíz una carrera artística, amaba esa voz. Hizo instalar en el gran salón de Coeur Volant un órgano y contrató al organista del Sacre-Coeur para aquellos momentos privados, íntimos, en que Regina cantaba para él. El privilegio se hizo extensivo a las noches en que recibían a determinados amigos: su mujer entonaba arias para ese reducido auditorio, con el mismo fervor, la misma pasión de un escenario lírico.

La marginación de Regina por parte de los argentinos que vivían en París, cesó. Posiblemente, tanto Pototo Torres de Castex, como Sara Wilkinson de Santamarina contribuyeron a que fuera aceptada. En mayo de 1910, como parte de los festejos del Centenario, se

---

[4] "Cuánto lamento estar lejos de París en el momento de vuestros nuevos y continuos triunfos. Reciba mi admiración y mis pensamientos de reconocimiento".

realizó en la Basílica de Montmartre, en París, una misa presidida por el arzobispo de esa ciudad. La invitación fue suscripta por la pléyade de señoras que encabezaban la elegancia y el prestigio en Buenos Aires: Adelia María Harilaos de Olmos, Inés Dorrego de Unzué, María Unzué de Alvear, Ramona Aguirre de Ocampo (madre de Victoria), Josefina Unzué de Cobo, Josefina Elortondo de Bemberg, Sara Unzué de Madero, Marta Unzué de Blaquier y Regina Pacini de Alvear.[5] En los diarios porteños se la dejó de ignorar. Cuando Enrico Caruso cantó *Aída* en el Châtelet, en París, también en 1910, *La Razón* menciona entre los asistentes a Marcelo T. de Alvear y su señora, Regina Pacini.

Sin embargo, Regina no se engañaba. Contemplaba a esas argentinas soberbias acaso con su mejor sonrisa, sin decir una palabra de más, limitando la conversación a lo estrictamente protocolar, pero sabiendo que jamás la aceptarían.

El matrimonio Alvear continuó alternando Coeur Volant con Biarritz, y Niza con Vichy. Habían pasado cuatro años desde que se habían casado en Lisboa y Marcelo aún no había vuelto a Buenos Aires, lo cual no deja de llamar la atención. Cuatro años sin visitar sus campos de La Pampa y de Chacabuco. En 1908, fundó el pueblo de Bernardo Larroudé (La Pampa), en las tierras que habían sido de su padre, de las cuales formaba parte la colonia La Elvira. Pero lo hizo desde París. Cuatro años sin estar en contacto con Hipólito Yrigoyen ni con la Unión Cívica Radical. Cuatro años de una vida meramente mundana. Es difícil creer que ese empecinado alejamiento se podía deber al rechazo que produciría Regina en la sociedad porteña. En todo

---

[5] *La Razón*, 15/6/1910

caso, conviene creer que aún no se había despertado una verdadera vocación política y, como para la mayoría de los argentinos que vivía en Europa, el placer encabezaba la lista de prioridades.

El pretexto para volver a Buenos Aires, en marzo de 1911, fue la boda de su sobrina Elvira de Alvear (hija de su hermano Carlos Torcuato) con José Pacheco Anchorena. Si bien se trataba del casamiento del año, podría haber estado ausente alegando cualquier excusa. Pero Marcelo quería volver. Tenía cuarenta y dos años y su vida diletante, salvo por su actuación política a principios de la década de 1890, se había limitado hasta entonces a viajar, a disfrutar de París. Es posible que cuando decidió regresar a Buenos Aires ni siquiera se haya planteado cuáles eran sus verdaderos objetivos, por qué estaba dispuesto a luchar, qué podía hacer por su país. Se embarcaron a principios de marzo de 1911 en el *Koenig Friedrich Augustus* —Alvear tenía preferencia por los barcos alemanes— rumbo a la Argentina.

Regina, finalmente, iba a enfrentar a la sociedad porteña. Una fotografía publicada en la revista *Caras y Caretas* en abril de 1911, la muestra en la cubierta del barco el día de su arribo, rodeada por Marcelo, el novelista español Vicente Blasco Ibáñez, y los señores Gandulfo y Rodríguez Ocampo. Vestida sencillamente de negro, cubriéndose la cara con la mano, como si quisiera protegerse del sol y, al mismo tiempo, de Buenos Aires, de esa ciudad soberbia e inmodesta, de los millonarios que la habían despreciado. Se alojaron en el Plaza Hotel y se prepararon, durante los pocos días que permanecerían en el país, para someterse a la prueba. La boda Alvear-Pacheco Anchorena iba a congregar a la mejor sociedad y Marcelo jamás habría

138

asistido a la misma si a Regina no se le otorgaba un lugar preponderante: debería estar presente en la ceremonia civil, en la religiosa, que se celebraría en El Talar de Pacheco, y, además, debería ser recibida con todos los honores. Su hermano Carlos Torcuato —el padre de la novia— accedió a todas las exigencias.

El casamiento religioso se realizó un mediodía de fines de marzo, en la capilla de la estancia de los Pacheco, El Talar, cerca de Buenos Aires. Nadie tenía dudas de que, ese año, ninguna boda la superaría en prestigio y esplendor. Trenes especiales partirían de la estación Retiro para trasladar a los invitados (era inimaginable llegar de otro modo, salvo en *yacht*, como solía hacerlo el propietario). Conviene reproducir un aviso publicado en el diario *La Razón*, pocos días después, para comprobar la importancia. "Cine Ópera, Corrientes 848. Preciosa vista cinematográfica, reproducción fiel y exacta de la hermosa fiesta social del 'Talar de Pacheco'. Vista tomada por la casa Lepage, de Max Glücksman. Selecta y numerosa orquesta para acompañar la proyección, bajo la dirección del maestro E. Cogorno."

El enlace no era el único acontecimiento del año. Por fin las señoras porteñas podrían conocer a Regina y, naturalmente, criticarla. Cómo se habían atrevido los Pacheco a invitarla. Una ex artista. Pero, a la vez, qué excitante poder tenerla cerca, escuchar su voz, comprobar si tenía gusto para vestirse. Qué impresión causó Regina, no lo sabemos. Sin embargo, a ella sí le debe haber causado perplejidad observar de cerca a esos seres pretensiosos. Cómo le iba a impresionar la casa de El Talar, una *maison de banlieu*, es decir, una de las tantas de las afueras de París, ostentosamente Luis XIII y hecha de cemento, a ella, que conocía el palacio de las Necesidades, el de Oriente, recibida por los Braganza y los Borbón. Qué habrá pensado de los argentinos, meras copias de lo que veía a diario en París, cuando había alternado con príncipes y reyes. La visión de esa sociedad nueva y próspera debe haberla dejado perpleja.

Marcelo, al volver a la Argentina, fue prudente. Apenas permaneció diez días en Buenos Aires, los suficientes para tantear la reacción. Los porteños habían sido corteses con su mujer, pero nada más. Nuevamente se embarcaron rumbo a Europa y, si se tiene en cuenta la cantidad de viajes que realizarían en el futuro, el océano Atlántico se convirtió en una suerte de hogar suplementario para ellos. Pero el viaje a la Argentina, sutilmente, había abierto las compuertas de otro destino, aunque Marcelo ni siquiera lo sospechase. Es indudable que mantuvo contactos con Hipólito Yrigoyen y que hablaron de la posibilidad, a partir de la reforma electoral que encararía el presidente Roque Sáenz Peña, de que la Unión Cívica Radical diera fin a la posición abstencionista en las elecciones futuras. Yrigoyen estimaba a Marcelo y jamás olvidó que había sido uno de los fundadores del Partido, un hombre de la primera hora. Posiblemente admitió que lo necesitaba en las filas, concretamente en la Cámara de Diputados, y Alvear no se negó. Estaba dispuesto a dejar París, a instalarse en Buenos Aires, a luchar por la Unión Cívica Radical.

En las elecciones de diputados del 7 de abril de 1912, Marcelo resultó electo por el radicalismo.

La actuación de Alvear, durante el período parlamentario 1912-1916, careció de espectacularidad, es decir, del debate fogoso, de la encendida ideología, de la denuncia ardiente. Pero Marcelo no era un ideólogo ni un orador, como lo había sido Leandro Alem, sino un hombre práctico que intentaba resolver problemas. Tenía, en todo caso, un espíritu organizativo. Apoyó el proyecto de ley de Casas Baratas, originado por el diputado cordobés Juan Cafferata (había sido, también, un proyecto de su padre, Torcuato de Alvear) para terminar —como diría el diputado Dickman— con "el espantoso hacinamiento de nuestra población en viviendas malas y caras y las graves consecuencias sociales que tal estado de cosas trae. Las causas son de orden impositivo y fiscal: impuestos municipales que gravan la edificación, los aduaneros que gravan la importación de materiales de construcción, la contribución directa que grava mucho más los terrenos edificados que los baldíos, y la especulación fomentada por el crédito oficial". Alvear, por otra parte, sostuvo que "las cooperativas no pueden surgir sino de la iniciativa privada y justamente lo que no toma en cuenta el proyecto del Poder Ejecutivo es la iniciativa privada". Y dio ejemplos de lo que se había hecho en Bélgica, Suiza y Francia.

Presentó, también, dos proyectos, uno sobre la organización del ejército y otro acerca de la reglamentación de empleos civiles, y cuestionó las maniobras realizadas por el ejército en Entre Ríos, responsabilizando por tal fracaso a los altos mandos.

El hecho de ser diputado nacional no significó que renunciara a su estilo de vida. Por el contrario, viajó con Regina a Europa en cada receso parlamentario. A fines de 1912, estaban nuevamente en Francia. Los Alvear —y aquí habría que incluir a todas las ramas de la familia— vivían en París los últimos estertores de la *belle époque*, sin siquiera sospechar que, en menos de dos años, ese mundo se derrumbaría con la Primera

Guerra Mundial y que un nuevo orden político, económico y social arrasaría con las viejas estructuras. Los Alvear competían, a fines de 1912, entre ellos mismos. La llegada a París de Manuel Láinez, embajador extraordinario en Francia e Italia, desató un torrente de agasajos.[6] Diego de Alvear (primo de Marcelo) dio un deslumbrante banquete en el Hôtel Meurice; Carlos María de Alvear, en el Cours de la Reine, donde no sólo el menú era apabullante, sino que se invitaron a actores de la Comédie Française para que representaran obras.

Carlos María de Alvear, primo hermano de Marcelo, fue su peor enemigo. Hasta tal extremo era la aversión que sentía Carlos María por su pariente, que había prohibido que se mencionara su nombre en la inmensa mesa del comedor que reunía a la familia y la los amigos. Son varias las hipótesis que algunos de sus descendientes esgrimen para explicar semejante animosidad. Algunas sostienen que Marcelo se atribuía una suerte de herencia directa en lo que respecta a las cualidades del general de la Independencia, como si no existieran otros descendientes. Otras, en cambio, alegan que el matrimonio con Regina lo había transformado en un *declassé*, es decir, un desclasado.

Y, ya que estaban allí, por qué no contratar a los mejores arquitectos franceses para reproducir, en Buenos Aires, verdaderos palacios. Josefina de Alvear de Errázuriz optó por Sergent para construir lo que es, en la actualidad, el Museo de Arte Decorativo; Elisa de Alvear de Bosch, que no podía ser menos que su hermana, resolvió que, después de todo, Sergent no estaba mal para erigir lo que hoy en día es la Embajada de los Estados Unidos; Carlos María de Alvear no pensaba

<hr>

[6] Pedro Fernández Lalanne, *Los Alvear*.

permitir que sus hermanas lo opacaran y, así como los Vanderbilt construían palacios en Newport o en la Quinta Avenida, mandó construir una gigantesca casa francesa, rodeada por hectáreas de parque, en San Fernando; por último, Federico de Alvear fue más modesto al levantar otro palacio francés, de menores proporciones, que actualmente es la Embajada de Italia. Todos —salvo Carlos María— construyeron sus mansiones, como es natural, en la entonces Avenida Alvear.

A principios de 1913, en esa era despreocupada de fiestas y banquetes, los argentinos prominentes en París continuaban alternando unos con otros, encerrados en circuitos limitados: el Ritz, las carreras de caballos, el castillo de Cahen d'Anvers en las afueras de París (en realidad, Cohen de Amberes, banquero belga, uno de cuyos miembros se casaría con una Láinez Peralta Alvear, sobrina de Marcelo). Hasta qué punto a Marcelo le seducía ese grupo social es difícil de determinar. Por una parte, eran sus pares, los conocía de Buenos Aires, pero por otra eran los mismos que se habían opuesto a su casamiento con Regina; su mujer, en cambio, prefería evitarlos. Esa actitud distante y desconfiada Regina la mantendría hasta su muerte, salvo con un reducido grupo de amigas argentinas.

Durante el período parlamentario, los Alvear se instalaban nuevamente en Buenos Aires. Marcelo actuaba en la Cámara de Diputados, apadrinaba duelos, practicaba deportes y asistía a los estrenos teatrales. Regina esperaba pacientemente el fin de las sesiones parlamentarias para regresar a París, a Coeur Volant y a Lisboa, para visitar a Felicia, a José y a Constanza. Qué podía ofrecerle Buenos Aires, salvo alguna velada en el Teatro Colón donde oír cantar a sus colegas. Su voz, admirada por los más exigentes públicos europeos, había caído en el olvido y sólo unos pocos discos la conservaban. Mariano Apellániz, en *Callao 1730 y su época*, señala el destino de los registros fonográficos de Regina Pacini: "Una vez casados, el doctor Alvear trató poco a poco de ir retirando de circulación los discos grabados por Regina. Una tarde, recibí un llamado de la Casa Ricordi para que concurriese a la brevedad. Había aparecido un disco de Regina donde cantaba *Bohème*. No sabían qué hacer con él. El jefe de los vendedores propuso que me fuera entregado el mismo sin cargo, pues no tenía precio. Me lo llevé conmigo. Al primer almuerzo al que concurrieron los Alvear a casa, al sentirlos llegar, puse en la ortofónica el disco mencionado. Cuando llegaron a la sala, ella exclamó: '¡Dónde lo conseguiste, bandido!' Y al entregárselo, me dijo: 'No, es tuyo', y me lo firmó."

Cuesta comprender por qué Marcelo se había empecinado en borrar el pasado de su mujer. Si bien en los primeros años del siglo las artistas eran mal vistas en términos puramente burgueses, es sugestivo que Alvear, que era un hombre de mundo con una cierta cultura relativa, no haya sabido diferenciar entre una bailarina de vodevil y una soprano ligera. Además, era contradictorio: le pedía a Regina que cantara para él, o para un grupo de íntimos amigos, pero a la vez retiraba sus discos de circulación, como si, en realidad, ella jamás hubiera cantado. Marcelo decretó que esa mujer que había pisado los escenarios más encumbrados carecía de pasado, de historia, sin considerar el esfuerzo, el sacrificio, la disciplina, la angustia por las que había atravesado Regina para colocarse en la cúspide del arte lírico. Más allá de las costumbres, de la moral de la época, demostró un egoísmo ilimitado y, peor aún, ninguna cultura. Que Regina haya abandonado su ca-

144

rrera para estar con su marido es comprensible; hacerle sentir vergüenza por haber sido una artista —y de primera magnitud—, un acto de crueldad. Tampoco es explicable por qué Regina se sometió de tal modo a las exigencias de su marido, salvo para salvar su matrimonio. Cómo oponerse a ese hombre dominante y malcriado, al cual amaba con desesperación. Cómo enfrentar a los argentinos, atacados de soberbia, haciendo valer su carrera profesional. Eran tareas inútiles. Sólo renunciando a su historia tendría a Marcelo a su lado.

Un ejemplo del sometimiento de Regina fue durante una velada, pocos años después, en lo de la condesa Jean de Castellane, en París. Para comprender la magnitud de su renuncia, conviene reproducir lo que publicó al respecto *Caras y Caretas* en 1922.

"En el curso de la velada hízose círculo alrededor de Regina. No faltó un indiscreto —amigo de antaño y creído de que la amistad es un título para el abuso— que la comprometiera para cantar.

La que una vez ciñera corona de eximia artista, no se hizo rogar y se sentó al piano, aparentando acceder a esos deseos.

Ni un sonido brotó de sus labios. Nada que recordara a la cantatriz; nada que la confirmara en el ánimo de la concurrencia, como una rival de la Patti. En vez sus dedos recorrieron lánguidamente el teclado y ofrecieron, por toda muestra de arte, una humilde y mansa composición de Chaminade, tocada con ostentosa frialdad. Cualesquiera de las damas allí presentes lo habría podido hacer mejor.

—Esto es lo único que, por el momento, vincula a la señora de Alvear con el arte —dijo la estrella de otrora, con sonrisa espiritual."

La intención era fina y transparente: significaba que

Regina Pacini había roto con su pasado de arte, y que solicitarla en cualquier forma para que renovara ese pasado, equivalía a una impertinencia.

Al día siguiente, *L'Écho de Paris*, haciendo la crónica de la fiesta, insertó el eco mundano que sigue:

"Anoche, en la recepción que dio la condesa Jean de Castellane, nos fue dado presenciar una escena inolvidable. Fue así:

Una dama argentina, cuya voz magnífica es la gloria de su país (se refiere a Portugal), retiró la aureola que la fama había puesto sobre su cabeza y demostró a la concurrencia que las únicas galas de su gusto eran las que presta el hogar y la virtud cristiana.

Este desprendimiento gracioso, de parte de una dama que hace poco era una gran artista, causó en todos los presentes un estremecimiento de admiración."

El 2 de abril de 1916, la Unión Cívica Radical ganó las elecciones. Hipólito Yrigoyen asumió la presidencia de la República el 12 de octubre del mismo año. Habían pasado veinticinco años desde la fundación del Partido y la claridad de pensamiento de Yrigoyen, su actitud intransigente con respecto a cómo debían ser los comicios, le dieron finalmente la victoria. Era previsible que el caudillo radical le ofreciera a Marcelo una cartera ministerial, habiendo sido diputado nacional y hombre de la primera hora en las filas radicales. Le ofreció el ministerio de Guerra. Alvear lo rechazó.

Marcelo quería ser ministro plenipotenciario en Francia. Añoraba París, Coeur Volant, sus amistades, el refinamiento francés. Yrigoyen aceptó que desempeñara ese cargo, y hacia esa ciudad partieron los

Alvear, pasando por Lisboa, para visitar a Felicia, y luego por Madrid. Ahora Marcelo representaba a la Argentina, ostentaba un cargo oficial y poseía su cuota de poder. Ya no era el diletante multimillonario que asistía a los estrenos teatrales, que cabalgaba por el Bois de Boulogne, o que recibía a sus amistades en Coeur Volant, sino una suerte de embajador. Y Regina, por ser su mujer, adquiría otra clase de prestigio. Les gustara o no a los argentinos que estaban en Francia, ya no era sólo la señora de Alvear, sino también la mujer del ministro plenipotenciario, y, como tal, debían recibirla. A fines de 1916, en un almuerzo en el Ritz, en París, Marcelo y Regina despidieron al anterior ministro argentino en Francia, doctor Enrique Rodríguez Larreta (Enrique Larreta, para la literatura), que no era sólo un diplomático: casado con una mujer inmensamente rica, Josefina de Anchorena, acumuló durante su tránsito por España una deslumbrante colección de arte español para su casa de Buenos Aires, en el barrio de Belgrano, y para la estancia que construiría, Acelain. Regina, si bien desconfiaba de los argentinos, debió haber disfrutado de ese almuerzo, por la posición de poder que ocupaba.

París, en 1917, no era precisamente una fiesta. La mayor parte de Europa estaba en guerra, lo cual había ahuyentado a los argentinos y al turismo internacional. Los bombardeos aéreos de los *zeppelins* y los prodigiosos impactos del cañón Berta (por Berta Krupp, propietaria de un imperio del acero en Essen, Renania), habían espantado a la sociedad internacional, y sus miembros más conspicuos optaron por trasladarse a Biarritz. Marcelo, apenas ocupó su despacho en la embajada (22 rue de la Tremoïlle), asistido por Alberto Figueroa y por Luis Bemberg, puso en marcha su espíritu práctico, es decir, se propuso concretar determinadas obras. Ahora desempeñaba un cargo oficial y convocó a la colonia argentina en Francia —a la próspera, se entiende— para llevar a cabo el primero de sus emprendimientos: donar al gobierno francés un hospital de guerra. Nadie se negó a ese requerimiento y la iniciativa se concretó en un edificio de seis pisos y ciento cincuenta camas, ubicado en Jules Claretie, inaugurándose el 25 de mayo de 1917. Dos médicos argentinos, Pedro Chutro y Enrique Finochietto, dirigieron el hospital.

La actuación de los Alvear, durante la Primera Guerra Mundial, fue impecable. Regina organizó un banco de sangre y fue condecorada por el gobierno francés con la Legión de Honor. Por los salones de Coeur Volant desfilaban Georges Clemenceau, la reina Amelia de Portugal, el mariscal Joffre, madame Charles Blumenthal, los embajadores de innumerables países, Carmen de Alvear, princesa de Wrede (que ya había aceptado a Regina) y todo argentino que se preciara de elegante. Qué diferencia con la década anterior, en que los Alvear estaban marginados y Regina jamás era mencionada en los diarios de Buenos Aires. Pero diez años de matrimonio también le habían conferido un aura de absoluta respetabilidad. En ese lapso, ningún escándalo, ninguna notoria desavenencia conyugal, ninguna referencia a su pasado artístico. Regina Pacini, a esa altura, ya se había transformado en una señora.

Marcelo fue un ministro plenipotenciario eficiente, con las habituales iniciativas de los diplomáticos en

148

tiempos de guerra, pero no pasó de ser un funcionario. Los telegramas que se cruzaban entre Buenos Aires y París daban cuenta de su gestión, o le transmitían órdenes del canciller, Honorio Pueyrredón. Nadie esperaba más de él. La Primera Guerra Mundial había dividido las opiniones de los argentinos: un sector clamaba por la "neutralidad", es decir, que el país no debía involucrarse en el conflicto; el otro, consideraba que había que luchar junto a las fuerzas aliadas. Hipólito Yrigoyen, mientras tanto, navegaba entre dos aguas, aunque, en realidad, prefería evitar entrar en la guerra. Alvear, frente a la conflagración, no había tomado la posición de un funcionario, es decir, acatar órdenes y no opinar. Por el contrario, era abiertamente aliadófilo, consideraba que los intereses económicos de la Argentina estaban junto a Gran Bretaña y los Estados Unidos y se oponía a la neutralidad de su país. A partir de ese momento, nacerían las profundas desinteligencias entre dos hombres —Alvear e Yrigoyen— hasta que, con el tiempo, se convertirían en una guerra abierta.

Marcelo tenía motivos para que la Argentina le declarara la guerra a Alemania y a los imperios centrales. El país había sufrido toda clase de humillaciones y de ataques por parte del gobierno de Berlín, desde la misma iniciación de la contienda. Cuando Alemania invadió Bélgica, no respetó los más elementales principios del derecho internacional: fusiló al cónsul argentino, la bandera nacional fue arriada y destruida, el escudo mancillado. El ex presidente Victorino de la Plaza, al iniciarse en 1914 la Primera Guerra Mundial, ni siquiera consideró que había motivo de protesta. En 1917, ante el bloqueo marítimo inglés a Alemania y sus aliados, los submarinos alemanes torpedeaban indiscriminadamente a barcos de pasajeros y de carga, aun de países neutrales. El *Monte Protegido*, de bandera y matrícula argentina, fue echado a pique por un torpedo germano. A diferencia de los Estados Unidos, que al ser hundido el *Lusitania* y otros buques declaró la guerra a Berlín, Yrigoyen optó por enviar un telegrama de mera protesta: "El ataque llevado al buque argentino es evidentemente contrario a los principios de derecho internacional consagrados, a la neutralidad (observada estrictamente por la República Argentina), y una ofensa a la soberanía argentina. El gobierno argentino espera que el gobierno imperial alemán, reconociendo el derecho que asiste a la República, dé las satisfacciones debidas, desagravie el pabellón y repare el daño material. No escapará al elevado criterio de S.M. Imperial alemana, la premura con que desea obtener respuesta a la presente reclamación".

Alemania respondió con celeridad a la protesta. "El gobierno imperial se apresura a asegurar al gobierno argentino que dará reparación del daño causado, expresando sus sinceros sentimientos de pesar por la pérdida del buque argentino. Ruego quiera estar persuadido de que este accidente es una consecuencia lamentable de la condición de guerra intensiva a que se ve obligado mi gobierno, a causa de los acontecimientos de Europa, y que no se basa, en modo alguno, en una falta de respeto hacia la bandera nacional argentina. Este símbolo de la soberanía de un pueblo amigo, es honrado y respetado por todos los alemanes. El gobierno imperial aprovechará —dada la imposibilidad de demostrar en los momentos actuales su respeto al pabellón nacional argentino— la primera oportunidad que se ofrezca para hacerlo saludar por la escuadra imperial."

La declaración de guerra había sido evitada. Todo

fue consecuencia de un accidente. Yrigoyen respiró tranquilo.

Dos meses después, la "escuadra imperial" en vez de saludar en alta mar al pabellón nacional argentino —como señalaba la disculpa de Berlín— hundió a otro barco mercante nacional, el *Toro*, que transportaba a Génova carnes, tanino, cueros, cascos, lanas y grasas. Y esta vez, además de la pérdida de un buque de un país neutral, la situación adquirió una gravedad inusitada: Alemania acusaba a la Argentina de haber realizado contrabando de guerra en el *Toro*, amparándose en las resoluciones de una convención llevada a cabo en Londres sobre guerra marítima, a la cual había sido ajena la Argentina. Gabriel del Mazo, en *El Radicalismo*, narra el estado de ánimo de Hipólito Yrigoyen, entre la espada y la pared, tratando de evitar que su país entrara en la guerra: "Según relata Delfor del Valle, acompañó ese día al Presidente al retirarse de su despacho a su casa: 'Siento la carga de responsabilidades enormes', le dijo al verlo. 'Me pesan las espaldas como si fueran de plomo'. No habló una palabra durante el viaje, y al descender del automóvil, como continuando aquellas manifestaciones, agregó: 'Esta tarde he mandado un ultimátum al gobierno alemán, reclamándole enérgicamente la satisfacción que exige nuestra soberanía. Si las excusas no son ampliamente aceptables, entonces, cumpliendo mi deber de Presidente y de argentino, declararé la guerra a Alemania' ".

No fue necesario. El gobierno de Su Majestad Imperial, en una nota cursada el 28 de agosto de 1917, reconoció la libertad de los mares a la navegación argentina.

Las presiones, en Buenos Aires, por parte de los

grupos de poder y de opinión se hicieron intolerables. La Argentina debía declararle la guerra a Alemania. Por si eso hubiera sido poco, estalló un nuevo escándalo. Los servicios de inteligencia de los Estados Unidos lograron descifrar telegramas en clave enviados por el ministro plenipotenciario alemán en Buenos Aires, conde Karl von Luxburg, a Berlín, a través de la cancillería sueca. El ministro de Relaciones Exteriores argentino, Honorio Pueyrredón, era poco menos que insultado en los telegramas secretos y, peor aún, los mismos indicaban las rutas que seguirían varios barcos nacionales con la recomendación de que fueran hundidos "sin dejar rastros" (*spurlos versenkt*). También, sugería aplazar la respuesta al reclamo argentino con respecto al hundimiento del *Toro* y, eventualmente, intentar la mediación de España. El contenido de los telegramas fue publicado por el gobierno de los Estados Unidos, sin previo aviso.

Las consecuencias de ese descubrimiento no se hicieron demorar: un diario y un club alemán fueron asaltados. Los debates en la Cámara de Diputados eran incendiarios. Las manifestaciones —a favor o en contra de entrar en la guerra— se llevaban a cabo todos los días en las calles de Buenos Aires.

Alvear, desde París, observaba perplejo la indecisión de Yrigoyen. Con el ingreso de los Estados Unidos en la Primera Guerra Mundial, las posibilidades de Alemania, Austria-Hungría y el Imperio Otomano de ganar la contienda se volvían remotas. Los aliados naturales de la Argentina eran Gran Bretaña y Francia, tanto en términos económicos como culturales y el país no podía permanecer neutral, con el riesgo de no insertarse en el nuevo orden que regiría el mundo una vez finalizada la guerra. Los Estados Unidos, por otra parte, no verían con buenos ojos la posición argentina. Y convengamos que Marcelo fue bastante visionario con respecto a las relaciones con Washington: durante las décadas siguientes se caracterizaron por permanentes conflictos. Desde París, intentaba —en vano— convencer a Yrigoyen sobre la actitud que, a su juicio, debería tomar el país. "Al no decidirse por la ruptura —señalaba Alvear al Presidente— la Argentina, es mi convicción profunda, pierde la ocasión de mostrarse, no tan sólo en su influencia efectiva en América, sino que también compromete su situación para tomar parte, después de la guerra, en el congreso de la paz, donde se discutirán intereses vitales tanto para nuestro país como para el mundo entero."

Pero Hipólito Yrigoyen no se dejaría conmover. Gabriel del Mazo, nuevamente en *El Radicalismo*, recuerda aquellos días: "Una tarde desfilaba una manifestación debajo de los balcones de la Casa Rosada, pidiendo entrara el país en la guerra. Era nutrida y ruidosa. Yrigoyen, sin ser visto, pudo presenciar el desfile. Con tranquilidad dijo a quien se hallaba a su lado: 'Esta gente no sabe lo que quiere, pero yo, en cambio, sé lo que no quiere.' '¿Y qué es lo que no quiere?', inquirió el acompañante. 'Lo que no quiere', respondió el presidente, 'es movilizarse para ir a la guerra. Saben que, porque no corresponde, yo no los voy a llevar. Por eso alardean y gritan, pero ése no es el pueblo argentino', agregó firmemente, 'tenga usted la más completa seguridad'".

Yrigoyen no declaró la guerra a Alemania. Alvear supo, entonces, que la Argentina había perdido una oportunidad única. Y el destino, como si les preparara permanentes trampas, enfrentaría a partir de ese momento a esos dos hombres que nada parecían tener en común.

CINCO

EL PODER

Al concluir la Primera Guerra Mundial, a fines de 1918, los vencedores en la contienda impusieron condiciones humillantes a los vencidos y, peor aún, diagramaron el nuevo mapa de Europa como si, en realidad, los pueblos no hubieran tenido historia, costumbres ni fronteras. Alemania, además de la caída de la monarquía, soportaría una desmesurada, absurda deuda de guerra que terminaría haciendo pedazos su economía y, también, abriría las puertas al nacionalsocialismo. Turquía, despedazada, limitada a un mínimo espacio geográfico después de haber dominado el Mediterráneo oriental, al menos conservaría la Anatolia merced a un hombre excepcional, como fue Kemal Ataturk. El imperio de los Habsburgo, la poderosa Austria-Hungría, sería rediseñada por el Tratado de Versalles. Los vencedores, es decir, los aliados, quizá no imaginaron que ese documento sólo prepararía, veinte años después, una nueva guerra como jamás había conocido la humanidad.

Marcelo de Alvear representaba a la Argentina en Francia. Pero no se trataba de un funcionario de carrera, designado de acuerdo con el escalafón por el canciller de turno, sino de un hombre independiente, que había vivido en París veinte años, y que recibía en Coeur Volant a Georges Clemenceau, al mariscal Joffre o a Lloyd George. Precisamente por ser ministro plenipotenciario, por haberse casado con una estrella del *bel canto*, por su fortuna y refinamiento, tenía acceso casi inmediato a las personalidades políticas. Por lo tanto, era previsible que tuviera sus propias ideas con respecto al rol de la Argentina al concluir la Primera Guerra Mundial. Si había existido una desinteligencia con Hipólito Yrigoyen al no declarar el gobierno argentino la guerra a Alemania y a sus aliados, era inevitable que se profundizasen las diferencias al firmarse la paz.

El problema surgió al realizarse en Ginebra, en noviembre de 1920, la asamblea de la Sociedad de las Naciones, donde surgió el conflicto entre Alvear e Yrigoyen con respecto a la posición de cada uno de ellos ante las grandes potencias, en particular, las vencedoras. El líder del radicalismo aspiraba a una Sociedad de las Naciones, y no una Sociedad *de* Naciones, lo cual implicaba que todos los países del mundo deberían formar parte de la misma, sin diferenciar a vencedores y vencidos. También, que los miembros del Consejo fueran elegidos por la Asamblea General, conforme al principio de igualdad de los Estados. La delegación argentina en Ginebra, integrada por Alvear, el canciller Honorio Pueyrredón y Fernando Pérez, ministro plenipotenciario en Austria, a pesar de las instrucciones claras y contundentes del presidente Yrigoyen, cayó en contradicciones y debió retirarse de Ginebra el 7 de diciembre.

Marcelo se opuso, desde el primer momento, a la admisión de todos los Estados en la Liga de las Naciones y consideró un despropósito que la Argentina lanzara semejante iniciativa en la asamblea. En definitiva, se estaba o no, así de tajante, con las grandes potencias triunfadoras. Los aliados, que habían ganado una guerra de cinco años de duración, imponían sus condiciones y pensó que no era inteligente, por parte del gobierno de Buenos Aires, cuestionar el nuevo orden. Claro que no se oponía a las grandes declaraciones de principios acerca de la igualdad de los países, pero eso no significaba necesariamente que hubiera que tomarlos al pie de la letra. Gran Bretaña era un socio indispensable de la Argentina, lo mismo que Francia, y los Estados Unidos. Entonces, para qué entrar en conflicto, para qué contrariarlos, si finalmente se dependía de ellos. Los negocios y la prosperidad surgían a partir de esos países y no de posiciones políticas románticas, pero económicamente inadecuadas. Alvear conocía Europa y a los europeos que, en aquella época, *eran* el mundo; había que incorporar su cultura, su tecnología, sus ideas. La Argentina progresaría con alianzas inteligentes, con medidas audaces, con inversión y entonces, sí, podría ocupar otra posición. Lo contrario equivalía al aislamiento, en aras de los principios. Tal era su convicción que logró el apoyo de los restantes miembros de la delegación —Honorio Pueyrredón y Fernando Pérez— acerca de qué debía hacerse en Ginebra. Esa actitud generó una guerra de telegramas, por parte de Hipólito Yrigoyen, donde enfatizaba cuál era su ideología —en este caso, del país— y cómo deberían actuar.

Yrigoyen creía más en los principios que en el crecimiento económico. Lamentablemente, algunos de sus continuadores prolongaron esa ideología (habría que incluir a otros, de ideas políticas diferentes), cayendo en posturas, en eslóganes, como "liberación o dependencia", que sólo lograron que la Argentina, en las postrimerías del siglo XX, alcanzara su mayor nivel de pauperización económica, ética y cultural desde que surgió como nación. La intransigencia presidencial molestó a Alvear, quien pensó en renunciar a su cargo de ministro plenipotenciario, aunque acató las órdenes por ser un funcionario. Yrigoyen, para evitar una ruptura, le envió a París un extenso telegrama conciliatorio el 31 de diciembre de 1920, plagado de "principios", como, por ejemplo, que la Argentina debía irradiar sobre el mundo "la gloria de nuestras reconquistas, que son la estrella única de las reconquistas posibles del alma occidental...". Marcelo no renunció y respondió formalmente el telegrama, como si las diferencias estuvieran superadas.

En realidad, no lo habían sido. Cómo explicarles al mariscal Joffre o a Georges Clemenceau —sus amigos, sus invitados a Coeur Volant— que la Argentina no apoyaba a los aliados y prefería mantenerse al margen del nuevo orden. Cómo convencer a Yrigoyen que el mundo, visto desde Buenos Aires, era diferente y que un país no progresaría aferrándose románticamente a una ideología. Deben de haber sido momentos difíciles para Alvear; las relaciones políticas que tan pacientemente había cultivado, a costa de su propia fortuna, corrían el riesgo de deteriorarse. Pero nada dijo y acató las órdenes. Por el momento, continuaba siendo ministro plenipotenciario y, como tal, se puso manos a la obra. Ya hemos visto que Marcelo era un hombre pragmático, que prefería las obras a las palabras, dotado de un agudo sentido de la organización. A fines de 1920, logró que las señoras argentinas donaran un pabellón en la maternidad de Roye: la piedra fundamental fue colocada con la pompa y circunstancia que exigía Alvear, ya que estuvo presente el mariscal Joffre. El gobierno francés le encomendó que la Argentina contara con un pabellón en la Ciudad Universitaria de París. Para un diplomático de carrera, hubiera constituido una misión compleja. A quién recurrir para obtener los fondos. Sin embargo, a Marcelo le resultó sencillísimo: habló con Otto Bemberg. El empresario y multimillonario argentino —dueño, entre otras cosas, de la Cervecería Quilmes— donó, sin más, el pabellón. Y así, mientras cumplía con las funciones burocráticas en la legación, levantaba obras y disfrutaba de París, la historia le tenía reservada una misión que acaso, secretamente, había soñado: ser presidente de los argentinos.

En efecto, ser primer mandatario había sido una de sus aspiraciones cuando la Unión Cívica Radical eligió sus candidatos para las elecciones de 1916. Pero nada pudo hacer contra Hipólito Yrigoyen, su prestigio y popularidad. Cómo superar a ese hombre que era el radicalismo mismo, que había luchado desde la primera hora, que esperó durante veinticinco años para llegar al poder, a través de una posición intransigente en materia electoral. Resultaba quimérico. Pero ahora, en 1922, Yrigoyen dejaba la presidencia y alguien debería designarse como candidato. Marcelo, por otra parte, no ignoraba los conciliábulos, las alianzas que se tejían en Buenos Aires; tampoco, que Hipólito Yrigoyen tendría la última palabra. Su destino se jugaba en esos días. Por una parte, si no era elegido candidato, probablemente continuaría con su cargo diplomático en Francia, con los banquetes políticos, con las reuniones mundanas, en suma, con la buena vida; por otra, ser presidente de los argentinos significaba aplicar todo lo que había aprendido en Europa y darle un prestigio único a su país.

Las posibles fórmulas presidenciales de la Unión Cívica Radical se barajaban en Buenos Aires, en particular la de aquellos sectores del Partido que disentían con la conducción excesivamente personalista de Yrigoyen. Vicente Gallo-Arturo Goyeneche era una de las posibilidades; las provincias aspiraban a la fórmula Miguel Laurencena-Carlos F. Melo; el viejo caudillo, en cambio, las rechazaba. Ya sabía quién había de sucederle. Por fin, el 11 de marzo de 1922, en el Teatro Nuevo, se llevó a cabo la votación para elegir candidatos y, por abrumadora mayoría, resultaron electos Marcelo de Alvear y Elpidio González para presidente y vice, respectivamente.

Existen varias teorías para explicar por qué Yrigoyen se inclinó por Marcelo. Félix Luna, en *Alvear*, sostiene que "la explicación no puede ser otra que su confianza (la de Yrigoyen) en la limpieza de Alvear. El suyo sería un *fair play*. Era previsible que, fuera quien fuera el futuro presidente, los elementos desplazados o resentidos del radicalismo habrían de rodearlo de inmediato. Los conflictos internos que en diversos distritos ocurrieron durante la presidencia de Yrigoyen habíanse solucionado en una u otra forma: pero toda solución política supone siempre un perdedor. Y muchos perdedores juntos pueden constituir una fuerza ponderable. Yrigoyen veía esta posibilidad pero sabía que el antiguo camarada de revoluciones, el noble corazón de los viejos años, no habría de hostilizarlo sino dentro de ciertos márgenes. Estaba el caudillo constreñido ante una disyuntiva de acero: el futuro presidente debía ser seleccionado en el ala derecha del Partido, y eso planteaba las futuras dificultades, o podía escogerse en los sectores más allegados a su intimidad, y entonces carecería de brillo o sería acusado de ser un personero de Yrigoyen".

No era la opinión, en cambio, de Ángel Gallardo, que

160

petuoso, pasional; Torcuato, el intendente que revolucionó urbanísticamente a Buenos Aires, jamás se detuvo ante los escollos y se salió con la suya. Por las venas de Marcelo corría esa sangre. Y en cuanto a Regina, si bien había nacido en Portugal y adoraba Europa, creer que sólo añoraba la vida de París, las veladas teatrales y las reuniones mundanas constituyó un error de grueso calibre. Esa mujer de cincuenta y un años demostraría que estaba a la altura de la función pública, que sería una hábil consejera de su marido, con un instinto certero, casi de sabueso para descubrir quiénes eran leales y quiénes peligrosos. Para Regina, el *bel canto* había quedado atrás y ahora entraba en el mundo de la alta política. Ese hombre que su madre jamás había aceptado, a quien tuvo que amoldarse aceptando su carácter dominante y perdonando —o haciendo la vista gorda— sus infidelidades matrimoniales, había alcanzado la cumbre del prestigio y ella estaría a su lado.

Marcelo, al ser electo presidente, recibió invitaciones de numerosos países europeos en calidad de huésped oficial. En primer lugar, porque la Argentina era un país rico, gran exportador de carnes y cereales, que había acogido a miles de inmigrantes europeos y, por último, porque Alvear tenía un origen y una actuación social y diplomática *comme il faut*. Los políticos que había frecuentado en Francia y en los balnearios de moda hablaban bien de él y eran su mejor carta de presentación. Aceptó, entonces, viajar a Italia. Víctor Manuel III le envió a París el tren real. Qué agradable y delicioso viajar en esos vagones similares a una casa, con salones, dormitorios y comedor, con el escudo de los Saboya y vajilla de plata maciza, acompañado por su sobrino Adams Benítez Alvear y por Daniel Figueroa, por nombrar algunos miembros de su comitiva.

Atravesar la campiña francesa y los Alpes en esa suerte de burbuja de lujo, con los mejores vinos y un chef que deslumbraba con los menúes. Varias veces se lo ha acusado a Alvear de sibarita, preocupado por los aspectos formales de la mesa y de la conversación. Pero, aparte de su cuna, hay que considerar que pertenecía a la generación de los grandes transatlánticos, de los Wagons-Lits, de los baúles, sombrereras y valets. Esa clase social no concebía otra manera de viajar. En Roma y en el Vaticano fue recibido con todos los honores: carroza real, compañía de coraceros, gran banquete en el Quirinal. Marcelo, como era de esperar, habló en perfecto italiano.

Luego, Inglaterra. El imperio más poderoso del mundo. Un argentino sería homenajeado por la Corte más rígida y prestigiosa, que imponía su estilo a las restantes europeas. Cómo superar los esplendores, la tradición de Buckingham Palace impuesta por la reina Victoria, que transformó la monarquía británica. Londres, en ese entonces, era el eje del mundo y ahí debería actuar Marcelo. Claro que, Alvear, sabía qué era el protocolo, conocía idiomas y su señorío le permitía alternar con reyes y presidentes. En la estación Victoria lo esperaba el príncipe de Gales (que luego iría a la Argentina en 1925), los ministros del gabinete, lord Balfour y el almirante Beatty, en lo que debe haber sido para Marcelo un encuentro memorable, como si hubiera alcanzado la cúspide de sus ambiciones. Convendría aclarar que el recibimiento que se le tributó en Inglaterra al Presidente electo respondía, además de lo puramente protocolar, a otros motivos: la Argentina, durante la Primera Guerra Mundial, había suministrado miles de toneladas de alimentos a la Corona. Hubo, también, un banquete en el palacio de Buckingham

163

ofrecido por el rey Jorge V y la reina María, un baile en lo del vizconde de Lascelles (casado con una hija del Rey) y, nuevamente, un *garden party* en Buckingham. Marcelo estaba a sus anchas entre la familia real, los duques y los ministros. Y a pesar de las críticas de vastos sectores de argentinos con respecto a la tendencia de Alvear a la pompa y al boato, el país nunca estuvo mejor representado. Qué otro presidente sudamericano tenía esa elegancia innata, la frase perfecta, el absoluto dominio de la mesa y de la etiqueta y hasta un físico europeo, sin sangre india. Qué diferente a otros presidentes latinoamericanos que parecían haber bajado el día anterior de los Andes o de las selvas. Marcelo en nada era distinto a sus huéspedes y esa visita permanecería para siempre en su memoria. "Recuerdo aún cuando desfilaba por las calles de Londres como presidente electo. El público aplaudía a la República Argentina en la persona de su gobernante que pasaba... Recuerdo las palabras de Lloyd George, de cordial acogida, de simpatía a mi país..."[1]

La gira prosiguió por España, Francia y Bélgica, donde se repitieron los banquetes, los homenajes, los reyes y los príncipes. En Santander, Alfonso XIII condecoró a Marcelo con el Gran Collar de Carlos III y luego partieron, Rey, Reina y Presidente electo, conduciendo su propio automóvil, hasta la localidad de Comillas, para visitar al marqués de Comillas, a quien Alvear quería visitar por haber defendido la unión entre España y América. Cómo habrá disfrutado Marcelo los agasajos, el reconocimiento, sus amistades que ahora parecían devolverle los frutos de su trabajo durante quince años en París. Para los europeos, el presi-

[1] Pedro Fernández Lalanne: *Los Alvear*

164

dente electo argentino era encantador, distinguido, mundano y, además, la puerta de entrada para las relaciones comerciales con la Argentina, ese riquísimo país de América del Sur. La gira terminó en París, con más agasajos oficiales. Marcelo escribió, en francés, su despedida de aquella ciudad que amaba y a la cual pensaba volver algún día no demasiado remoto: *"Au revoir... Paris. Je donnerai mon coeur et mon corp à la Présidence. Seulement, je ne vous le cache pas, bien des fois je me surprendrai à compter inconsciemment le jours qui me sépareront de mon retour. Car vous pensez bien que je ne dis pas adieu a notre Paris. Je lui dis simplement 'au revoir'. Et je le dis avec tristesse parce que je sais qu'à mon retour j'aurai six ans de plus... Je deviandrai vieux..."*[2]

Llama la atención, sin embargo, que Regina no haya participado de la gira y, en vez, se haya ido a Lisboa para estar con Felicia. ¿Marcelo consideró que en Buckingham Palace o en el palacio de Laeken, en Bruselas, una ex cantante no sería bien vista? Lo cierto es que su mujer —por decisión propia o de su marido— prefirió abstenerse. En Lisboa, ambas mujeres habrán recordado otras épocas, cuando nada ni nadie las separaba y viajaban por Europa plenas de ilusiones. Qué lejanos aquellos tiempos de Varsovia y San Petersburgo.

---

[2] "Hasta la vista París. Daré mi corazón y mi cuerpo a la Presidencia (de la Argentina). Sólo que no lo oculto y muchas veces me sorprenderé contando inconscientemente los días que me separarán de mi regreso. Porque pensáis bien al suponer que yo no le digo adiós a nuestro París. Le digo, simplemente, 'hasta la vista'. Y lo digo con tristeza, porque sé que a mi regreso tendré seis años más... Me convertiré en un viejo..."

La cómoda de madera de jacarandá era la misma, como si el transcurso del tiempo le hubiera otorgado un lustre, un brillo singular. Era la misma de su infancia, de la cual Felicia siempre hablaba. La había llevado a Lisboa desde Cádiz, acaso el único objeto que constituía su dote, el único testimonio de algún oscuro blasón familiar. Había estado en el salón en la casa de la rua de Loreto, sosteniendo la talla de Nossa Senhora da Conceição y ahora engalanaba otro salón, de medidas importantes, impecablemente decorado con tallas policromadas, platería y brocatos.

Regina contempló a su madre. Su pelo era blanco. Presidía ese salón en la rua Nova da Trindade, en el centro de Lisboa, casa que se había negado a dejar. Felicia mantenía en ese espacio el pasado, al menos el que ella quería conservar: la ciudad y las costumbres que había conocido en su juventud, los objetos que habían pertenecido a Regina.

—Deberías haberlo acompañado... —dijo Felicia.

Descubrió nuevamente en el tono de voz de su madre, en la expresión de sus ojos, el reproche, la crítica, la intolerancia. Regina, voluntariamente, había renunciado a acompañar a Marcelo en su gira por Europa como presidente electo. Él había insistido —acaso sin mucha convicción— y ella había declinado. Comprendió que su pasado de artista en nada podía favorecer a su marido. Cómo presentarla en Buckingham Palace. La mera idea de ser rechazada la llenaba de espanto. No por ella, sino por Marcelo. Decidió ir a Lisboa, pretextando que su madre la necesitaba.

—Una mujer debe seguir a su marido —prosiguió Felicia.
—Salvo, claro, que él no quiera.

Regina ni siquiera respondió. Los años le habían conferido una insospechada serenidad. Marcelo, a pesar del tiempo transcurrido, de su prestigio, aún seguía siendo para su madre una suerte de ladrón: la había arrancado de Lisboa, de su familia, de su carrera. La joven de la voz prodigiosa, la

mimada de las cortes europeas, la estrella que desataba ova-
ciones en los teatros, se instalaría en un remoto país suda-
mericano.

—Si al menos tuvieras un hijo...—se lamentó Felicia.

Las palabras, ahora, eran hirientes. Había deseado traer
un hijo al mundo con desesperación. Qué distinta hubiera
sido su vida. Habría hecho de Coeur Volant una casona
ruidosa, con obligaciones cotidianas. En vez, había recorrido
incansablemente Europa, sin distinguir las ciudades, conde-
nada —como en el pasado— a vivir en grandes hoteles, a
alternar con innumerables personajes para llenar espacios.

—El culpable ha sido Marcelo —señaló Felicia—. Nues-
tra familia fue siempre prolífica.

Regina levantó la mano, en un gesto contenido, que se
transformó en una mezcla de súplica y de orden. No quería
escuchar más. Su madre contempló esos ojos repentinamente
enternecidos, pero, a la vez, decididos a no permitir que esa
conversación se prolongara. Comprendió, entonces, que de-
bía callar. Le tomó la mano. Madre e hija permanecieron en
silencio y el contacto de la piel bastó para recuperar la calidez
de los sentimientos.

Sin embargo, a pesar de la feroz oposición de Felicia
con respecto al matrimonio de su hija, no podía conde-
narla: Alvear era toda una figura en Europa, recibido
por reyes y ministros; en poco tiempo, gobernaría al
país más rico de Latinoamérica y su hija sería primera
dama. Si había deseado para Regina la gloria y el prestigio, en parte lo había logrado, a pesar de sí misma.
Cómo oponerse, ahora, a ese destino. Quizá lo que
lamentaba era la falta de un nieto. A los cincuenta y un
años, Regina había abandonado todas las esperanzas

de ser madre. El hecho de que los Alvear no hayan tenido hijos permanecerá en el misterio: nunca se sabrá cuál de los dos era estéril. Por otra parte, si Marcelo hubiera tenido hijos naturales, se habría sabido. Regina, en cambio, nunca hizo referencias directas a ese problema; a lo sumo, deslizaba comentarios, como solía hacerlo con su sobrina, Delia Gowland Peralta Alvear de Bengolea: "Me hubiera gustado tener un hijo... pero Dios no lo mandó...".

Marcelo se embarcó en Burdeos en el *Massilia* y Regina subiría al transatlántico en Lisboa para dirigirse a la Argentina. El primer problema —de orden doméstico— que debieron enfrentar es dónde vivirían en Buenos Aires. En aquella época, no existía la residencia presidencial y el primer mandatario debía vivir en su propia casa. Los Alvear, claro, no la tenían: habían residido en París desde 1907 y todos los muebles, cuadros y vajilla estaban en Coeur Volant. En París, donde hacía años que vivían, Juan A. Fernández y su mujer, Rosa de Anchorena, le ofrecieron el palacio que habían construido en la Avenida Alvear, esquina Montevideo (luego adquirido por Adelia María Harilaos de Olmos y, en la actualidad, la Nunciatura). Marcelo, que era tan puntilloso en lo referente a sus múltiples residencias, le escribía a su hermano, Carlos Torcuato, desde París, en 1922. La dirección de los Alvear, en Francia, era 82 Avenue de Champs-Élyseés. "Querido Carlos: Te he telegrafiado que no me conviene tomar una casa, desde ya, sin muebles, pues hasta que lleguen los míos y pueda instalarme pasarán varios meses. Fernández me ofrece su casa. Creo sin embargo que no está amoblada más que a medias. En todo caso te ruego la visites y me telegrafíes. Si es posible que a mi llegada pueda ir directamente a ella. Los dormitorios que creo faltan, podrían arreglarse provisoriamente, hasta que llegaran mis muebles".

También hace referencia, en la carta, a su futuro secretario: "Con gran reserva y pidiéndole guarde al respecto el más absoluto secreto, vélo a Veronelli de mi parte, para el puesto de secretario de la Presidencia".

Marcelo no estaba dispuesto a vivir, en Buenos Aires, en una modesta casa de la calle Brasil, como la de Hipólito Yrigoyen. Por el contrario, provisoriamente se instalaría en uno de los más deslumbrantes palacios porteños de la Avenida Alvear, con un jardín que se prolongaba por la barranca hasta la calle Posadas. Regina volvía a Buenos Aires, donde casi no tenía amigas, donde le harían el vacío.

Ni siquiera el hecho de regresar como primera dama la reconciliaba con la Argentina.

Al asumir como presidente y formar su gabinete, se produjo el inevitable choque entre Marcelo e Hipólito Yrigoyen. El caudillo radical creía que el Partido *era* él y que manejaría —sutil o abiertamente— los hilos del poder, mientras el verdadero presidente se limitaría a una función meramente protocolar, inaugurando monumentos y recibiendo a dignatarios, como en las monarquías constitucionales europeas. Ya que Alvear tanto admiraba a Jorge V de Inglaterra, o a Alfonso XIII de España, que los imitase, entonces, en lo que respecta al limitado poder que ostentaban. Nada más lejos de las intenciones del nuevo presidente. Yrigoyen —algo desubicado y con escaso tacto—, durante su última semana de gobierno, firmó innumerables nombramientos y reorganizó los ministerios, lo cual molestó profundamente a Marcelo.

El gabinete nombrado por Alvear no sólo significó echarle un guante en la cara al líder del radicalismo, sino, también, establecer inequívocamente quién mandaba en la Argentina. Varios de sus miembros se oponían al excesivo "personalismo" de Yrigoyen y desaprobaban su política. Así quedó configurado el nuevo gobierno: Relaciones Exteriores, Ángel Gallardo; Interior, José Nicolás Matienzo; Hacienda, Rafael Herrera Vegas; Agricultura, Tomás Le Bretón; Obras Públicas, Eufrasio Loza; Guerra, general Agustín P. Justo; Justicia e Instrucción Pública, Celestino Marcó y, en Marina, almirante Manuel Domecq García.

En realidad, parecía más un gabinete conservador que radical. La indignación de Yrigoyen no tuvo límites. Cómo se atrevía el señor Alvear, que, en definitiva, había asumido la presidencia porque el propio caudillo lo había decidido, a nombrar semejantes funcionarios. Qué significaba que un militar ocupara la cartera de Guerra, cuando siempre había sido un civil el responsable de ese ministerio. Yrigoyen no estaba dispuesto a dejarse llevar por delante por un aristócrata a quien todo le había resultado fácil y que si existía políticamente, era gracias a él. Pedro Fernández Lalanne, en *Los Alvear*, evoca esos difíciles momentos: "La injerencia de Yrigoyen no se limitó a proponer nombres de colaboradores. En la casa de su ex ministro Salaberry recibía a funcionarios, dispensaba favores y ejercitaba sus influencias. Enterarse Alvear y sustituir a los funcionarios en falta fue todo uno. La lealtad al jefe del Partido no se conciliaba con la complacencia servil. Fueron, sin duda, ratos amargos los que hubo de soportar. Los recordará con tristeza".

170

Marcelo, al ser ungido presidente, no sólo nombró un gabinete que significaba declararle la guerra a Yrigoyen y a sus aliados, sino que concibió que cada uno de sus ministros tuviera responsabilidad propia y tomara decisiones, como ocurría en gran parte de los gobiernos europeos. Alguno de sus críticos consideraron esa medida una mera comodidad: a Marcelo —alegaban— no le gustaba trabajar y prefería delegar en otros las pesadas tareas de gobierno. Esa crítica carece de fundamento. Alvear no padecía la enfermedad de Yrigoyen y de un asombroso número de argentinos, es decir, la ideología. Si eligió ese gabinete y dio responsabilidades a sus ministros —más allá de los resultados— fue porque creía en la eficiencia y quería dejar obras palpables, bienestar, el día que concluyera su gestión. Llama la atención que numerosos radicales —de hoy, no de ayer— critiquen ciertos aspectos de Marcelo, absolutamente irrelevantes, para juzgarlo. Algunos sostienen que un presidente elegido por "vastos sectores populares", no debió pavonearse en los hipódromos vestido de jacquet, ni poner de moda Playa Grande, ni construirse una casa en Mar del Plata. En realidad, la acusación está dirigida a su origen social —patricio—, más que a su estilo de vida. Lo que se debería juzgar, en todo caso, no es si estaba, por su cuna, "cerca" o "lejos" de su pueblo, sino lo que hizo por él en seis años de gobierno. Sus más acérrimos críticos deben admitir, sin embargo, que fue un buen gobernante. Que hubo una eficiente administración, lo cual de por sí es sorprendente en un gobierno argentino. Con respecto a la cercanía o la lejanía con su pueblo, ya que en definitiva era un Alvear, cómo juzgar, entonces, a Franklin Delano Roosevelt, miembro de una de las familias más aristocráticas de los Estados Unidos y que nunca renunció a su estilo de vida. O a Winston Churchill, sobrino del duque de Malborough. Se puede alegar que ambos representaban a sectores conservadores y no al pueblo. Pero nadie hizo por el pueblo lo que estos dos hombres, uno en la peor depresión económica de los Estados Unidos, el otro cuando Inglaterra, sola, luchaba contra las poderosas fuerzas de Hitler.

Es cierto que Marcelo alternaba la función pública con numerosos pasatiempos, inauguración de monumentos, romances. Hay quienes sostienen que tuvo un inevitable *affaire* con Victoria Ocampo. Acaso por eso, la mujer de letras, al cumplirse el centenario del nacimiento de Alvear, habló en un acto en la Recoleta y se refirió a él como "al único presidente que he *conocido*". También se le atribuyó un romance con una sobrina, que logró escandalizar a Buenos Aires. Su primo, Diego de Alvear, casó en segundas nupcias con Mariana Cambaceres, viuda de Blanco, cuya hija, Dora Blanco —luego firmaría Dora de Alvear— era en realidad hija de Diego. Joven y extravagante, esta última poseía lujosísimos automóviles que conducía a exorbitante velocidad por la Avenida Alvear; protagonizaba escándalos en clubes nocturnos y varias veces fue a parar a la comisaría. Pero, claro, le bastaba señalar que era sobrina del Presidente (lo cual se confirmaba con un simple llamado telefónico al propio Marcelo) para ser puesta inmediatamente en libertad. Según sostienen algunos allegados, el romance fue fulminante, no así el desenlace. Mariana Cambaceres de Alvear sobrevivió a su marido y dilapidó una inmensa fortuna. Dora desarrolló una pasión por las mujeres y murió en la pobreza.

La condición de mujeriego era inherente a Marcelo

y no concebía la vida sin la conquista amorosa, lo cual, por otra parte, era común a los hombres de su generación. El hecho de ser presidente no disminuyó en lo más mínimo esa tendencia. Félix Luna, en *Alvear*, señala: "Éste (Marcelo) no había abandonado sus viejos hábitos donjuanescos; poco después de asumir el poder había alquilado junto con uno de sus ministros —antiguo compañero de correrías trasnochadas— cierto petit hotel en la calle Rodríguez Peña que administraba una célebre cortesana, propietaria de uno de los más lujosos cabarets de Buenos Aires. Allí solían reunirse Alvear y algunos íntimos para celebrar juergas más o menos discretas. Ocasionalmente invitaba a Justo (Agustín P., ministro de Guerra) y solían hacerlo víctima de bromazos, divirtiéndose con la *gaucherie* de este militar que desde luego no tenía la larga experiencia galante del presidente y su círculo. En esas íntimas noches había empezado el resentimiento secreto y retorcido de Justo, disimulado tras una actitud de constante servilismo hacia Alvear. (Testigos hay todavía que pueden relatar cómo en una ocasión se precipitó el ministro sobre los botines presidenciales para atarle los cordones desprendidos, gesto que disgustó mucho a Alvear)".

¿Cómo tomaba Regina las infidelidades de su marido? En primer lugar, las mujeres de esa época estaban acostumbradas a competir con las amantes y las aventuras ocasionales de sus cónyuges, como si hubieran sido educadas para tolerar cualquier situación adúltera. Lo que se pedía era discreción y evitar el escándalo a toda costa. Después de todo, ningún marido abandonaba a su mujer por una cortesana. Regina no ignoraba los engaños. En silencio, hacía caso omiso de ellos. Ya anciana, solía comentarle a su sobrina, Delia Gowland

Peralta Alvear de Bengolea: "Mi Marcelo siempre andaba detrás de las polleras. Pero yo estaba primero". Conocía sus aventuras, pero también sabía que el amor de Marcelo por ella estaba por encima de los romances ocasionales.

El jardín, contemplado a través de los vidrios mojados por la lluvia, parecía haber perdido su forma original. Las enormes tipas eran irreconocibles y el prolijo césped, que se prolongaba hasta la calle Posadas, se había transformado en una mancha imprecisa. Cómo detestaba esa casa, los salones casi vacíos, como si la falta de muebles contribuyera a acentuar dramáticamente lo inhóspito. Regina observó el inmenso salón que se abría al jardín, los marcos dorados que encuadraban las paredes, las impecables combinaciones del parquet y lamentó tener que vivir en Buenos Aires. En realidad, su resentimiento trascendía lo meramente decorativo: qué importancia podía tener vivir en un palacio en la Avenida Alvear, o en un hotel, cuando había otras cosas en juego.

Recordó aquel almuerzo curiosamente poco protocolar en lo de Mariana Cambaceres de Alvear, en Belgrano. Marcelo había asistido de mala gana pero, sorpresivamente, había recobrado el buen humor, como si el estar con algunos miembros de su familia lo hubiera alegrado. No era precisamente la presencia de Carlos Torcuato ni de su mujer, Elina —un mariage à la mode, ya que ella vivía en París y él en Buenos Aires— la causa de su entusiasmo, sino las inesperadas irrupciones de la hija de Mariana. En efecto, Dora utilizaba la ironía, el desparpajo, como si su extrema juventud la protegiera de las críticas; le hablaba a Marcelo más como a un amigo que a un tío y todos parecían celebrar sus ocurrencias.

Qué ingenua había sido. Poco después, invitó a Mariana y a Dora a la residencia de la Avenida Alvear y comprobó que su sobrina había perdido inesperadamente el sentido del humor y que casi ni le dirigía la palabra a Marcelo. Luego supo el porqué. Conocía a su marido. Había pasado por alto, a lo largo de todos esos años, sus infidelidades, lo cual no significó necesariamente no haber sufrido. Pero se habían respetado las reglas del juego, es decir que las "conquistas", la seducción, los encuentros, se habían llevado a cabo fuera de su casa, lejos de su vista, de su presencia. Ahora Marcelo había elegido a una sobrina política (pero sobrina al fin) y estaba a punto de perder la cabeza.

Esa mañana, mientras contemplaba la lluvia y el difuso jardín, había decidido hablar con Marcelo. Jamás se había atrevido a acusarlo, quizá por no haber dado pie a que ella sospechara de otra mujer, a pesar de saber que la engañaba. Su instinto, su presentimiento nunca le habían fallado. Pero ahora todo había ido demasiado lejos. Su orgullo, sus senti-mientos, su dignidad estaban en juego. Por él dejó su carrera, su familia. Por él vivía en Buenos Aires. Por él les dio vuelta la cara, desde el momento de su arribo, a todas aquellas señoras que le habían hecho el vacío: no sólo la habían ofendido, sino, también, habían herido a Marcelo. Cómo se atrevió a seducir a Dora. Cómo perdonarle semejante afren-ta.

En el umbral estaba Marcelo, contemplándola. Se acercó con paso presuroso, acaso conmovido por sus lágrimas que no pudo disimular. Ella se apartó y permaneció, empecinada, contemplando el jardín a través de la ventana.

—Marcelo... —dijo— tiene que terminar...

Él comprendió. En silencio, con la vista baja, no supo qué responder. Sólo atinó a tomarle la mano y, luego, a salir silenciosamente del salón.

Alvear era no sólo adicto a las mujeres, sino también a las travesuras. Francisco Carcavallo, hijo del empresario teatral Pascual Carcavallo (íntimo amigo de Marcelo), recuerda algunas anécdotas que solía contar su padre. "Alvear, Enrique García Velloso y mi padre, se escapaban de la custodia presidencial e iban al circo. Era el programa preferido del presidente. Marcelo, por otra parte, no toleraba la impuntualidad. Una vez, en una función en el Teatro Colón que empezaba a las nueve de la noche, gran parte del público no había llegado. Marcelo y Regina, instalados en el palco presidencial, no podían creer que los argentinos fueran tan mal educados. A las nueve en punto, Marcelo dio la orden de que comenzara la función."

Jamás vinieron tantos príncipes a la Argentina como durante la presidencia de Alvear. En 1925, el príncipe de Gales y el maharajá de Kapurthala visitaron el país y se organizó una inagotable serie de agasajos, del mismo calibre que los que había recibido Marcelo durante su gira europea como presidente electo. Gales despreciaba al maharajá y lamentaba que su visita a la Argentina coincidiera con la del príncipe hindú. Al canciller, Ángel Gallardo, le confesó: "A mí no me puede ver (Kapurthala) y esta visita la hace para adular al rey, mi padre".[3] Además de los previsibles bailes y banquetes, el heredero de la corona británica visitó la estancia Huetel. Alvear, sin duda, quería deslumbrar al príncipe —si es que la Argentina era capaz de deslumbrar a Gales— y no quiso que dejara el país sin

---

[3] Ángel Gallardo: *Memorias para mis hijos y nietos.*

conocer una estancia. Llama la atención que en vez de recurrir a su cuñada, María Unzué de Alvear, que poseía un castillo normando rodeado de centenares de hectáreas de parque en Carabelas, partido de Rojas, provincia de Buenos Aires, haya optado por la hermana de ésta, Concepción Unzué de Casares, dueña de Huetel, otro castillo, esta vez Luis XIII, en el partido de 25 de Mayo. La explicación habrá que encontrarla en la hostilidad que había demostrado María Unzué de Alvear por Regina.

La visita del príncipe de Gales a la estancia Huetel, en agosto de 1925, tuvo la espectacularidad que correspondía. Concurrió también el maharajá de Kapurthala, que en su tránsito por Buenos Aires había cubierto de alhajas a la cantante de tangos Ada Falcón. Un tren especial trasladó a los artistas que animarían las veladas, entre ellos, Carlos Gardel, que cantó para el heredero. Sin embargo, a Gales nada parecía impresionarlo. Lo único que le divertía era tocar el ukelele.

Harto de la hospitalidad argentina, visitó una estancia inglesa en Volta, provincia de Buenos Aires, en su segunda visita al país, en 1931. Marion, de la familia Brown, era también espectacular, pero sin el boato criollo. Dudley Brown, hijo del propietario, solía relatarle al autor antes de fallecer, hace ya varios años, las características de esa visita. "Lo estábamos esperando en la estación de tren Volta con mi padre, el intendente del pueblo y una impresionante cantidad de curiosos que habían llegado de todas partes. Se había extendido una alfombra roja en el lugar donde descendería. El tren, sin embargo, no llegaba nunca. Pensamos que habría cancelado la visita, hasta que oímos un avión que revoloteaba sobre nosotros y que, finalmente, aterrizó en Marion. Corrimos a la estancia para ver bajar del biplano al príncipe de Gales y al duque de Kent, su hermano, que piloteaba el avión. Parecía un muchacho travieso . Esa noche, hubo una cena formal en la estancia, es decir, de riguroso smoking. Gales, antes de sentarse, preguntó si podía quitarse el saco, cosa que hizo y que nos obligó a todos, por otra parte, a estar en mangas de camisa. El clima fue de absoluta confianza y cordialidad. El príncipe admitió que era el único momento en que se había sentido cómodo en la Argentina. Después de comer, se dedicó a cazar liebres a escopetazos, mientras las alumbrábamos con los faros del automóvil."

Antes de partir, durante la visita oficial en 1925, el príncipe de Gales le escribió una carta a Regina desde el buque de guerra en el cual partió de Mar del Plata. La carta en sí es convencional. Su único valor es que está escrita en francés —idioma en el cual hablaría con la primera dama— y que es de su puño y letra. El autor se ha tomado la libertad de traducirla. La misiva está fechada el 10 de octubre de 1925 desde el buque *Repulse*, en navegación. "Querida señora: Fue muy gentil de su parte el hecho de venir hasta Mar del Plata para desearnos buen viaje. Me ha producido mucho placer recibirla a bordo del 'Repulse', como también al señor presidente en la víspera de mi partida de la Argentina. Pero todos lamentamos partir y jamás olvidaremos la amabilidad que hemos encontrado en vuestro bello país. Esperando tener el placer de volverla a ver uno de estos días, reciba querida señora la expresión de nuestros homenajes más sinceros. Edward P."

También visitó la Argentina el príncipe Humberto de Saboya, lo cual produjo el delirio de la vasta comunidad italiana. Tantos agasajos pesaron sobre el Tesoro y el gobierno se excedió en los gastos. D'Andrea Mohr, taquígrafo y secretario de Alvear a partir de 1937, recuerda cuál fue la reacción de Marcelo. "Cuando visitaron el país los príncipes de Gales, de Saboya y el maharajá de Kapurthala, el Congreso sancionó una partida para los agasajos. Cuando se fueron, Víctor Molinas le dice a Alvear que se habían excedido en quinientos mil pesos. 'Lo mando a Rentas Generales —sugirió Molinas—: total, no los gastamos ni vos ni yo'. Alvear le respondió: 'No. Reservalo'. Sin pausa, llamó a su administrador, Olmi, que había iniciado el loteo de las tierras de la localidad de Don Torcuato, que había recibido en herencia, y le ordenó activar la venta. 'Necesito quinientos mil pesos', aclaró Alvear. Poco después, Marcelo citó a Molinas y le dijo: 'No debíamos pasarnos. El responsable de los actos de mi gobierno soy yo. Tomá los quinientos mil pesos y reponélos. Lo único que te pido es que no lo comentes'".

Semejante munificencia no podía sino mermar considerablemente la fortuna de Marcelo. El mantenimiento, en París, de *Coeur Volant,* su costoso tren de vida, habían disminuido implacablemente las hectáreas de La Pampa y Chacabuco. Pero él era así. Quizá las pequeñas cosas era capaz de hacérselas pagar al Estado (hay quienes afirman que la lencería de Regina era pagada por el erario público), pero jamás las grandes.

¿Qué hacía Regina, mientras tanto? En primer lugar, una primera dama de aquella época —a diferencia de otras más recientes— se mantenía apartada de la política y era apenas, en la función pública, una sombra digna del presidente. Regina lo acompañaba a las ceremonias oficiales, al teatro Colón, pero nada más. Siempre estaba *detrás* de él, como si se tratara de un matrimonio morganático. Su desconfianza hacia las señoras de la sociedad argentina no había desaparecido, desde

de la primera dama. Quién se resistiría a estar en los círculos del poder, de los cuales Regina era una suerte de epicentro. Sin embargo, no hizo nada parecido. Las ignoró. El porqué puede responder a varias hipótesis: inseguridad, venganza, sentimiento de superioridad, desinterés. Creemos que fue, en realidad, el resentimiento lo que la motivó a asumir esa actitud. No por su origen social, sino por lo que debió soportar durante los primeros años de su matrimonio y por los absurdos comentarios que aún circulaban por Buenos Aires referidos a su pasado artístico. Jamás aceptó a esas argentinas pretensiosas, exageradamente pacatas, que la habían despreciado, y ni siquiera habían sido capaces de entender la calidad de una soprano de primera línea. Sólo un reducido grupo de mujeres, además de Pototo, tenían acceso a ella: María Teresa Pearson Quintana de Álzaga, Elena Necol de Noel, Tomás de Estrada y su hija, una adolescente a quien Marcelo denominaba cariñosamente "personaje". Y, naturalmente, su entrañable amiga de París, Sara Wilkinson de Santamarina.

La amistad entre estas dos mujeres trascendía lo meramente social. Existía confianza. Sara conocía a Constanza, la hermana de Regina y solía verla. Una carta que le escribió Sara a Regina, precisamente en esta época, es reveladora; no por el vuelo literario ni intelectual, sino por la calidez, la intimidad, y, también, por poner al descubierto la coquetería de la primera dama en materia de modas. La misiva, enviada desde 12 Avenue de Tokio, después de los habituales prolegómenos prosigue: "Lo único que se saca en limpio es que vivimos en una época que nadie quiere soportar nada y se toman medidas demasiado radicales. El matrimonio Adams (por Adams Benítez Alvear, a esa altura casado con Victoria Cañás) proyecta viajar a Buenos Aires para julio o agosto con Diego y Elvira (Diego Lezica Alvear y su mujer, Elvira Santamarina) que piensan regresar a la patria con muy pocas ganas."

"Zelmira (por Zelmira Paz de Gainza) la he encontrado espléndida, con mucho cariño me preguntó por vos, dice que han dejado un espacio vacío. Blumenthal (Madame) está ausente, espero verla antes de mi partida a Suiza."

"Tu mamá no creo venga a París. Yo la animé mucho lo mismo que a la simpatiquísima Constanza a venir una temporada, pero tu mamá dice que se encuentra muy bien en su casa, se distrae, tiene sus partidas de bridge que le hacen pasar el tiempo agradablemente y soportar la ausencia de su querida Regina, que vive con ella en todo momento. Así les dije les pasaría a ustedes, que ni un solo día han dejado de recordarla, que si no eras tú, era Marcelo que la nombraba, y puedo dar fe. Si no es por Andrée pierdo el vapor, pues me sentía tan a gusto en compañía de Constanza que se me pasó el tiempo demasiado rápido. Puedes estar tranquila por tu mamá que te repito está perfectamente y dispuesta en mi próximo viaje a ir conmigo."

"Tengo la criada que me recomendaste, es simpática, me ha preguntado mucho por ti y te echa de menos. Tengo que concluir la carta. Estos días me he ocupado de tus encargues. Ya el traje de Worth se lo entregué al comandante, me parece muy bonito, distinguido. Ahora quizá, para allí, no sea bastante llamativo. Me lo probé y le hice cambiar algo que no me gustaba. El traje de Vionnet recién lo entregarán el jueves que lo lleva Mr. Vidal y se lo entregará al comandante. Esta tarde me probaron una robe y como es una forma sencilla espero te quede bien y sea de tu gusto. Los demás vestidos hasta mi vuelta no estarán, pues piden quince o veinte días para el bordado."

"Yo salgo esta noche para Berna. Compré el regalo para Chita (se refiere a Florinda Fernández Anchorena, a punto de casarse con el conde de Castellane). Es una pulsera de Cartier que representa más de lo que vale. No alcanza a 10.000 francos, estoy aún discutiendo el precio, trataré de sacarla por menos. Me piden 9.800 francos, y todo lo que he visto fuera de esta pulsera los precios son arriba de 20.000 francos y no creo representan mucho más. Anoche comí en lo de Fernández, me invitaron para presentarme al novio, es muy simpático, muy fino."

"Tuve el gusto de ver a tu hermano (se refiere a José Pacini), vino a visitarme, están muy bien, te puedes imaginar con el interés que me preguntó de ustedes y de tu mamá, que tanto desea que venga a París. Pero según tu hermano tu mamá no viene por no dejar a Constanza y no hay quien la mueva de Lisboa."

Marcelo y Regina no podían vivir ininterrumpidamente en la casa que les habían prestado los Fernández y tomaron la decisión de comprar una residencia. Curiosamente, eligieron el barrio de Belgrano (como luego lo haría su enemigo, el presidente Agustín P. Justo) para instalarse, lo cual constituyó otra tajada a la declinante fortuna de Alvear. El palacio elegido estaba situado en la calle 11 de Septiembre 1240, esquina 3 de Febrero, con una superficie total de 4924,51 varas cuadradas y el costo podía considerarse astronómico para la época: 314.280 pesos que provinieron del loteo de Don Torcuato, ya que a esa altura, los campos de La Pampa y de Chacabuco se habían esfumado. *El Heraldo*, periódico que se editaba en el barrio de Belgrano, señaló el 4 de septiembre de 1923: "En este momento se ultima el 'toilet' de la casa...Hasta la noche de ayer continuaban llegando los camiones de Maple con los muebles que tenía esa empresa a su guarda, y cuya colocación dirigía personalmente la dueña de casa, demostrando así a las demás señoras que las altas situaciones de la vida no deben ser óbice para los menesteres domésticos cuando se tiene una conciencia exacta de las cosas".

Los Alvear, sin embargo, demostraron poco afecto o ningún apego hacia sus residencias, a excepción de Coeur Volant. La propiedad de Marly, en las puertas de París, tuvo un inmenso significado para el matrimonio, sobre todo si se tiene en cuenta que la habitaron durante veintisiete años. La residencia del barrio de Belgrano, apenas concluyó el mandato presidencial de Marcelo, fue vendida. Para qué querían una casa en Buenos Aires, si habían decidido volver a Francia. También la fortuna se había achicado y, a partir de 1928, Marcelo vivirá exclusivamente de la venta del loteo de Don Torcuato; Coeur Volant fue vendida, en 1934, en un precio absurdo, lo cual demuestra que Marcelo no era particularmente hábil para los negocios, ni siquiera inmobiliarios. Vivía como la mayoría de los aristócratas argentinos de esa generación, es decir, vendiendo propiedades —y no produciendo o multiplicando el capital.

Regina era primera dama, cumplía con sus funciones oficiales, hacía la vista gorda con respecto a las infidelidades de su marido y alternaba, como ya se ha visto, con un reducido grupo de amigas. Podía haberse despedido de la presidencia sin pena ni gloria, como tantas primeras damas que tuvo el país y ya nadie se acuerda de ellas. Sin embargo, quería dejar su obra, su sello, su originalidad. Una vez intentó modificar el Himno Nacional, iniciativa que fue enérgicamente rechazada. Pero sus objetivos altruistas no estaban dirigidos a la beneficencia, al menos como la entendían las señoras de la sociedad porteña, que dedicaban parte de su tiempo a mejorar la vida de huérfanos y leprosos. Quería ayudar a esa raza peculiar que había conocido en su juventud en los teatros de Europa, esos seres que solían vivir más de la fantasía que de la realidad cotidiana: los artistas. Cómo olvidar aquellos días de privaciones en la rua da Emenda, al fallecer su padre, cuando ella y su familia habían quedado poco menos que en la calle. Cuántos artistas que habían conocido la gloria y la ovación terminaban de viejos en la miseria. Regina era la mujer del presidente y tenía los resortes del poder: sólo ella era capaz de llevar adelante un proyecto audaz, inimaginable para las señoras de la aristocracia, y que contemplara la vejez o la invalidez de todos aquellos seres vinculados al espectáculo, fueran actores, iluminadores o maquinistas, sin exclusión.

Así nació la Casa del Teatro.

El primer aliado que buscó Regina fue Marcelo. Sin su apoyo, los artistas jamás tendrían protección en la vejez. Llama la atención que el Presidente se haya avenido a impulsar un proyecto poco ortodoxo para la época, sobre todo proviniendo de una primera dama; sin embargo, no le costó mucho convencerlo y se puso manos a la obra. Regina contaba —*ça va sans dire*— con la colaboración económica de muchas personas que la rodeaban, pero eso no era suficiente; además, debía incorporar a prominentes figuras del espectáculo y conseguir subsidios oficiales. No fueron fáciles los comienzos, aun siendo la mujer del Presidente. Enrique García Velloso, íntimo amigo de Marcelo, le prestó todo su apoyo a Regina y en reuniones donde intervinieron Angelina Pagano, Carlos Villar Boito, Enrique

Serrano y José González Castillo se pensó en erigir la Casa del Artista. Pero, claro, la iniciativa no pasó de ser un ejemplo de buenas intenciones y, poco después, el proyecto fue olvidado.

Regina, en cambio, no pensaba olvidarlo. Conversó con empresarios teatrales, artistas y funcionarios, para finalmente convocarlos en la secretaría del Teatro Nacional —propiedad de Pascual Carcavallo—, en la calle Corrientes, en abril de 1927. Era la primera dama de la Argentina quien había invitado a participar de la reunión y nadie se atrevió a no asistir. Regina enfrentó a la flor y nata del espectáculo porteño y a los representantes del mundo oficial no ya como la mujer del Presidente, sino como una artista retirada que el destino había colocado en la cúspide del poder político de un país sudamericano. Había que fundar un hogar para todos aquellos seres Citó las instituciones similares que había visitado en Brasil, en Italia, en Francia y en la mayoría de los países europeos, donde no se abandonaba a la gente que había dedicado su vida al arte. Cómo era posible que la Argentina, un país desmesuradamente rico, los ignorara. Sus palabras conmovieron a la audiencia. Enrique García Velloso propuso dar forma inmediata al proyecto y contó con la colaboración de Pascual Carcavallo, Pedro E. Pico y José González Castillo.

Regina no ignoraba que emprendía una tarea titánica a la que sólo ella era capaz de dar vida, aprovechando precisamente el lugar donde la había colocado el destino. Si concluía la presidencia de Marcelo y la Casa del Teatro —así se llamaría el edificio— aún permanecía siendo un proyecto, sus esfuerzos habrían sido estériles. Pero una extraña fuerza la animaba en las permanentes reuniones con artistas y empresarios que se realizaban en la casa de los Alvear, en Belgrano; su poderoso carisma también daba fuerzas a quienes llevarían adelante el proyecto, como si esa mujer menuda poseyera una voluntad irresistible, capaz de llegar hasta las últimas consecuencias para lograr su objetivo. Regina, esta vez, no se vio rodeada de señoras aristocráticas y hostiles, sino de colegas entusiasmados. Quién de ellos ignoraba sus triunfos en el Covent Garden y lo que había luchado para llegar a la cumbre del *bel canto*. Era respetada, admirada, no sólo por su condición de primera dama, sino también por haber sido una artista y de primera magnitud, que ahora quería ocuparse de sus congéneres y asegurarles una vejez en paz.

El proyecto prosperó. El Concejo Deliberante donó por cincuenta años un terreno municipal ubicado en la Avenida Santa Fe al 1300. El arquitecto Alejandro Virasoro —un fanático del estilo *art-déco*— realizó gratuitamente los planos. Se iniciaron suscripciones públicas, se llevaron a cabo festivales benéficos, se aceptaron donaciones de empresas y particulares, se obtuvieron subsidios oficiales y, con algunos tropiezos, el edificio comenzó a levantarse. Regina participó a la par de todos aquellos que creyeron en el proyecto y nunca se refugió en su condición de primera dama, aunque más no fuera para obtener los más modestos recursos. En el Teatro Colón solicitaba, junto con otros artistas, la contribución de los asistentes. Y ella, doña Regina Pacini de Alvear, la estrella de Lisboa y de Europa, la mujer del Presidente, recorría las butacas del Teatro Colón pidiendo humildemente una ayuda. Quién de las emperifolladas estancieras que presidían ancestrales sociedades de beneficencia hubiera sido capaz de exhibir semejante modestia. Con esa actitud, paradójicamente, había alcanzado las máximas alturas de la aristocracia. Como reza un viejo dicho: "Sólo se pueden dar el lujo de comer con la mano los reyes y los campesinos".

Antes de concluir Marcelo con su mandato, se realizó en el Teatro Colón una gran velada para obtener fondos para la Casa del Teatro. Esa noche, los mejores cantantes del mundo se habían dado cita en Buenos Aires y Regina —que no olvidaba a sus verdaderas amigas, como se verá de inmediato— se había convertido en el epicentro de la admiración. Nadie mejor que Mariano A. de Apellániz para describir aquella memorable velada: "Mucho la invitaban (a Pototo) al palco presidencial, y aquí viene algo digno de recordar. En los seis años de permanencia en la Primera Magistratura de la Nación, el matrimonio Alvear no cedió a nadie, ni al más pintado, sus lugares en el palco presidencial del Colón. El presidente se sentaba en el primer asiento entrando a la derecha y Regina ocupaba el primero a la izquierda, que era el lugar de honor. En 1928, en las postrimerías de su mandato presidencial, se organizó en nuestro primer coliseo una gran velada a beneficio de la Casa del Teatro. Nada parecido hubo a esa noche. Cada uno de los grandes divos que formaban parte del 'cartelone' de esa temporada, cantó su página preferida. Ahí estaban Gigli, Volpi, la Muzzio, etcétera. La sala vibraba de expectativa".

"Hizo su entrada al palco presidencial el matrimonio Alvear, acompañado por una señora con un vestido todo negro, de cuello alto, sin ninguna alhaja, con pelo gris peinado un poco hacia arriba. La sala estalla en una ovación. Regina simula no aceptar. Terminada la demostración y al ir a ocupar sus asientos, se notó una inusitada transformación, pues la mujer del presidente ocupó el segundo asiento de la izquierda y cedió el lugar de honor a esa dama tan elegante y sencillamente vestida. Muchos la conocían: era Susana Torres de Castex (Pototo); otros no sabían quién era y se lo preguntaban intrigados. Quien escribe estas líneas, ocupando su platea que fue por muchos años casi de su propiedad, fila cinco asiento ciento setenta y siete, tenía ganas de gritar el nombre a quienes se preguntaban por la incógnita. Al iniciarse la función, recordé lo que antes les relaté, narrado por mamá. ¿No sería una retribución al primer encuentro en el Trocadero?"

Después de innumerables vicisitudes, se recolectaron los fondos. Y hasta en la presidencia del general Agustín P. Justo —a quien Regina odiaba— se concedió un subsidio de 212.749 pesos para concluir la Casa del Teatro. La inauguración se realizó el 4 de enero de 1938, durante la presidencia de Justo, quien asistió a la ceremonia. Regina estuvo ausente por razones obvias. A pesar de esa ausencia, nadie se atrevió a discutirle a Regina Pacini de Alvear la absoluta autoría del proyecto. Felizmente, ese reconocimiento se ha mantenido hasta el día de hoy.

Se ha acusado a Marcelo de dividir a la Unión Cívica Radical, creando el "antipersonalismo", es decir, aglomerando a todos aquellos sectores —incluyendo a los que nada tenían de radicales, por ejemplo, logias militares y conservadores, por citar algunos— que se oponían a la conducción excesivamente personalista de Hipólito Yrigoyen. En parte, es cierto. Lo que comenzó siendo una afirmación de su autoridad, para evitar presiones o manipuleos del caudillo durante su gestión presidencial, se transformó luego en una facción que desafió a Yrigoyen. Alvear, cuando tomó conciencia del monstruo que podía estar creando, optó por cortarle la cabeza.

Si hubiera querido desplazar a Yrigoyen y restarle poder dentro del Partido, habría podido realizar maniobras que le hubieran provocado problemas al caudillo. Sin embargo, Marcelo se había limitado a reafirmar su autoridad, a rechazar un gobierno paralelo desde la calle Brasil, a establecer inequívocamente que era la máxima autoridad del país, lo cual no configuraba una traición a Yrigoyen. Pero es innegable que, quienes lo rodeaban —entre ellos Vicente Gallo, ministro del Interior, y Leopoldo Melo— tenían sus propias ambiciones. Para consolidar un plan político había que contar con la provincia de Buenos Aires, una pieza clave y bastión desde épocas pretéritas de don Hipólito. Si se intervenía esa provincia, Alvear podía imponer sus propias reglas de juego en los futuros comicios. En dos oportunidades —en 1925 y en 1927— sus colaboradores lo apremiaron para que decretase la intervención. Marcelo jamás lo hizo. Sufría la oposición parlamentaria de su propio partido, demorando —o anulando— proyectos de leyes vitales para el Estado. Pero sabía que Yrigoyen, a pesar de mover sutilmente los hilos del poder, mantenía un *fair play* con respecto a la figura presidencial. Son reveladores, en este aspecto, los conceptos de Manuel Goldstraj, en *Años y errores*: "Probablemente, sin confesarlo, el hábil caudillo maduro se había enamorado del coraje del muchacho (Alvear) y gustó después, en el fondo, de la apostura digna del hombre. Además, lo sabía honesto y simple en sus impulsos y no le fue difícil admitir la posibilidad de más de un error, tratándose de una personalidad del carácter y el temperamento de Marcelo Alvear. Lo comprendía y quizás hasta le gustaban los desplantes y la vehemencia un tanto pueril de ese presidente a quien él mismo había designado como primer heredero. 'Marcelo es, a pesar de todo, un buen muchacho', solía decir Yrigoyen con frecuencia, en los momentos más duros de esa lucha entre 1924 y 1928. 'Ya lo saben —decía el caudillo—: nada de atacarlo a Marcelo. Digan lo que deban decir, pero no lo toquen a Marcelo'.

Alvear retribuyó —por principios, por lealtad— esa actitud de Yrigoyen y no intervino la provincia de Buenos Aires, lo cual hubiera equivalido a traicionar al líder de la Unión Cívica Radical. Cuando Leopoldo Melo lo apremió para que decretara la intervención, Alvear fue contundente, según lo testimonia Manuel Goldstraj, que escuchó los argumentos del propio Marcelo: "Vea, amigo Melo: para intervenir Buenos Aires, tengo que estar decidido a realizar un acto verdaderamente dictatorial, puesto que ninguna razón legal puede justificar esa medida. Bueno: no cometería semejante acto ni siquiera en mi propio beneficio; mucho menos estoy dispuesto a hacerlo en favor de usted. No, definitivamente, dejemos la intervención a un lado. Salga a la calle y luche con sus propias fuerzas y gane en buena hora, si puede. Buenas tardes".

Se ha señalado anteriormente que la administración de Alvear fue eficiente y así opinan hasta sus peores críticos. La eficiencia administrativa que desplegó Marcelo, se la atribuyen a la prosperidad de la época, a los óptimos resultados económicos que aún producía la exportación de materias primas, a la falta de graves conflictos sociales. Pero más allá de la coyuntura favorable del período, Alvear, al estar ideológicamente alejado de los nacionalismos y de las "reivindicaciones populares", demostró una sorprendente visión con respecto a la función del Estado, como, por ejemplo, en el tema del petróleo. Casi setenta años después, un presidente que proviene del "populismo", recurrió a la iniciativa de Alvear en materia de hidrocarburos, después de más de medio siglo de fracasos originados en concepciones nacionalistas o ideológicas.

La Dirección General de Yacimientos Petrolíferos Fiscales fue creada por decreto del 3 de junio de 1922, durante el gobierno de Hipólito Yrigoyen. Alvear tuvo la inteligencia de aceptar la sugerencia de su ministro de Agricultura, Tomás Le Bretón, y nombrar al frente de Y.P.F al coronel Enrique Mosconi, quien en sólo cinco años transformó a una pequeña dependencia estatal en una empresa de primera línea. Alvear, sin embargo, creía que el Estado era un "mal administrador", por lo que había aprendido en Europa. Propició en el gran debate sobre el petróleo en la Cámara de Diputados, en 1927, un sistema de explotación mixta, donde el sector privado tuviera intervención para mejorar el servicio y la rentabilidad.

No tuvo éxito. Pero el tiempo le dio la razón.

S E I S

UN CAMINO DIFÍCIL

A fines de 1928, dos meses después de haberle entregado la presidencia a Hipólito Yrigoyen —ganador de las elecciones— Alvear y Regina partieron a Europa. Marcelo visitó al caudillo en la casa de la calle Brasil. Fue la primera vez que se vieron, desde 1922, cuando Alvear asumió el poder y la visita, de mera cortesía, no acortó las distancias entre ambos hombres. A principios de diciembre, se embarcaron en el *Cap Arcona*, sin ninguna espectacularidad. En efecto, para los radicales que respondían a Yrigoyen, Marcelo era un "traidor" (y así lo denominaron a gritos en la transmisión del mando) por haber iniciado otra corriente dentro del partido, la "antipersonalista"; para los conservadores, que vieron con beneplácito a un Alvear en la presidencia, había entregado el destino del país nuevamente a Yrigoyen, una suerte de pecado mortal. Ni el pueblo ni sus correligionarios acudieron al puerto de Buenos Aires a despedirlo. Durante el trayecto a Europa, estaba habitualmente de mal humor, salvo en las partidas de "siete y medio", donde su suerte era prodigiosa. En realidad, lo dejaban ganar. La actriz Berta Singerman, que viajaba en el barco, le relató al autor de aquellas memorables partidas de cartas en los salones del *Cap*

Arcona. "Alvear tenía tanta mala suerte en las máquinas tragamonedas, que hacíamos la vista gorda en el juego de cartas".

En Lisboa, donde hicieron escala, hubo una fiesta en la embajada argentina en homenaje a los Alvear, a la cual asistió Berta Singerman. "Estaba toda la familia Pacini y ahí pude conocer a José, hermano de Regina, que seguía siendo el empresario del Teatro San Carlos" —recuerda Berta. "También vi por primera vez a Felicia, que ya estaba en silla de ruedas. Me sorprendió, en el viaje, lo callada que era Regina. Hablaba poco, se movía poco. A mi hija le regaló una muñeca. Marcelo, en cambio, adoraba el teatro y a los artistas. Cuando me veía exclamaba: '¡Cómo le va, buena moza!'."

En París, el recibimiento por parte de los argentinos fue glacial. No le perdonaban a Marcelo que le hubiera entregado el poder a Yrigoyen. En las recepciones en el Club de L'Union, en lo de Luis Bemberg, pocos se le acercaron.[1] Pero, a la vez, era el ex presidente del país más rico de Sudamérica, el impecable dueño de casa de Coeur Volant por donde habían desfilado prominentes políticos europeos, el ex ministro plenipotenciario en Francia y, sobre todo, era un hombre de mundo. Era inevitable que capitalizara el prestigio que había acumulado a lo largo de veinte años. Pronto comenzaron los almuerzos en su honor en el Palacio del Elíseo, en París, ofrecido por el presidente Gastón Doumergue, y al cual asistieron Poincaré y Briand. Marcelo, una vez en Francia, olvidó los sinsabores de su partida, las ingratitudes políticas argentinas y se dispuso a disfrutar de Europa,

[1] Pedro Fernández Lalanne: *Los Alvear.*

continente y cultura a los cuales pertenecía si no por nacimiento, al menos por elección.

Se ha señalado que, de joven, Marcelo había sufrido graves pérdidas afectivas, al fallecer en el transcurso de cinco años sus padres y Leandro Alem. En 1926, dos años antes de concluir el mandato presidencial, falleció su hermana Carmen, princesa de Wrede; en 1928, su sobrina Lydia Benítez Alvear; es Adams Benítez, aquel sobrino del alma que lo acompañó a Lisboa a casarse, quien le escribe, desgarrado, en 1928 desde la Rue Dumont D'Urville: "En estos momentos tan crueles es un consuelo sentir que personas que han conocido tan de cerca como tú a mi querida Lydia, la han sabido apreciar y sienten muy de veras su desaparición. Tú, que has perdido seres amados, mejor que nadie te darás cuenta lo que estoy sufriendo. Pasan los días y semanas y no puedo creer que ya no veré esos grandes ojos tan inteligentes y llenos de ternura... La realidad cada vez me desespera más."

Los viajes formaban parte de la historia de Marcelo y, en 1929, la venta de los terrenos de Don Torcuato podía aún financiar traslados por Europa. Con Regina viajó a España en una suerte de gira espectacular que incluyó Madrid y Sevilla, para Semana Santa. Y, como era de esperar, estuvieron con Alfonso XIII, con la reina Victoria Eugenia, con los duques de Medinaceli en la deslumbrante Casa de Pilatos, y hasta en el pueblo de Montilla, admirando la casa solariega de su bisabuelo, Diego de Alvear. En Sevilla, para las festividades de Semana Santa, una fotografía muestra a la reina Victoria Eugenia de Battenberg —esposa de Alfonso XIII de España— que era inglesa y nada menos que nieta de la reina Victoria de Gran Bretaña. Esa mujer alta y distante abominaba de algunas españoladas como las corridas de toros y las vestimentas folklóricas y, sin embargo, se la ve montada a caballo, vestida de sevillana con un clavel en el sombrero, charlando con Marcelo. Qué ejercicio de estilo para el ex Presidente. Qué notable cotidianeidad. Podría haber estado conversando en el Bois de Boulogne con la duquesa d'Uzès sobre la última *coterie* de un salón parisino, o con Mistinguette sobre el estreno de su última revista. El prestigio de Alvear, en Europa, era enorme.

También el de Regina.

Vale la pena transcribir, íntegro, un fragmento de *De un cercano pasado*, de Gastón Federico Tobal, que se refiere precisamente al prestigio de los Alvear en Europa.

"En 1927, un caballero argentino de paso por Niza, encontrándose cerrada —era sábado— la oficina del 'Crédit Lyonnais', representante de nuestro Banco de la Nación, se dirigió a otra prestigiosa agencia de cambio, llevado por el deseo de obtener un descuento sobre una carta de crédito. Al penetrar en el despacho principal, le llamó la atención un caballero de noble prestancia, que conversaba con uno de los jefes, y a quien éste distinguía de modo bien señalado. Nuestro compatriota expuso su caso, y como el empleado que le atendiera no juzgara factible la operación, consultó al jefe que departía con el caballero. Fue entonces cuando éste, observando al solicitante, exclamó en nuestra lengua:

—¿Es usted americano?

—Argentino, señor —repuso asintiendo, a la vez que sorprendido el interpelado. El caballero como toda respuesta instó al jefe a que hiciera el descuento, ofreciendo su garantía. El banquero se inclinó reverente, y a nuestro compatriota le pareció oír que, al mismo tiempo, murmuraba:

—*Prince, votre désir, c'est un ordre* ('Príncipe, vuestro deseo es una orden').

Recibido el dinero, el beneficiario, intrigado, se acercó a su favorecedor.

—¿A quién debo el honor de este servicio?

—A un hijo de vuestra madre patria.

Y como para eludir todo agradecimiento, agregó:

—De encontrarme en vuestro país, y estar en su caso, ¿usted no hubiera hecho otro tanto?

Iniciada así la conversación, poco después, ambos marchaban departiendo animadamente por la avenida de la Victoria, y luego, traspuesta la de Verdún, cruzaron los jardines de Alberto I. Era una tarde tibia y deliciosa bajo aquel cielo de un azul añil. De pronto el caballero español, deteniéndose junto a la graciosa fuente de los Tritones, exclamó:

—¡Qué gran presidente tenéis los argentinos en el doctor Alvear! ¡Y qué gran dama su esposa! ¡Pocas mujeres he conocido tan dignas como ella!

Luego añadió:

—¿La oyó cantar? Posee una voz maravillosa. Debo haberla escuchado más de cien veces, pero guardo indeleble el recuerdo de la primera vez que la oí. Fue en Varsovia. Yo me hallaba alistado por entonces en la guardia imperial rusa, y era costumbre, que los oficiales en las noches de gala ocuparan, trajeados con sus uniformes deslumbrantes, las primeras filas de las butacas de la Ópera. Cantaba *I Puritani*, y luego de alcanzar el más clamoroso de los éxitos en la famosa polaca, al llegar al concertante final del primer acto, fue tal la brillantez de su emisión, tal su vuelo lírico, que el auditorio arrebatado, estalló al término de la frase culminante, en frenético aplauso, premiando así a aquella intérprete, que lograra levantar tan alto la sublime página belliniana.

Reanudada la marcha por la Promenade des Anglais, el caballero se detuvo al llegar al Hotel Negresco, y tendió cordialmente la mano a su interlocutor. Y cuando éste demandara:

—Señor, cuando regrese a mi país y tenga el honor de relatar al presidente Alvear tan cordiales palabras, ¿a quién debo referirlas?

El caballero sonriendo contestó:

—Pues ya que en ello se empeña, dígale usted que le recuerda con todo cariño 'el Pretendiente', así a secas, o si usted quiere: Jaime de Borbón."

El argentino era el doctor Amaranto Abeledo. Su interlocutor, el hijo del Rey de España.

El 6 de septiembre de 1930, una revolución militar puso fin al gobierno de Hipólito Yrigoyen. El general José Félix Uriburu asumió la presidencia. Fueron varias las causas del derrocamiento, desde la participación de la oligarquía terrateniente, que veía con malos ojos el populismo radical y la ineficiencia de Yrigoyen, hasta la inexplicable parálisis de los ministros radicales, en la Casa de Gobierno, que nada hicieron para desbaratar un golpe que, en suma, había sido realizado por un general y los Cadetes de la Escuela Militar. La revolución casi inmediatamente se volvió impopular, sobre todo si se tiene en cuenta que Uriburu decretó el estado de sitio y la ley marcial.

Marcelo, en París, debió condenar la revolución, al menos para salvar las apariencias. No lo hizo. Cometió uno de los errores más gruesos, más imperdonables de su vida política. Envió un telegrama por el Servicio Telegráfico de *La Prensa* (uno de los diarios que, junto con *Crítica*, figura entre los principales conspiradores), cuya única copia probablemente se guarde en la Biblioteca Nacional.

MANIFIESTO DEL DOCTOR MARCELO T. DE ALVEAR
EX PRESIDENTE DE LA NACIÓN

"He seguido con intensa emoción los acontecimientos producidos. Éstos han sido tal vez un mal necesario que ha librado al país de una situación en la que iba perdiendo sus prestigios internacionales y comprometiendo su bienestar y prosperidad.

El gobierno impone deberes mayores que las facultades que otorga y el primer esclavo de sus obligaciones es el presidente de la Nación. La mejor política de un gobernante es hacer un buen gobierno. Cuando un gobernante olvida la Constitución y las leyes, cuando no se respetan las instituciones ni las personas, su investidura y sus facultades no son suficiente garantía para sostenerse en el gobierno, 'quien siembra vientos, recoge tempestades'.

Hay que esperar que el fervor patriótico que ha guiado a los hombres que han provocado este movimiento los seguirá iluminando para poder reintegrar rápidamente a la República en el ejercicio normal de sus instituciones y que la soberanía nacional sea consultada de inmediato para que este acontecimiento constituya sólo un breve paréntesis en la marcha descendente de la Nación hacia sus grandes destinos.

En la natural amargura que experimento dentro de mi fe al ver la situación a que se ha llegado por incomprensión de un gobierno que tuvo en su hora la mayoría del sufragio, reconforta al ver cómo existe la conciencia nacional que estimula a los buenos gobernantes y es juez implacable de los que se olvidan de sus deberes, arraigando en nuestro espíritu la confianza inconmovible en la voluntad popular.

Podemos constatar también con honda satisfacción cómo el nivel moral de los componentes de nuestro Ejército y Armada, que han jurado defender a la Patria ante nuestra bandera, no son ni serán jamás ya guardias pretorianas en la que los gobernantes que han olvidado sus deberes puedan apoyarse para ejercer sus dictaduras."

Podría afirmarse que Marcelo desconocía la verdadera naturaleza de ese golpe militar, que quebró durante décadas la vida democrática argentina. Cómo imaginar que ese alzamiento inauguraría la prisión por ideas políticas, la tortura, la censura de la prensa, el fraude electoral, la degradación de las instituciones. Pero, a la vez, un ex presidente ¿podía ignorar el fascismo y el corporativismo que imperaban en Italia? ¿Podía desconocer a qué apuntaba el nacionalsocialismo en Alemania? Es bien sabido que la Argentina siempre importó ideas o sistemas políticos y que jamás creó modelos originales, ya se trate del fascismo o, con posterioridad, de la izquierda copiada a oscuros países latinoamericanos. Alvear no pudo interpretar qué sucedía en el mundo, quizá por no ser esencialmente un político, un ideólogo, sino, en todo caso, un funcionario eficiente. Sus viajes, sus contactos con figuras prominentes europeas de nada le sirvieron para presagiar lo que ocurriría en su país y condenar enérgicamente el golpe militar.

Por si eso fuera poco, concedió un reportaje al corresponsal, en París, del diario *La Razón*, que acaso lamentaría —por la imprudencia de sus declaraciones— en los años por venir.

París, septiembre 8 (Especial de *La Razón*). — "En su coqueta villa (se refiere a Coeur Volant) me recibió esta mañana el ex presidente de la República, doctor Marcelo T. de Alvear.

"Acaba de regresar el popular hombre público de pasar una temporada en Marly, en compañía de su esposa...

"Queda pensativo un instante, evocando los momentos que ha de haber pasado Buenos Aires y el país entero, a través de las informaciones de los periódicos parisienses, y luego, en su actitud habitual, perdida la mirada en lontananza, y como meditando en voz alta, me dice pausadamente, y con acento de profunda convicción: 'Tenía que ser así. Yrigoyen, con una ignorancia absoluta de toda práctica de gobierno, parece que se hubiera complacido en menoscabar las instituciones. Gobernar, no es payar.'

'Para él —prosiguió— no existían la opinión pública, ni los cargos, ni los hombres. Humilló a sus ministros y desvalorizó las más altas investiduras. Quien siembra vientos recoge tempestades.'

'Da pena ver —dijo a continuación— cómo ese hombre, que encarnaba los anhelos de la libertad de sufragio, que tenía un puesto ganado en la historia al dejar su primera presidencia, destruyó su propia estatua.'

'A mi gobierno —afirmó— de carácter pacífico y respetuoso de las normas constitucionales, debe Yrigoyen los 800 mil votos de que se envaneció luego, y tan desdichadamente, que le cegaron por completo.'

'Su megalomanía llegaba a tal punto que decía al

dar nombramientos: 'Lo que yo doy, sólo Dios lo quita'.

'Esperemos —prosiguió— que no se castigue al electorado por su error.'

'El que dirigió varias revoluciones en las que nosotros participamos, no logró hacer triunfar ninguna. En cambio, ve triunfar la primera que le hacen a él. Más le valiera haber muerto al dejar su primer gobierno; al menos, hubiera salvado al Partido, la única fuerza electoral del país, rota y desmoralizada por la acción de su personalismo.'

'Sus partidarios serán los primeros en repudiarlo. Estuvieron a su lado mientras fue el ídolo de la opinión. Pero no podían quererle hombres a quienes humilló constantemente.'

'Era de prever lo ocurrido. Ya en mis mensajes al Congreso, hablé de los peligros de los 'hombres providenciales.'

'En la primera presidencia —dijo luego— debe de haber no menos de 50 mil expedientes sin firmar. Mi despacho, en cambio, quedó al día, aunque no lo haga creer así algún nombramiento con efecto retroactivo.'

'La segunda presidencia de Yrigoyen es comparable también a la segunda presidencia de Johnson, en Estados Unidos, calificada como de asalto sin contralor.'

'Si se reconoce ahora la bondad en mi gobierno, es por lo mismo que la falta de salud se reconoce, cuando aparece la enfermedad.'

'Su gobierno fue neutral durante la guerra mundial, porque esa era la única manera de no hacer nada en aquellos momentos.'

'Hasta la renuncia que le imponían los hechos la quiso aplazar para mañana. El abandono del mando primeramente anunciado era una farsa, y no hubiera detenido la marcha de los acontecimientos notoriamente preparados.'

'Mi impresión, que transmito al pueblo argentino, es de que el Ejército, que ha jurado defender la Constitución, debe merecer nuestra confianza y que no será una guardia pretoriana ni que esté dispuesto a tolerar la obra nefasta de ningún dictador.' "

Tampoco lo conmovió el destino de Yrigoyen después del 6 de septiembre. Recluido en un mísero buque de guerra, el *Belgrano*, fondeado en Ensenada, fue trasladado al *Buenos Aires* y nuevamente al primero, casi sin atención médica a los 78 años. Amenazado con el fusilamiento por el nuevo gobierno militar, Yrigoyen permaneció incomunicado, hasta ser arrojado durante un año y medio, en calidad de preso, en la isla Martín García. Su casa de la calle Brasil, donde se había gestado la política argentina en los últimos treinta años, fue saqueada e incendiada por la canalla. Marcelo, al no condenar lo que ocurría en el país ni el humillante trato al que se sometió a Yrigoyen —a quien le debía la presidencia— perdió la perspectiva de la historia y, como hombre de mundo, no hizo honor a una de sus máximas: *noblesse oblige*.

Pronto comprendieron los argentinos —y el propio Alvear— la naturaleza del gobierno militar. Las libertades esenciales fueron suprimidas, merced al estado de sitio; a diferencia de otras revoluciones que había vivido el país, la del general Uriburu intentaba proyectarse en el futuro. El próximo gobierno civil debería tener el acuerdo castrense, lo cual implicaba la posible exclusión del radicalismo —y, en particular, el yrigoyenista—, salvo que el candidato fuera aceptable para el gobierno. Alvear, en París, aún no comprende la circunstancia histórica. Acaso reconoce su error por haber hecho semejantes declaraciones, tamaño ataque al caudillo, a juzgar por sus juicios, vertidos luego en una nota publicada por *La Nación*, inequívocamente más prudentes. Sabe, eso sí, que al estar preso Hipólito Yrigoyen en Martín García, él es el único que puede reorganizar y, eventualmente, unir el radicalismo, y se debate acerca de si debe o no regresar a la Argentina. El 17 de enero de 1931, le escribe a su hermano Carlos Torcuato: "Querido Carlos: Supongo que ya estará en tu poder mi anterior que te envié por avión y en la que te pedía me dieras tu opinión sobre si crees que mi viaje actualmente es conveniente, o si las cosas van para largo y entonces convenga mejor esperar más adelante. No deseo llegar a ésa para manoseos y cabildeos, lo único que buscaré es poder ser útil para las mejores soluciones, entendiendo por éstas las que más convengan al país. Pero para ser eficaz es necesario que no me esterilice inútilmente, sin poder gravitar convenientemente y mucho depende esto del momento en que llegue".

En Buenos Aires, mientras tanto, "antipersonalistas" y "personalistas" entendieron que Marcelo debía regresar y que era el único radical con estatura moral para reorganizar el Partido. La invitación se le formuló en marzo de 1931, por haber convocado el gobierno militar a elecciones de gobernador en la provincia de Buenos Aires, el 5 de abril. La Unión Cívica Radical —o lo que quedaba de ella— presentaría la candidatura de Honorio Pueyrredón. El triunfo del radicalismo, en los comicios, fue absoluto. El 11 de abril Marcelo se embarca en el *Cap Arcona* —Regina se le une en Lisboa— y atraviesa una vez más el Atlántico, alentado por la esperanza. Debió, sin embargo, haber analizado qué ocurría en Latinoamérica a partir de 1930. Hubiera comprendido, entonces, que las democracias hispanoamericanas —tal como él las había conocido— corrían serio peligro. Bastaba ver la situación del Brasil, por ejemplo, donde el presidente Getulio Vargas había sido impuesto por una revolución, o la del Uruguay, donde el presidente Terra iba en camino de convertirse en dictador. Pero Marcelo no era como Hipólito Yrigoyen, políticamente frío y cerebral; era impulsivo y, como consecuencia, a veces se dejaba ganar por la tendencia a desorganizarse ante las primeras dificultades. Carecía del espíritu de lucha del caudillo, de su aguda visión, de su sutileza política. Por eso volvía esperanzado a la Argentina. Un espíritu político más sagaz habría desconfiado, casi instintivamente, del nuevo gobierno militar y su ominosa proyección futura.

El recibimiento en el puerto de Buenos Aires fue apoteótico. Qué diferencia con su partida, hacía tres años, donde nadie había ido a despedirlo. Ahí estaba la verdadera esencia de la masa radical —y, por extensión, del pueblo argentino— idolatrando a quien había denostado pocos años antes. La necesidad de una figura patriarcal —por no decir paterna—, de un caudillo, de una presencia carismática para sobrellevar la orfandad en que los sumía el confinamiento de Hipólito Yrigoyen, surgieron claramente en esa bienvenida. Como era costumbre de la época, eran muchos los que viajaban a Montevideo para esperar a quienes llegaban de Europa; ahí fueron a recibir a Marcelo y a Regina Carlos Noel, Enrique García Velloso y Ana Bernal de Justo, entre otros amigos. La mujer del general Justo, ex ministro de Guerra de Alvear, supo aprovechar la amistad que le brindó Regina y, también, aprendió de la ex primera dama los conocimientos imprescindibles para una mujer que debe desempeñarse en la función pública. Menos de un año después, al asumir la presidencia Agustín P. Justo, Regina se convertiría en enemiga mortal de Ana Bernal, acaso por haberse sentido usada. Pero esa mañana las traiciones aún estaban lejos. Los radicales, con sus boinas blancas, aclamaban a Marcelo en el puerto, pidiéndole que se hiciera cargo de la jefatura de la Unión Cívica Radical, que no los abandonara. ¡Qué distinto había sido su arribo en Buenos Aires, en 1922, al asumir la presidencia! El boato, el protocolo, lo meramente formal ahora era reemplazado por un pueblo casi suplicante que intentaba convertirlo en líder. Cómo negarse a ese requerimiento. Ahí estaba su ciudad, su pueblo, sus convicciones políticas que jamás había abandonado. A los 63 años, Marcelo volvía a encontrarse consigo mismo, con su destino político, opacado por sus prolongadas estadas en Europa, por la sofisticación de París.

El camino, sin embargo, estaría sembrado de espinas. Qué fácil le había resultado, hacía diez años, gobernar. Acaso sintió, en aquellos años, que tenía las riendas del poder, casi por derecho divino. Pronto descubriría otra Argentina; debía reorganizar el radicalismo y enfrentar —como lo había hecho a fines del siglo pasado— a los eternos enemigos de la democracia. Su primer adversario era el propio Presidente de facto, el general José Félix Uriburu. Marcelo, a los pocos días de haber arribado, lo visitó en la Casa Rosada.

Lo había conocido en su juventud. Luego, se encontraron en París, en 1913, en un almuerzo en honor del

también, un tanto vagamente, de su intención de modificar la Constitución Nacional; en cambio, no hizo alusión alguna a la formación que ya estaba en marcha bajo su directa inspiración, de un cuerpo ilegal semi-militarizado, la *Legión Cívica Argentina*, concebida a imagen y semejanza de las milicias fascistas del aceite de ricino y la cachiporra. Parece verosímil que el dictador no ocultó su simpatía por la elaboración de un Estado de tipo corporativo, que estaría dispuesto a intentar; este propósito era pregonado con singular entusiasmo por sus adláteres y corifeos. Finalmente, Uriburu planteó de una manera concreta y categórica a su viejo amigo y nuevo jefe del Partido Radical, el siguiente dramático dilema: o suscribía, por así decirlo, los supuestos postulados de la revolución y renunciaba a la tarea de reorganizar el radicalismo sobre la base de cuadros dirigentes y afiliados yrigoyenistas, que formaban su mayoría, y repudiaba inequívocamente a Yrigoyen, o el gobierno se opondría 'con todos sus medios' a que la reorganización tuviese éxito y, sobre todo, a que cumpliese sus objetivos finales: la reconquista del poder. Si Alvear accedía, es decir, si elegía la alternativa grata al dictador, su recompensa estaba enseguida asegurada: sería el futuro presidente. En caso contrario, el radicalismo no tendría acceso a los comicios. Los términos eran absolutamente claros".

Lo que acaso primero comprendió Marcelo, es que la revolución de 1930 difería de otros movimientos militares que se habían llevado a cabo en el país. La intención no era convocar inmediatamente a elecciones, sino que existía un proyecto político para perpetuar a un grupo en el poder. Las ambiciones de Uriburu eran claras, hasta tal punto que algunos militares que habían intervenido activamente en la revolución, como el general José María Sarobe y el capitán Juan Domingo Perón, disentían con el Presidente. Además, Alvear se había formado su propia opinión de los militares que gobernaban la Argentina, como le confió a Manuel Goldstraj:[4] "Alvear me dijo alguna vez, con ironía amarga expresada en serio, que realmente le sorprendía que los militares pretendiesen monopolizar, sin modestia alguna, las difíciles funciones de gobierno, por el solo hecho de ser militares, cuando era sabido que su formación básica, salvo excepciones muy honrosas y que dependían de condiciones personales y no de jerarquías marciales, se nutría en unos pocos años de enseñanza secundaria y algunos más de gimnasia y esgrima".

Uriburu, en la entrevista, cometió un grueso error: creer que Marcelo, por llevar el apellido Alvear (que, en definitiva, lo asociaba con los sectores conservadores que apoyaban al general) o por la vanidad de ser nuevamente presidente aceptaría sus términos. Marcelo no podía —ni quería— prescindir del *personalismo*, de aquel vasto sector que respondía a Hipólito Yrigoyen. La Unión Cívica Radical debería reorganizarse con todas sus fuerzas, sin exclusión alguna. Fríamente y sin comentarios, declinó el ofrecimiento de Uriburu.

Uno de los principios en los que se funda el radicalismo es la ética. Pero no siempre es recomendable en política, al menos en determinadas circunstancias. Marcelo, sin saberlo, estaba frente a una encrucijada histórica donde se jugaba el destino de la Argentina, como lo demostraron las décadas siguientes. Sin embargo, prefirió la honestidad, la suma de elementos, antes que excluir al yrigoyenismo. Fue su peor error

[4] *Años y errores.*

histórico y produjo un daño irreparable al país. Era ingenuo creer que el general Uriburu y los conservadores que lo rodeaban iban a entregar el gobierno al mismo sector que habían derrocado. Alvear debió haber depurado el Partido de aquellos dirigentes yrigoyenistas que poco bien le habían hecho al radicalismo y, hábilmente, haber logrado la aceptación de Uriburu para las próximas elecciones. El pueblo seguía siendo radical y lo hubiera votado. Pero la sutileza y la visión histórica no eran atributos de Marcelo: optó por la honestidad —o por una posición romántica— y la Argentina tuvo que padecer a Justo y a Perón. Las instituciones y la ética —paradigmas radicales— fueron arrasadas por gobernantes inescrupulosos, lo cual sumió al país en un pavoroso atraso económico y cultural en el que aún está inmerso.

Nadie más lúcido, en aquellos años, que el jefe del radicalismo mendocino, José Hipólito Lencinas, al criticar casi con desesperación la posición tomada por Marcelo. En *El fracaso del Dr. Alvear*, escrito en 1936, señala: "El Dr. Alvear no hizo distinciones. Echó en saco roto la psicología del movimiento social y las sanciones del pueblo y se dejó llevar por el socorrido apotegma de que 'en política hay que sumar'. No se percató de que no era cuestión de sumar, ya que en política, como en aritmética, la suma de elementos negativos produce una resta. Y así, el Dr. Alvear, al sumar tanto elemento negativo, como Elpidio González, Carlos Borzani, etc., y todos los ex diputados 'genuflexos' que lo rodearon de inmediato, produjo una resta tanto moral como material, cuyos efectos y consecuencias hasta hoy persisten, toda vez que el radicalismo con esos afiliados carece de fuerza moral para hacer oposición y no podría contar con el aporte de

212

hombres y situaciones políticas que combatieron a esos ciudadanos hasta producir la caída del régimen que fundó en el país la escuela del fraude y la violencia que hasta hoy perdura".

En historia de nada vale el "si". El condicional sólo produce meras hipótesis de lo que pudo haber sido y configura apenas una curiosidad del intelecto. Cuando se afirma que "si la nariz de Cleopatra hubiera sido más larga, la historia del mundo habría sido otra", estamos, sin duda, ante una verdad pero, lamentablemente, de nada nos sirve. La historia está plagada de "si". Si Luis XVI y María Antonieta, al huir a Varennes, hubieran exhibido menos aparatosidad, habrían cruzado la frontera austríaca y la Revolución Francesa no habría sido la misma. Si la flota inglesa no hubiese hundido el barco en el que viajaba Pepa Alvear de Balbastro y sus hijos, probablemente Carlos de Alvear hubiera permanecido en España y no habrían existido Torcuato ni Marcelo ni siquiera este libro. En 1931, Marcelo de Alvear, en vez de depurar al Partido de yrigoyenistas indeseables —en suma se trataba de dirigentes, no del pueblo—, perdió la oportunidad de ser nuevamente presidente y mantener al país dentro de cauces democráticos. Alguna vez reconoció, al comprender el alcance del gobierno de Justo, del fraude electoral, de la degradación de las instituciones, que la revolución de 1930 fue "una ópera cómica que terminó en tragedia".

Si —y no tenemos otra opción que usar el condicional— lo hubiera comprendido en 1931, la historia argentina habría sido otra.

213

Regina y Marcelo se instalaron nuevamente en Buenos Aires. Sus vidas, en gran parte, habían transcurrido en transatlánticos, balnearios de moda, aguas termales, rodeados de una servidumbre eficiente. Lo único propio era Coeur Volant, donde hasta el último mueble había sido elegido por ellos. En Buenos Aires, Regina seguía teniendo pocas amigas y aún no había olvidado los desaires de la aristocracia argentina, ni ésta había olvidado su condición de ex artista. A partir de 1931, Regina —que ya tenía sesenta años— viviría para Marcelo, para su carrera política, y lo acompañaría en los trances más difíciles, más amargos, de su vida. Su intuición de mujer le hacía desconfiar de Justo y de algunos dirigentes radicales y solía alertar a Marcelo, que acaso no presentía el peligro.

Es inevitable que, a esta altura, hablemos más de Marcelo que de Regina: ingresaba en la etapa más difícil de su carrera y donde, a pesar de los errores, adquiriría una verdadera estatura política. Después de la entrevista con el general Uriburu, se dedicó a reorganizar el radicalismo: se instaló en un piso del City Hotel y allí recibía a todos los sectores radicales. A diferencia de su período presidencial, ahora actuaba como jefe del Partido —hay que recordar que Hipólito Yrigoyen estaba aún preso en Martín García—, lo cual implicaba un cambio de actitud, de estrategia. En vez de órdenes, de impulsos, de explosiones temperamentales, que habían sido características suyas en otros períodos, recurrió a la sutileza, a contemporizar, a conciliar. Surgía en él el político, dejando de lado al estadista. Al City concurrían no sólo radicales, sino también algunos hombres que lo habían rodeado o acompañado en su gestión, como, por ejemplo, el general Agustín P. Justo. El idilio terminó al conceder

Marcelo un reportaje donde dejó claramente establecidas sus intenciones. "Lo que aquí se dice 'personalismo' es la mayoría del Partido Radical: y este partido quiere y debe por su iniciativa, libremente, reorganizar y defender sus cuadros, sin imposiciones exteriores."

Ahí estaba la respuesta a Uriburu, a los conservadores. No excluiría a los sectores yrigoyenistas. Como era de esperar, fueron varios los que dejaron de asistir al City, entre ellos Justo. La imprevista inasistencia del general no se debió a las declaraciones de Marcelo, ni a la chiflatina que un grupo de jóvenes radicales le prodigaba cuando hacía su ingreso. Se habían desvanecido, para Justo, las esperanzas de ser elegido candidato por la Unión Cívica Radical, ante la presencia —imponente— de Alvear.

A principios de mayo, Uriburu convocó para elecciones legislativas y para el cargo de gobernador el 8 de noviembre. El Presidente de facto estaba gravemente enfermo —fallecería en París, al año siguiente—, se habían derrumbado sus ilusiones políticas y no tenía otra alternativa que entregar el poder a los civiles. Qué efímeros habían sido sus sueños de grandeza, de reformar la Constitución, de crear un Estado corporativo. Mientras Hitler y Mussolini se afianzaban en Europa, Uriburu se derrumbaba física y moralmente. El anuncio de convocatoria a elecciones puso en marcha al radicalismo: Marcelo recibía delegaciones de todo el país, se abrían los comités, y el Partido parecía renacer de las cenizas. Los "ismos" habían dejado de importar para la gran masa de afiliados, que se había transformado en un cuerpo orgánico, único, dispuesto a reorganizarse y a ganar las elecciones.

Pero la historia urdía otra trama, que sería una constante en los años venideros y que mantendría al radicalismo alejado del poder durante más de un cuarto de siglo. En julio de 1931, se produjo el motín del teniente coronel Gregorio Pomar, en Corrientes, que el gobierno reprimió con energía, sobre todo si se tiene en cuenta el asesinato del teniente coronel Montiel perpetrado por el líder de los sublevados. Cuántas revoluciones, motines, asonadas, levantamientos tendría que padecer el país en las décadas siguientes, a partir de la revolución de 1930, hasta el punto de convertirse en una suerte de república bananera. La sublevación de Pomar —ex edecán de Yrigoyen— fue exactamente lo que necesitaba Uriburu —y también Justo— para darle un zarpazo al radicalismo que intentaba reorganizarse. La represión se hizo sentir de inmediato: se clausuraron locales partidarios, diarios e innumerables dirigentes fueron a parar a la cárcel. Marcelo de Alvear también recibiría su castigo.

El Jefe de Policía, en persona, se trasladó hasta el City Hotel para comunicarle a Marcelo que el gobierno había resuelto deportarlo. Qué gentileza por parte de la máxima autoridad policial. Ni siquiera le ponía plazo a la partida. Qué diferencia con el trato que recibiría dos años después, donde Alvear sería recluido en una especie de campo de concentración. Marcelo y Regina se embarcan en el *Campana* rumbo a Montevideo y, a fines de julio, abordan el *Alcántara* con destino a Río de Janeiro. Alvear redactó un documento, *Manos crispadas me alejan*, donde es interesante recalcar uno de sus párrafos: "La ética de las autoridades que se declaran revolucionarias investiga en forma detonante los pequeños hurtos de la administración; pero considera legítimo el hurto de hecho, ante la faz del mundo, de toda la voluntad de un pueblo, expresada en urnas indiscutidas, como ha

216

ocurrido en el primer Estado argentino (se refiere al triunfo radical en la provincia de Buenos Aires, el 5 de abril). Para evitar que contra ellos se proteste, se llenan las cárceles con presos políticos y con estudiantes. Por vez primera en la historia nacional, se oye hablar de las espantosas torturas medievales, aplicadas con entonación tenebrosa. Los jueces que habían dado fundamentos jurídicos al gobierno 'de facto' sobre la base de su juramento de respetar nuestra Constitución, formulado en nuestra plaza histórica y en presencia del pueblo congregado, son separados de sus puestos, cuando contrarían la voluntad del gobierno, por el mero hecho de poner en ejercicio los recursos de amparo a la libertad individual, que había declarado subsistentes nuestra Suprema Corte de Justicia".

El documento enfureció a Uriburu. No tuvo otra alternativa que replicar enérgicamente a las acusaciones de Marcelo. Lo acusó de haber hecho el manifiesto "desde el extranjero, donde permaneció la mayor parte de su vida, viniendo al país a recibir los cargos públicos que Yrigoyen le obsequiaba, para alejarse, después de haberlos ocupado, a su deambular de paseante...". Y, como era de esperar, también lo culpó de no haber depurado políticamente el radicalismo, empeñándose en "reconstruir y consolidar los perniciosos factores que sostuvieron el régimen depuesto".

Claro que, Río de Janeiro para los Alvear fue un exilio dorado, en comparación con los que les tocaría vivir, o, para usar un término acorde con la época, un ostracismo *art déco*. Vivían en el Copacabana Palace, asistían a los *dinner dansant* en el gran salón del hotel, mientras la orquesta deleitaba con melodías de Irving Berlin y Cole Porter, alternaban con la mejor sociedad carioca, se bañaban en el mar, caminaban por Copacabana que, en 1931, se limitaba al hotel y a unas cuantas casas bajas de veraneo. Allí Regina conoció a Lily Pons, en el apogeo de su fama y, como ella, soprano ligera. Cuántas experiencias y recuerdos habrán intercambiado mientras conversaban en los salones del Copacabana Palace. El Real San Carlos, el Covent Garden, sus óperas favoritas, los mejores directores debieron de haber surgido en esos diálogos entre colegas. Si bien Regina se había retirado de la escena hacía casi veinticinco años, mal podía sustraerse a su vocación, a su historia de artista.

El sol, sofocante y perpendicular, calcinaba la pileta de natación. El calor del trópico confería a ese hotel impecablemente francés en sus líneas una suerte de extrañamiento, como si hubiera sido injertado en la playa de Copacabana. La inmensa pileta, clara como el cristal, estaba casi desierta. Salvo por aquella mujer con la cual Regina había conversado, intercambiado recuerdos y experiencias, que nadaba de un extremo al otro, con el peculiar vigor de la juventud. Lily Pons poseía un cuerpo menudo, pero curiosamente estilizado: la malla de lana negra y la gorra de baño la transformaban hasta tal punto que en nada se parecía a las heroínas de ópera que interpretaba en los teatros líricos.

Sin embargo, su voz era inconfundible. Salió del agua y se acercó a Regina —protegida del sol por una generosa sombrilla, con anteojos oscuros— riendo acaso de algún recuerdo, y tomó asiento a su lado, como si existiera entre ellas una rara complicidad. Regina le pidió, con una mínima humildad, que cantara. Sí. Spargi d'amaro pianto. *Quería escuchar esa aria, la que había acometido con audacia a los*

218

diecisiete años en el Real San Carlos. Lily Pons, como si hubiera recibido una orden inapelable, sonrió. Luego, en la soledad del mediodía, reprodujo música y letra.

Regina se conmovió. La voz era sublime. Qué delicioso fraseo. Qué extraordinaria coloratura. Qué timbre único. Sorpresivamente, la vida sólo tenía sentido a partir de esos bellos sonidos. Ella también había cantado así. ¿Hacía cuánto tiempo? Casi treinta años. Y esos sonidos por los cuales había dado la vida, se habían apagado para siempre.

Recordó aquella tarde en Coeur Volant. Volvía de París y aún le costaba admitir que estaba casada. En las tiendas del Faubourg Saint-Honoré donde adquiría a su antojo, la llamaban Madame d'Alvear, la colmaban de atenciones, le preguntaban si volvería a cantar. En realidad, para qué, había pensado. Cuánto más placentero era recorrer el Bois de Boulogne, pasear por la Avenue des Acacias, ir al teatro en compañía de Marcelo. Regresar a Coeur Volant, al atardecer, y regocijarse con esa casa donde todo era buen gusto y perfección. Habían terminado aquellos días colmados de ansiedad, de públicos dudosos, de gargantas irritadas, de incesantes traslados. Ahora estaba con Marcelo y vivía para él.

Recordó aquella tarde en Coeur Volant. Apenas descendió del automóvil y atravesó el umbral, reconoció centenares de discos desperdigados por el piso del hall. Eran sus grabaciones de La Sonámbula, de La Traviata, de Bohème, de Lucía de Lammermoor. Marcelo las había sacado de circulación, como si se tratara de testimonios criminales de un pasado. Ahí yacían, para ser destruidos, sus más bellos sonidos. Ya no quedaba en París ni uno solo de sus discos, como si Regina Pacini jamás hubiera existido.

*Tomó un disco y corrió escaleras arriba, a la intimidad de
su dormitorio. Cerró los ojos y apretó los labios, mientras las
lágrimas se le deslizaban por las mejillas.*

*Lily Pons dejó de cantar y contempló a Regina. Tenía los
ojos empañados, llorosos. Creyó que su canto la había conmovido, o le había hecho recordar glorias pretéritas. En
realidad, había sido mucho más que eso. Le había devuelto a
Regina —fugazmente— la vida.*

En Buenos Aires, mientras tanto, el radicalismo se
preparaba para las elecciones del 8 de noviembre, que
incluían las de presidente y vice. Varios dirigentes radicales, entre ellos Vicente Gallo (en quien había recaído
la dirección del Partido), desconfiaban de Uriburu: el
Presidente de facto había dado señales, que luego se
convertirían en decretos contundentes, de que las juntas
electorales no reconocerían a aquellos candidatos que
hubieran apoyado a Hipólito Yrigoyen. Gallo quería
negociar, evitando que la Unión Cívica Radical recurriera nuevamente al abstencionismo histórico. Pero, finalmente, después de marchas y contramarchas, se proclamó la fórmula Alvear-Güemes. El 6 de octubre, Uriburu
proscribió a los candidatos por el radicalismo. Dos días
después, anuló las elecciones que se habían realizado el
5 de abril, para la provincia de Buenos Aires, dándole el
triunfo a Honorio Pueyrredón.

Marcelo y Regina, junto con otros dirigentes radicales como Mario Guido, Honorio Pueyrredón y José
Tamborini, habían abandonado Río de Janeiro y se
habían instalado en Montevideo, en el Parque Hotel,
frente a la Playa Ramírez. Los Alvear permanecieron

en el Uruguay hasta febrero de 1932, en que se embarcaron en el *Almeida Star* rumbo a Europa. Las elecciones del 8 de noviembre dieron el triunfo al general Agustín P. Justo —quien se había movido con una habilidad demoníaca para alcanzar la primera magistratura— y la Unión Cívica Radical recurrió —una vez más— al abstencionismo. El país —y Marcelo— perdieron una oportunidad histórica.

Alvear y Regina volvían una vez más a París, a Coeur Volant, a la sociedad cosmopolita que habían frecuentado desde principios de siglo. Sin embargo, este viaje no era uno más: Marcelo había sufrido en carne propia la derrota, traducida en la proscripción de los candidatos radicales decretada por Uriburu. Tenía sesenta y cuatro años. Acaso comprendió, tardíamente, su grueso error al no haber asumido una posición flexible que le hubiera permitido ser aceptado como candidato y reorganizar el radicalismo sobre otras bases, dotándolo de un programa. La ética, el abstencionismo y la emotividad —características de este movimiento— sirvieron en las luchas de la última década del siglo pasado. Manuel Goldstraj, en *Años y errores*, explica lúcidamente la encrucijada por la cual atravesó Alvear: "No sería del todo honesto si no dijera que no estoy muy seguro sobre si los éxitos puramente morales, en política, tienen una influencia decisiva en el curso de la historia. El curso de la nuestra, en todo caso, fue sumamente desgraciado a partir de 1932; no digo esto por los radicales, sino por el padecimiento que sufrieron el país, sus libertades y sus instituciones. El partido radical argentino tiene que compartir con sus adversarios directos la responsabilidad eminente del desarrollo de los acontecimientos que marcaron con un sello tan particular el decenio mesosecular. Creo que está vinculada, en sus causas, al fondo temperamental o emocional que trae en su alma el radicalismo argentino desde sus orígenes y que, a veces, le impide calcular, pesar y medir las consecuencias probables de sus impulsos. Quizás esto sea una virtud; pero, en ciertas ocasiones, puede convertirse en defecto engendrador de graves resultados y derivaciones".

La amargura y el desencanto de Marcelo al volver a Europa carecían de importancia si se las compara con lo que le tocaría vivir en los dos años siguientes. Por primera vez conocería, ya sexagenario, las privaciones, la humillación, las condiciones inhumanas a que lo sometería el presidente Justo, su ex ministro de Guerra, quien le debía la carrera y la presidencia. Por ahora, los Alvear navegaban en una suite de primera clase de un confortable transatlántico, vistiéndose de etiqueta de noche para ir al comedor, nadando en la piscina cubierta. Como siempre, la primera escala fue Lisboa, donde permanecieron una semana. El tiempo —más de veinticinco años— había suavizado las relaciones entre Marcelo y Felicia, una anciana que fallecería tres años después. El apuesto y millonario sudamericano se había transformado en un hombre de edad y de prestigio. Regina había perdido una carrera pero había ganado algo más que prestigio: la paz, la serenidad que otorga una vida consagrada a un hombre. Aun así, en la casa de Felicia en Lisboa, las vitrinas exhibían objetos de Regina relacionados con su carrera artística: abanicos, programas, fotografías; como si, en realidad, su hija —la que ella crió, educó y lanzó al estrellato— hubiera muerto hacía un cuarto de siglo. Más de un visitante reconoció el aspecto "macabro" de las vitrinas.

En París aún estaba Coeur Volant, el único lugar que podían considerar de ellos. En la inmensa casa normanda en las afueras de París, el tiempo parecía no haber transcurrido, salvo por la hiedra que habían plantado los Alvear, al comprarla, y que ahora cubría toda la casa. Pero los muebles, los cuadros, las alfombras, las arañas que habían adquirido a partir de 1907 seguían intactos. Regina jugaba en el jardín con su fox-terrier. Jeanne Peignet, la gobernanta, cuidaba hasta los mínimos detalles; Gabriel Bucciano, el valet de Marcelo y también mucamo de comedor, sabía exactamente lo que necesitaban los dueños de casa. Marcelo y Regina prosiguieron con su vida mundana, que alternaban con las aguas termales en Carlsbad. En esa época llegó a la capital francesa el ex presidente José Félix Uriburu. En realidad, el artífice de la revolución de 1930 se había trasladado a París para tratarse un cáncer de estómago y allí falleció como consecuencia de la enfermedad.

Después de haber permanecido cuatro meses en Europa, los Alvear decidieron —una vez más— volver a Buenos Aires en el deslumbrante *Cap Arcona*. Regina, como siempre solía hacerlo, se embarcó en Lisboa, adelantándose para visitar a Felicia. Viajar, atravesar océanos, formaba parte de sus vidas. Marcelo lo había puesto en práctica sin pausa desde su juventud, cuando descubrió París. Sin embargo, los itinerarios eran asombrosamente iguales con el correr de las décadas: un puñado de países europeos y balnearios o estaciones termales de moda. En ningún momento se le ocurrió ir a los Estados Unidos. Murió sin conocer ese país. Regina, también desde su temprana juventud, había sido una trotamundos por su carrera artística, y en eso coincidía con su marido. La falta de hijos, por otra parte, los liberaba de ataduras y obligaciones. El mundo era de ellos y se negaban a dejar de recorrerlo.

Cruzaron nuevamente el Océano Atlántico, con las

dispuesta a orientar, a conciliar, a unir las tendencias del Partido. El destino los uniría nuevamente, esta vez en la prisión.

Dos meses después de haber llegado a la Argentina, Alvear pasaría por la primera prueba de fuego. Reorganizar el Partido era una tarea compleja por la disparidad de criterios, por las habituales pequeñeces de comité, por la imposibilidad histórica de los argentinos para ponerse de acuerdo. Pero más difícil que encauzar el radicalismo era el propio Presidente, el general Agustín Justo. A mediados de septiembre de 1932, el gobierno supo acerca de la existencia de un plan subversivo de alcance nacional liderado por el coronel Atilio Cattáneo. Qué excelente oportunidad para Justo de desbaratar nuevamente al radicalismo y a sus dirigentes, ahora reunidos bajo la égida de Alvear. Qué ocasión para los conservadores que rodeaban al Presidente —quien finalmente gobernaba sin un partido mayoritario, lo cual habla a las claras de la habilidad de Justo— para liberarse de ese movimiento popular. El 16 de diciembre, el gobierno solicita al Congreso que establezca el estado de sitio. Yrigoyen, ya anciano, es detenido en su domicilio; al dirigirse al automóvil que lo trasladaría, no pudo evitar tropezar, rodando algunos escalones. Luego, lo habitual en estas latitudes: primero lo embarcan en el crucero *25 de Mayo*, después lo trasladan al aviso *Golondrina* y, por último, otra vez a Martín García. El caudillo, perplejo por los acontecimientos, por un nuevo encierro, exclamó:

—¡Yo con bombas! ¡Yo con explosivos![6]

El presidente Justo consideró —aunque no había pruebas de que estuvieran involucrados— que Alvear,

[6] Felix Luna: *Yrigoyen*

Tamborini, el general Dellepiane y Noel, entre otros, eran conspiradores. Fueron a parar a Martín García, esa isla célebre en materia de presos políticos. Y ahí, en la soledad del Río de la Plata, en el sofocante calor de diciembre, con la abrumadora humedad y el permanente asedio de los mosquitos, Alvear e Yrigoyen —los fundadores de la Unión Cívica Radical, los antagonistas de la década del 20— se encuentran otra vez, compartiendo la misma casa. Ya no son jóvenes. Qué irrelevantes les habrán parecido el desentendimiento, el recelo del pasado, frente a estas circunstancias. El caudillo padece una afonía casi total y la tristeza lo ha abatido. Anciano, sin fuerzas, es trasladado a Buenos Aires por razones humanitarias: su hija Elena —que lo acompañó hasta su muerte— y la señorita Menéndez llegan a la isla y lo ayudan a embarcarse. Marcelo lo ve partir y acaso sospecha que, pronto, su antiguo rival se convertirá en una leyenda, en el último gran caudillo de la generación de Caseros. No puede dejar de reconocer su grandeza.

Durante cuatro meses, Alvear permanecerá preso en Martín García. De nada sirvió que la Cámara Federal revocara el auto de prisión preventiva que pesaba sobre él: Justo ignoró la decisión judicial. Tampoco que Regina interpusiera un recurso de hábeas corpus y que el juez federal, doctor Jantus, dispusiera que Alvear podía salir del país. Justo, en un acto de soberbia, de resentimiento, de temor, se negó a que Marcelo se instalase en el Uruguay —tal era su propósito— alegando que era un país limítrofe. Durante cuatro meses, Regina se trasladaba a Martín García en una precaria lancha, desafiando, a su edad, las olas y los imprevisibles vientos del Río de la Plata. Fue no menos de cincuenta veces, ignorando el cansancio, el calor opresivo, el mareo, la amargura, con tal de estar al lado de Marcelo. Su vida era ese hombre y lo había dejado todo por él: su carrera, su patria, su familia. Qué misterioso, profundo sentido habrá encontrado a su vida en la adversidad. La había conocido de joven y jamás se había amedrentado ante ella. Cómo desmoronarse ahora, claudicar, ante la prisión de su marido. Ahí estaba, cruzando peligrosamente el estuario, para reconfortarlo, para informarlo, para tranquilizarlo, en los supremos momentos de desesperación. Y Marcelo quizá descubrió qué íntegro y permanente era el amor de Regina. En una oportunidad, Alfredo Palacios —uno de los abogados defensores de Alvear— la acompañó en la travesía. La lancha se movía enloquecidamente, desafiando las olas, y el político socialista, mareado por el vaivén, vomitó por la borda. Regina lo abrazó y, palmeándole la espalda, le susurró:

—Pobre Alfredo...

Las olas golpeaban, sin tregua, contra la lancha de madera, que parecía haber perdido el rumbo en el inmenso río. En la lejanía divisó la isla, apenas una línea superpuesta sobre la del horizonte y creyó que jamás llegarían: la proa se empecinaba en hundirse al superar una ola y, luego, salía disparada hacia arriba para repetir dramáticamente el mismo movimiento. Pero ella no sentía los rigores de la travesía. Su mirada estaba clavada en algún punto impreciso del agitado río, ajena al malestar de Alfredo Palacios y al de los otros pasajeros.

La dominaba un sentimiento. Al dolor que le producía el presidio de Marcelo se le agregaba lo absurdo de esa geografía. Qué hacía ella en un remoto río de América del Sur,

227

azotado por los vientos y la lluvia, tan lejos de Europa. Creía estar escribiendo, protagonizando una historia incomprensible, ominosa. Marcelo preso. Sus vidas se deslizaban ahora por meridianos desconocidos, peligrosos. Recordó a Coeur Volant, la prolija hiedra, el impecable césped, el frondoso bosquecillo. Qué rápido había pasado la juventud. Qué efímeros todos los años transcurridos. Coeur Volant se oponía drástica, cruelmente, a los confines del mundo por los cuales ahora navegaba. Lo único que le quedaba era Marcelo e iba en su busca.

Los pasajeros de la lancha se aferraban a los asientos para evitar ser despedidos por el brusco movimiento. Palacios la sostenía teniéndola del brazo, como si quisiera protegerla. Salvo a Alfredo, no conocía al resto del pasaje, lo cual le produjo la incontrolable congoja de saber que casi no tenía amigos, que nadie la había acompañado a Martín García, ni una sola de sus amigas. Pototo, como siempre, se había ofrecido a ir, pero Regina le había evitado semejante penuria. Ahora que Marcelo no era más presidente, que había caído en desgracia, que varios de quienes los rodearon antes le hacían poco menos que la reverencia a Agustín Justo, comprendió que su instinto, su sentido del peligro no había sido erróneo.

Odió a Justo desde el mismo momento en que lo conoció. Debajo de esa cara inexpresiva, detrás de esos anteojos ribeteados en platino se escondía una personalidad artera, servil, oportunista. Cuántas veces le había advertido a Marcelo que jamás le diera la espalda. Se había equivocado, en cambio, con Ana Bernal, la actual primera dama. Todo le había enseñado, desinteresadamente. Y así le había pagado. En eso pensaba, mientras la lancha luchaba con las olas, intentando aproximarse a la isla. Su único consuelo era saber que vería a Marcelo, que podrían caminar por algún lugar solitario. Y ella le hablaría de política, de los amigos, de las conspiracio-

228

nes, de las alianzas, ya que su alma se nutría de la esperanza,
de la justicia, de la ilusión. Y llevaría con seguridad una
carta a algún amigo radical, el imprescindible correo secreto
que lo mantenía vivo.

Alfredo Palacios volvió a descomponerse, incapaz de re-
conciliarse con el río. Regina lo sostuvo. Así como no se
había equivocado con Justo, tuvo otro oscuro presagio: ese
viaje sólo marcaba el comienzo de otros viajes hacia esa isla
infame. Conocía a Marcelo: jamás renunciaría a la política;
nunca aceptaría volver a París, desentendiéndose de la Ar-
gentina. Palacios se incorporó y le tomó la mano en señal de
agradecimiento.

—Todo esto va a pasar, Regina...

Ella asintió, como si no dudara de sus palabras. En lo
profundo de su alma sabía que la infamia apenas comen-
zaba.

En abril de 1933, el gobierno levantó el estado de
sitio y Marcelo fue liberado.

Yrigoyen y Alvear se verían una vez más, el 30 de
junio. Marcelo fue a visitarlo. El caudillo, gravemente
enfermo, había dado órdenes de que no recibiría a
nadie. Sin embargo, cuando se entera de la visita, se
peina y, a pesar de las protestas de quienes lo cuidaban,
lo recibe. Era el adiós definitivo. El sucesor venía a
rendir el último homenaje a su gran maestro, no obstante las diferencias, los rencores, los enfrentamientos
velados. El hijo de Torcuato de Alvear, el nieto del
general, el que había tomado la comisaría de Temperley, en 1893, a la espera de las fuerzas de Yrigoyen,
había sido el elegido para continuar al frente del radi-

calismo, por decisión del propio caudillo. Éste respetaba y apreciaba al descendiente de una de las primeras familias del país. Tres días después, el 3 de julio, fallece Yrigoyen.

La Convención Nacional de la Unión Cívica Radical debía reunirse en Santa Fe a fines de 1933. Marcelo y otros dirigentes habían trabajado durante seis meses para hacer posible ese congreso auténtico del radicalismo, al cual asistirían delegados y convencionales de todos los puntos del país. No ignoraban, claro, que Justo volvería al ataque, a pesar de haber sido levantado el estado de sitio y que encontraría algún nuevo pretexto para quebrarlos y encarcelarlos. Cuando Alvear y varios delegados zarparon de Buenos Aires en el *General Artigas*, rumbo a Santa Fe, no se llamaron a engaño: mientras navegaban por el Río de la Plata hacia el Paraná, la ominosa visión de la isla Martín García, la densa vegetación, los meses pasados en cautiverio, parecían presagiar nuevas injusticias. Marcelo, como presidente del Partido, se encerró en su camarote, preparando el discurso de inauguración de la Convención; las restantes autoridades y delegados trataban de pasar el tiempo como podían, caminando por las cubiertas, conversando, jugando a las cartas. Al día siguiente llegaron a Santa Fe: millares de personas los esperaban en el muelle, aclamándolos, lo cual obligó a Marcelo a improvisar un discurso.

No es objeto de este trabajo pormenorizar la Convención Nacional del radicalismo. Baste decir que se dio un ejemplo de democracia. Pero, como se sospechaba, el 28 de diciembre estalló una revolución —si es que puede denominarse así a un mero conato— liderada por el teniente coronel Roberto Bosch, el mayor Domingo Aguirre y el doctor Benjamín Ábalos. En la ciudad de Santa Fe, el movimiento revolucionario se había limitado a tomar un par de comisarías y alguna que otra sucursal de Correos. Los habitantes conversaban en las veredas, y apenas escuchaban algún disparo en la lejanía, inaugurando la cadena de motines y asonadas que se harían célebres en el país y que parecían hasta cierto punto festejos que rompían la rutina. Alvear, en el hall del Hotel Ritz, leía los diarios, impasible, cerca de la ventana. Acosado por preguntas, optó por responder:

—Es inútil agitarse por hechos que no está en nuestras manos evitar ni modificar. De todas maneras, no les quepa duda alguna que de aquí saldremos para ir a la cárcel. Esperémosla con tranquilidad.[7]

Qué aguda visión. Cómo conocía las estrategias de Justo. A las cuatro y media de la tarde del 29 de diciembre, fracasada la revolución, las tropas cercaron el Hotel Ritz. De nada sirvió que las autoridades del radicalismo se declararan ajenas a la intentona, o que el propio gobernador de Santa Fe, Luciano Molinas, expresara la misma opinión al gobierno nacional. Esa misma noche, Marcelo y los dirigentes radicales fueron conducidos al *General Artigas* en calidad de incomunicados. El barco soltó amarras casi dos días después, en la mañana del 31 de diciembre, escoltado por el aviso *Golondrina*: el pueblo se había congregado en la ribera despidiendo y aclamando a los prisioneros; en la otra

[7] Manuel Goldstraj: *El camino del exilio*

orilla, frente a Santa Fe, los isleños agitaban pañuelos en señal de despedida. El buque descendió por el Paraná, con rumbo desconocido (aunque, a esa altura de los acontecimientos, los pasajeros se preguntaban si les tocaría Martín García, San Julián o Ushuaia); detrás, a una distancia de mil metros, lo seguía el aviso *Golondrina*, apuntando hacia los radicales su único cañón de proa. A las doce de la noche de ese 31 de diciembre, se realizó un brindis a bordo. Alvear pronunció un breve discurso y, poco después, cada uno se retiró a su camarote, preguntándose qué sería de ellos.

El destino final fue Martín García.

Ahí estaba la isla, la frondosa vegetación, la chimenea de una vieja fábrica, la antena para el telégrafo. Marcelo no había olvidado aquellos cuatro meses de confinamiento en ese lugar inhóspito. Sin embargo, a pesar del paisaje reconocible, había diferencias: fondeado cerca del atracadero estaba el destroyer *Catamarca* y el aviso *Vigilante* patrullaba las aguas, como si quisiera hacer desistir a los prisioneros de cualquier idea de fuga. A las diez de la mañana de aquel 1º de enero, les ordenan a los detenidos del *General Artigas* que en el plazo de una hora deberán estar listos para ser transbordados al *Golondrina*, que los llevará a tierra. La furia de Alvear no tiene límites. ¡Como si se tratara de vulgares delincuentes, como si fueran las víctimas de los pogromos zaristas! Su voz —estentórea— se hace escuchar. Cómo se atreven a dar semejantes órdenes a un ex presidente y a la plana mayor del radicalismo. En el muelle, tres oficiales y conscriptos armados pasan lista. Mencionan primero el apellido, luego el nombre. Marcelo nada dice. Pero cuando le toca el turno al secretario del Comité de la Provincia, doctor José A. Leiva, éste le aclaró al oficial: "Yo no soy Leiva. Soy el señor José Leiva".[8]

Los oficiales, a partir de ese momento, los respetaron. Por más órdenes que tuvieran del gobierno para humillar a los presos, la autoridad de Alvear, el prestigio de los dirigentes, pudieron más. Claro que les estaba reservado un trato que los oficiales debieron también respetar, ya que las instrucciones de Justo eran concretas. Apenas desembarcaron, debieron subir a un camión e instalarse en asientos laterales hasta ser conducidos a galpones donde se hacinarían. Marcelo pisó con dificultad los cajones que hacían las veces de escalera para subir al camión y tomó asiento junto a otros detenidos.

—Para eso les he comprado buques de guerra a los marinos de mi patria... ¡Para que me traigan en un camión! —exclamó.

La mera visión del galpón B, las camas gemelas oxidadas, la falta de limpieza, las arañas que pululaban por el piso, los baños nauseabundos, indignaron a Alvear. Se dirigió resueltamente hacia donde estaba un oficial, la cara enrojecida por la ira, la sangre de los ancestros bullendo en sus entrañas.

—¡Fusílenme, canallas! —vociferó—. Yo he sido presidente de la República sin robar a la soberanía popular, y nadie tiene el derecho de afrentar al país con semejante vejación...

Pero Marcelo se sobrepuso al humillante régimen carcelario. Caminaba hasta la cocina —si así podía llamársele a ese habitáculo— con la pava en la mano para buscar agua caliente y prepararse el mate; se afeitaba como podía y hasta se lavaba la ropa. No

---

[8] Manuel Goldstraj: *El camino del exilio*.

quería trato especial en ese campo de concentración plagado de prisioneros. Tampoco Justo pensaba dárselo. Hasta el violinista Tavarozzi, que había sido contratado para tocar el Himno Nacional en el *General Artigas*, estaba preso en Martín García. También el ordenanza del Comité Nacional. Todos, sin excepción, se transformaron en camaradas que compartían el infortunio: de la noche a la mañana, debieron abandonar los vientos de democracia que soplaban en la Convención Nacional, en Santa Fe, y fueron lanzados a un campo de concentración de la dictadura. Marcelo solía levantarse al alba durante aquel verano sofocante y, desde el alambre tejido que marcaba el perímetro por el cual podían desplazarse, contemplaba apenas un segmento del Río de la Plata, en cuyos confines surgían las islas del delta. La "virazón", ese viento fresco que soplaba al amanecer en Martín García, parecía aclararle las ideas, darle fuerzas para seguir luchando. Cuánto tiempo más permanecería incomunicado en esas condiciones. Cómo sobreviviría el radicalismo, descabezado por Justo.

Felizmente, la reclusión fue breve. El 5 de enero, apenas a cuatro días de haber llegado, a varios prisioneros —los de mayor jerarquía— se les dio la opción de salir del país, o, de lo contrario, ser trasladados al sur del país en calidad de detenidos. Marcelo optó por lo primero. Se le ha criticado esa elección y hay quienes sostienen que en vez de irse a París, a las comodidades de Coeur Volant, a los placeres de la sociedad cosmopolita europea, debió haber sufrido el ostracismo en Ushuaia. De nada le hubiera servido a él y al radicalismo. Tenía sesenta y cinco años y era inimaginable creer que elegiría ser recluido en los gélidos climas australes en condiciones inhumanas. Semejante acto de heroísmo hubiera sido gratuito. Alvear, por su prestigio y conexiones, sería más útil en Europa, aunque sólo fuera para hacer conocer qué pasaba en la Argentina, adónde había ido a parar su tradición democrática. Tomada la decisión, debió esperar seis días. A las cinco de la mañana del once de enero, los oficiales irrumpieron en los galpones para poner en práctica nuevas formas de vejación, un deporte predilecto del jefe de la isla, el capitán de navío Raúl Aliaga: sacaron a empellones a los prisioneros de las camas y los hicieron formar fila. Juan Bautista Ramos, uno de los detenidos y ex intendente de Mendoza, recuerda aquellos momentos en *La tragedia de una algarada*: "Se leyeron unos veinte nombres y dijo el oficial que esas personas debían alistarse para salir rumbo a Europa. Se leyeron otros cuarenta nombres y dijo nuevamente el oficial que éstas debían alistarse para Ushuaia. El resto quedaría hasta nueva orden en la isla. Eran los que no habían optado ni por irse ni por confinarse de acuerdo con la famosa orden número 13 que después de llegar nos había sido notificada y que le hizo exclamar a Ricardo Rojas cara a cara con el oficial que le dio lectura:

—Señor: ésta no es la Argentina por la que he trabajado durante treinta años, ni es la patria donde he educado a varias generaciones de hombres libres.

El oficial miraba y escuchaba, insensible. Era el teniente Cepí. Parecía un impermeable que recibía con absoluta indiferencia la gota purificadora y fresca que le llovía del cielo (hay que considerar que llovía a cántaros). Daba la impresión de estar insondablemente mareado por la barbarie de sus caciques y el sopor en el que vivía. Aquello representaba la más dura decepción de la historia argentina y la vida nacional. Aquello era una blasfemia".

Los veintidós deportados —Alvear entre ellos— serían embarcados rumbo a Europa en el transporte *Pampa*, un mísero vapor de la Armada de apenas mil trescientas toneladas —un mero cascajo para las agitadas aguas del Océano Atlántico. Y aquí comenzaría un largo viaje, un escenario para el drama y la comedia, que merecería figurar en una antología del disparate. A treinta kilómetros de Buenos Aires, fondeados en el canal, el *Pampa* y el *Chaco* (que trasladaría a los detenidos al sur), esperaban la carga, es decir, a los radicales. El aviso *Gaviota* trasladó a Alvear y a los deportados a Europa desde Martín García hasta el buque que esperaba en los confines del Río de la Plata, donde se une con el mar. El viaje no pudo haber sido peor. Durante cuatro horas, el *Gaviota* luchó contra las aguas enfurecidas, hundiéndose de proa, balanceándose peligrosamente de costado, enfrentando el viento. Salvo Marcelo —acostumbrado a navegar en todo tipo de aguas—, el resto del grupo padeció el más abominable mareo. Al mediodía, el oleaje cedió y avistaron al *Pampa*, que, echando humo de su única chimenea, esperaba a los detenidos.

Los oficiales los recibieron con hostilidad y hasta tuvieron la audacia de revisar el equipaje de Marcelo, sólo el de él. A bordo los aguardaba otro deportado, Carlos Noel, quien había logrado que al ex Presidente de la República se le diera un camarote individual, por otra parte, el único disponible, ya que el resto de los pasajeros deberían compartirlos. Justo permitió que los deportados, antes de partir, recibieran visitas; ahí fue, una vez más, Regina, en un destroyer, con botellas de agua mineral y algunos libros. Una vez más debían separarse por causas políticas. Pero, al menos, tenía el consuelo de que la prisión había sido breve y que, en menos de un mes, se reunirían en Lisboa. Quizá deseó en secreto que ese hombre, al cual había acompañado a lo largo de treinta y cinco años, se apartara definitivamente de la política, de la inútil lucha por reimplantar la democracia en un país sudamericano y se decidiera a transcurrir sus últimos años en París. Pero conocía a Marcelo. En la prisión, en la defensa de sus ideas, en la tenacidad, encontraba sentido a su existencia. No se contentaba con ser un ex presidente prestigioso, dedicado a frecuentar a destacadas figuras europeas. Esos años que le quedaban los dedicaría a su Partido, a luchar para ser otra vez presidente. Cómo no estar a su lado alentándolo. Había dedicado su vida a Marcelo.

El 13 de enero de 1934, el *Pampa* finalmente partió. El teniente de navío von Schilling, que comandaba el buque, acató las órdenes del ministerio de Marina y enfiló hacia el hemisferio norte por una ruta no transitada, como si se tratara de un buque fantasma. La maniobra de Justo tenía sus motivos: evitar que el buque recalara en puertos sudamericanos para que la presencia a bordo de los deportados no fuera utilizada para dar una mala imagen de su gobierno. El *Pampa* debería llegar a Tenerife navegando, si fuera necesario, por las costas de África. La ineficiencia —un mal argentino— desbarató el plan: a los cuatro días de navegación la oficialidad debió admitir que a bordo no había ni petróleo ni víveres suficientes. Sin embargo, las órdenes que se recibían eran contundentes: había que seguir navegando. El capitán, von Schilling, amenazó al ministerio de Marina con detener el buque en medio del Océano Atlántico si no le permitían recalar en un puerto próximo. Y así, navegando sin saber hacia dónde se dirigían, los exiliados pasaban las horas, los días.

En un reducido salón jugaban a las cartas. Manuel Goldstraj escribía en su camarote. Florencio Lezica Alvear (sobrino de Marcelo) contaba a los viajeros cómo era Europa. El ingeniero Reissig enseñaba inglés; Marquiano, francés. Pero el ánimo, la ilusión de llegar a un puerto europeo, sufría permanentes embates: el agua potable era intomable; la comida —en particular, los fiambres— tenía mal olor; los huevos, incomibles; los baños eran hediondos y funcionaban día por medio; los camarotes ni siquiera tenían ventiladores y se volvieron sofocantes, irrespirables, al navegar por los trópicos. Los pasajeros evitaban comer y bajaban alarmantemente de peso.

Por fin, se les anunció que recalarían en Pernambuco para cargar petróleo y provisiones, a pesar de las terminantes instrucciones del ministerio de Marina para que prosiguieran el viaje. De noche, divisaron las costas del Brasil, pero el *Pampa*, inexplicablemente, navegaba diez millas hacia el norte y luego hacia el sur, como si el joven oficial responsable de entrar a puerto ignorase cuál era el ingreso debido. Curiosamente, ni la visión de un faro bicolor, ni las luces de la ciudad lo inspiraron. Al amanecer, el *Pampa* estaba a treinta kilómetros de la costa, sin petróleo. Un remolcador lo condujo a Pernambuco. Por fin los deportados veían tierra y Florencio Lezica Alvear solicitó al capitán permiso para descender y hacer las compras necesarias, solicitud que fue tajantemente denegada. Lo que no pudieron impedir fue que los exiliados, mientras el buque estaba amarrado, les arrojaran bolitas de papel a los periodistas que se habían congregado en el muelle, donde relataban quiénes viajaban y las penurias que padecían, lo cual naturalmente se publicó en todos los diarios brasileños. El empeño de Justo por ocultar el viaje se le transformó en un arma de doble filo. Y en Pernambuco, precisamente, se produjo una verdadera comedia histórica, una de esas paradojas que jamás prevén las dictaduras.

Nadie mejor que Juan Bautista Ramos, en *La tragedia de una algarada*, para recordarlo: "El capitán había indicado cargar las doscientas toneladas de petróleo que caben en el *Pampa*, pero, a cierta altura del aprovisionamiento, confesó al representante de la compañía petrolera que sólo llevaba el dinero para pagar ciento cuarenta toneladas, proponiendo abonar el resto con documentos canjeables en el ministerio de Marina de la República Argentina, en Buenos Aires. Como se había cargado más de las ciento cuarenta toneladas, se paró el aprovisionamiento. O se pagaba al contado todo el petróleo, o se descargaba el excedente de lo que se podía abonar con el dinero existente a bordo. El país no tenía crédito ni por sesenta toneladas de combustible para sus buques de guerra. El gobierno del señor Justo merecía ese profundo desprecio de los comerciantes del extranjero".

Uno de los deportados, el doctor Carlos Montagna, ofreció tres mil pesos que llevaba consigo para contribuir a que el barco prosiguiera viaje. La compañía petrolera, finalmente, decidió aceptar los documentos que ofrecía el capitán, siempre y cuando estuvieran garantizados con la firma de Marcelo Alvear. El deportado, el privado de todas las comodidades a las cuales había estado acostumbrado a lo largo de una vida, debía garantizar la compra de petróleo. Debía financiar su propio destierro. Por fin, intervino el cónsul argentino en Pernambuco, quien pagó el combustible.

El *Pampa* zarpó de Pernambuco rumbo a Tenerife. El

buque fantasma y la oficialidad continuaban asombrando a los deportados. En medio de la travesía, dio una vuelta cerrada —una maniobra inexplicable— aparentemente por un error del timonel; al cruzar el Ecuador, los prisioneros, perplejos, fueron invitados a un baile de disfraz —como si, en realidad, se hallaran a bordo del *Cap Arcona*— a lo cual se negaron enfáticamente. Como castigo, durante el día de la fiesta, el capitán los confinó en sus camarotes. El de Marcelo era pequeño y, dada su colosal estatura, la cama le resultaba incómoda por ser excesivamente corta.

A las cuatro de la mañana se dirigía al pequeño salón de proa, con su mate amargo y su capa gris, para contemplar el amanecer: ahí solían encontrarlo los otros pasajeros, con la mirada perdida, observando el horizonte. Cuántas reflexiones lo habrán acosado durante esas madrugadas en los mares tropicales. El ofrecimiento de Uriburu que había rechazado, el cual podría haber cambiado no sólo su historia personal, sino también la del país. La dictadura de Justo que postergaba nuevamente al radicalismo. Acaso pensó cuáles serían las reglas de juego para las elecciones de 1937 y qué actitud debería asumir la Unión Cívica Radical. Su fortuna personal, notablemente mermada: los campos de La Pampa, de Chacabuco y gran parte del ingreso del loteo de Don Torcuato se habían evaporado y ahora debería poner en venta Coeur Volant, lo que equivalía a vender una parte de su historia. Carlos Torcuato de Alvear, su hermano, había muerto. Marcelo era el único vástago con vida de esa rama de los Alvear. Sólo tenía a Regina, a esa mujer que siempre había estado a su lado. Qué hubiera sido de él sin ella. Ahora, mientras navegaba en la soledad que le proporcionaban los mares del trópico, acaso pensó que la única elección certera, el único afecto, el verdadero amor era Regina, despreciada por tantos.

El *Pampa* recaló en Santa Cruz de Tenerife y la oficialidad se permitió el lujo, después de veinticinco días de navegación, de permanecer dos días en el puerto para divertirse en la isla. A los deportados, claro, se les prohibió descender. Una noche, mientras la tripulación recorría los lugares nocturnos de la ciudad, los periodistas de Tenerife subieron al barco, aprovechando que los dos únicos oficiales que habían permanecido a bordo dormían. Marcelo improvisó una conferencia de prensa y un guitarrista español los deleitó con canciones referidas a la libertad.

El 8 de febrero el *Pampa* llegó a Lisboa. De los veintidós deportados, a sólo cinco se les permitió descender en ese puerto, entre ellos, Alvear. Los restantes fueron derivados a otros puertos europeos. Poco después llegó Regina. Durante un mes permanecieron en Portugal, una notable concesión de Marcelo, tan poco afín a Felicia y Constanza Pacini de Cámara. Había elegido así una forma de retribuir tanto afecto por parte de su mujer.

Luego les esperaba París y una amarga decisión: la venta de Coeur Volant. Los años prósperos, la juventud, el deleite que les producía Europa habían llegado a su fin, como la inmensa casa normanda en Marly. Europa ya nada podía darle a Marcelo: los políticos amigos, las relaciones mundanas, pertenecían al pasado. París los retuvo apenas un tiempo, el imprescindible para decir adiós a Coeur Volant.

SIETE

LA ÚLTIMA ILUSIÓN

La primera tarea de Marcelo en Europa —concretamente en Francia—, fue informar a personalidades europeas acerca de la crisis argentina. Y no sería exagerado afirmar que era el único capaz de congregar a políticos e intelectuales para explicarles la situación del país a partir de 1930. En realidad, en Francia poco se sabía de la Argentina, salvo que era un país sudamericano particularmente próspero en las primeras décadas del siglo, y que había seguido el camino de otras repúblicas hispanoamericanas, es decir, el de las dictaduras militares. A pesar de la ignorancia de los franceses con respecto a lo argentino, era común en París que le preguntaran a Manuel Goldstraj, amigo y colaborador de Alvear, cuándo se produciría el próximo golpe militar. Los porteños exiliados que llegaron en el *Pampa* (muchos de ellos conocían por primera vez Europa) tuvieron que admitir que, para su sorpresa, la historia, la política y las vicisitudes rioplatenses eran desconocidas, ignoradas por los europeos. Aún más, ni siquiera les interesaban.

Marcelo de Alvear, sin embargo, era el único hombre capacitado para lo que en la actualidad se denominaría una tarea de relaciones públicas. En las calles de París

243

muchos reconocían al ex ministro plenipotenciario, al ex presidente; en los círculos políticos su prestigio era enorme. Sus compatriotas —y gran parte del radicalismo— le criticaron los años que había vivido en París, su excesivo refinamiento, la falta de una formación humanística profunda, el abismo que existía entre el político y el pueblo: no obstante, en 1934, en plena dictadura de Justo, encarcelados los dirigentes radicales, era la única voz —precisamente por haber vivido allí— que los europeos se avenían a escuchar. Ningún argentino tenía su prestigio, su trayectoria. En un salón, en el teatro, en un restaurante o frente a una audiencia calificada, Marcelo era uno de ellos.

Conversaba con periodistas, daba conferencias, intercambiaba opiniones con prominentes hombres públicos, como por ejemplo el ex presidente de Italia, Francisco Nitti (a quien, en un paso de comedia inglesa le había "robado" su valet, Gabriel Bucciano), simultáneamente esclarecía su propio pensamiento con las nuevas ideas europeas. A ese vasto auditorio le explicaba el daño que el gobierno militar y su secuela —el general Justo— había producido a la democracia argentina y cuáles eran los objetivos últimos de su partido, la Unión Cívica Radical. Paralelamente, el doctor Carlos Noel —otro de los deportados que viajaron en el *Pampa*— trabajaba en su departamento de la rue de Berri acumulando todo aquel material político y económico que pudiera servir a la Argentina.

Había llegado, junto con el exilio, otro momento particularmente penoso para los Alvear: la venta de Coeur Volant. Era lo único que podían llamar propio. Había estado siempre esperándolos, más allá de las contingencias políticas, desde 1907: el parque impecablemente mantenido; la casa normanda atesorando

244

aquellos objetos adquiridos a lo largo de una vida. Marcelo y Regina habían envejecido. Ya no poseían ni la juventud ni la fortuna para vivir en esa suerte de pequeño *château* cerca de París, pagando una legión de sirvientes, dando fiestas y banquetes, recibiendo a personalidades, agasajando a importantes viajeros argentinos. Si permanecían en Francia, deberían vivir en París, en un departamento alquilado, llevando una vida mucho más austera que antaño. Félix Luna, en *Alvear*, sostiene que Coeur Volant fue vendido por Marcelo, quien no poseía un gran sentido comercial, a un precio irrisoriamente bajo. Esto es cierto. Pero, al menos, la propiedad fue adquirida por Enrique de Orleans, conde de París y genealógica —no políticamente— heredero del trono de Francia. La familia Orleans no era ajena a Regina, como ya se ha visto. Amelia de Orleans mientras era reina de Portugal, había sido protectora de Regina en sus primeros años de cantante y, luego de haber sido destronada, huésped en numerosas oportunidades de los Alvear.

En julio de 1934, Marcelo y Regina dejaron Coeur Volant. Esa pérdida debió haber sido desoladora. No ver nunca más el ondulado jardín, el bosque; no sentarse más en aquellos bancos de madera blancos, diseminados en los senderos de pedregullo, ni poder contemplar cuánto había crecido la hiedra. Los Alvear no dejaban sólo una casa, sino también una parte de sus vidas. Los esplendores de Coeur Volant quedarían en su memoria y en un álbum que Regina guardó hasta su muerte: la casa y el jardín, fotografiados en distintas épocas y sin que el papel haya perdido su brillo y contraste original, exhiben casi proustianamente la llegada de automóviles, hacia 1911, y la audaz moda de la época, que combinaba faldas estrechas y sombreros desmesurados. También conservaban aquellos retratos de familia en los cuales se descubre a Felicia, ya anciana; a Constanza, próspera y redonda de formas; a José Pacini, su mujer y sus hijos, con un inequívoco aire de empresario teatral. Y, por último, las fotografías de Regina, sentada en el jardín, sosteniendo su fox-terrier, con esa sonrisa, apenas insinuada, que revelaba una posición y hasta una actitud de paz frente a la vida.

Caminó resuelta hacia el bosque, mientras el viento le arremolinaba la pollera. El sendero se volvió repentinamente frondoso; reconoció, en un recodo, la glorieta que aún conservaba intacto el techo de paja. Tomó asiento y contempló los robles, las acacias que había visto crecer durante treinta años, donde había cantado casi a escondidas aquellas arias de su juventud. Cómo dejar esos árboles poblados de hojas, la deliciosa sombra, el camino serpenteante. Durante treinta años, en invierno y en verano, había recorrido el bosque de Coeur Volant a solas. Esos paseos prefería hacerlos sin Marcelo, que la distraía con comentarios. Era su tiempo y espacio.

Solía recordar a Felicia, a Constanza y a José. Aquellos veranos transcurridos en Nazaré, en la casa que le prestaban sus primos. Qué delicioso había sido caminar por la playa, escuchar el estrépito de las olas, conversar con los pescadores, observar a sus mujeres al atardecer. Miraban hacia los confines del océano, envueltas en chales rigurosamente negros, esperando el regreso de sus hombres. Qué placentero era recordar el pasado desde la glorieta. Ahora, en cambio, ya no había pasado para evocar. Debía despedirse, para siempre, de la casa, de la tierra que más quiso, donde transcurrieron los mejores momentos.

Cómo vivir sin Coeur Volant. Siempre la había estado esperando. Los prolijos salones, las sábanas de hilo que olían a lavanda y hasta su baño, obsesivamente blanco, con el aroma exquisito de los vapores.

Al día siguiente, partirían. Supo que nunca iba a regresar.

Descubrió a Marcelo que venía hacia ella, caminando con dificultad. Los años le habían arqueado la espalda. Trepaba por el sendero ayudado por su inseparable bastón: parecía buscarla casi con desesperación. Tomó asiento junto a ella y permaneció en silencio, con la vista clavada en algún impreciso punto del bosque.

—Gabriel llevará mañana algunas cosas a París —dijo Marcelo—. ¿Hay algo en particular que quieras mandar?

Regina nada respondió. Lo tomó de la mano y contempló el leve temblor de las hojas, los fragmentos de sol y sombra entre los árboles. Sabía que Marcelo, incorregiblemente organizativo, transformaría la mudanza en maniobras militares. Qué difícil le resultaba a él aceptar que estaban frente a un camino sin retorno, que jamás volverían a estar sentados en esa glorieta, que debían despedirse no ya de una propiedad, sino de una vida. Marcelo prosiguió desmenuzando los detalles de la mudanza, las particularidades de la venta, la escritura. Pero Regina no lo escuchaba. Él comprendió y se aprestó a desandar el camino apoyándose en el bastón.

Lo vio alejarse. Permaneció inmóvil, con los ojos cerrados, tratando de grabar para siempre en su memoria ese bosque, la fragancia de la hierba, de las hojas. Sabía, también, que no era sólo Coeur Volant lo que dejaba. Debería despedirse de París, de Europa, como si una larga historia hubiera llegado a su fin. Ahora la esperaba Buenos Aires, ciudad que nunca había querido. Ya no había lugar en Francia o en Portugal al cual podría volver a terminar sus días.

Aspiró profundamente y se incorporó. Contempló el sendero que se internaba en el bosque y, con entereza, casi con placer, dio su último paseo.

Como solía suceder en la Argentina, los exiliados iban y venían con asombrosa periodicidad. El 9 de julio de 1934, Justo levantó el estado de sitio y numerosos viajeros del *Pampa* regresaron a su tierra natal. El radicalismo se debatía, en ese entonces, entre mantener la posición abstencionista que había caracterizado la trayectoria política de Hipólito Yrigoyen —salvo que los comicios fueran absolutamente limpios— o, por el contrario, concurrir a elecciones. En la Argentina existía, a partir de Justo, el fraude electoral, lo cual otorgaba fuerza ideológica a aquel sector del radicalismo —el intransigente— que sustentaba la posición abstencionista. Concurrir a elecciones era aceptar las reglas de juego del gobierno y correr el riesgo de transformarse en una suerte de "oficialismo opositor", salvo, claro está, que una revolución derrocara a Justo y reestableciera en el país los preceptos democráticos. Por otra parte, nadie creía seriamente en la posibilidad de una revolución, sobre todo si se tiene en cuenta el absoluto control del general Justo sobre los cuadros militares. La otra posición del radicalismo, es decir, el levantamiento de la abstención y la concurrencia a los comicios, era deseada hasta por algunos yrigoyenistas.

Alvear —como otros radicales— entendió que el mundo marchaba peligrosamente hacia el totalitarismo, hacia la exacerbación del sentimiento nacionalista, inclusive en la propia Argentina. Aceptar la abstención equivalía a sentarse y ver pasar la historia. Marcelo no

248

era un intelectual ni un ideólogo y carècía de una formación humanística y política profunda. Pero esto no significaba que desconociera el alarmante rearme alemán y los postulados del nacionalsocialismo, que no fuera capaz de entender lo que estaba sucediendo en la Italia de Mussolini, así como el proyecto militarista del emperador del Japón, Hirohito, y su camarilla militar para dominar el sudeste asiático. Acaso comprendió que la Argentina era proclive a transitar por esos caminos (lo cual, finalmente, sucedió con el retraso habitual) y que la abstención del radicalismo no hacía sino favorecer a la dictadura de Justo. A los sesenta y seis años, Marcelo estaba lejos de adoptar actitudes románticas y, mucho menos, políticamente suicidas, como en este caso la abstención. A pesar de ser requerido en Buenos Aires, temía ser encarcelado otra vez por Justo, quien vivía denunciando nuevos complots: ya había conocido el confinamiento en Martín García y las condiciones inhumanas a bordo del *Pampa*. Sin embargo, el 29 de septiembre partió con Regina hacia Buenos Aires en el *Ávila Star*.

Marcelo podía haberse quedado en París y haber terminado sus días alejado de la política argentina. Los conflictos y las posiciones opuestas dentro de su propio partido, sumados a la politiquería de comité, a los personajes pequeños y sus ambiciones, lograban quitarle el entusiasmo; sin embargo, no era un hombre capaz de darle la espalda a su país, si consideraba que éste aún podía necesitarlo. El 19 de octubre llegó a Buenos Aires, en cuyo puerto nuevamente lo esperaba una multitud.

El 30 de diciembre de 1934 sesionó en el Teatro Coliseo la Convención Nacional de la Unión Cívica Radical. El 3 de enero, por mayoría de votos, se decidió

249

levantar la abstención: se le confería, sin embargo, al Comité Nacional la facultad de autorizar la concurrencia a comicios nacionales o provinciales. Esta decisión política —que era, sin duda, la que patrocinaba Alvear— desató con posterioridad las más severas críticas. Aquellos que pertenecían al sector intransigente, es decir, abstencionistas e yrigoyenistas, sostenían que la economía nacional, en 1935, estaba prácticamente en manos extranjeras. Como consecuencia del pacto Roca-Runciman, celebrado en Londres en 1933, y que aseguró la compra de las carnes argentinas por parte de Inglaterra, el gobierno de Buenos Aires debió pagar un alto precio. Gabriel del Mazo, en *El Radicalismo*, explica en qué consistió:

"El Banco Central (creado en 1935) se constituyó como sociedad mixta gobernada por los Bancos, en la que el Estado, el Banco de la Nación y los Bancos de los Estados provinciales figuraron con sólo tres delegados, de los catorce miembros del directorio. Es decir, el Banco Central se gobernaba por los Bancos particulares, clasificados en argentinos y extranjeros, pero los 'argentinos' eran sociedades anónimas cuyas acciones pertenecían en su gran mayoría a capitalistas y empresas capitalistas extranjeras con domicilio extranjero. De modo que esos capitalistas manejaban el Banco Central, que era así un Banco extranjero, a quien sin embargo la ley 12.155 le adjudicó un poder dictatorial en materia de Bancos, moneda, créditos, industrias, comercio interno, importación y exportación, es decir una fuerza legal superior a la Nación misma."

"Al Instituto movilizador, organizado por la ley 12.157, como dependencia de aquel Banco, se le asignó una suma fabulosa de millones para que se hiciera cargo de los malos negocios de los Bancos existentes y futuros. Así, compraría a los Bancos los pagarés incobrables, por su valor nominal, aun a sabiendas de la insolvencia de las firmas. Cada deudor podía ser tratado por separado, con facultades ilimitadas, de modo que el Instituto implicó una moratoria, y como prácticamente comprendía a los deudores influyentes, se constituyó en un poder extraordinario de corrupción política."

"Las leyes llamadas de Coordinación de Transporte constituyeron el monopolio de transportes de pasajeros y carga por parte casi exclusivamente de empresas inglesas, anulando a las empresas argentinas de transporte automotor y a los talleres argentinos de construcción y reparación de vehículos, sometiendo a los obreros de esas empresas y a los que trabajaban por su cuenta, a la dependencia de un único patrón transportador, y perdonando a las empresas ferroviarias y tranviarias sus deudas de impuestos y de aportes a las cajas de jubilaciones y sus multas. Esas leyes fueron una consecuencia del compromiso del tratado de Londres (se refiere al Pacto Roca-Runciman) de dar 'un trato benéfico a las empresas de servicios públicos' en poder de los ingleses."

"Las leyes de transporte favorecían a las fábricas de vehículos automotores, de cámaras, cubiertas y lubricantes de Inglaterra y a las empresas particulares de producción de nafta vinculadas a los mismos capitales del trust. Por de pronto, significaban la supresión de las líneas de ómnibus y camiones que pudieran competir con los ferrocarriles, concediendo al monopolio el uso exclusivo de las calles, caminos y vías navegables de la República, con abandono de tódo proyecto de caminos no convergentes a las estaciones ferroviarias, y suprimiendo el derecho del Estado para fijar

251

tarifas del transporte monopolizado."

"La 'unificación' de los impuestos internos, según la ley 12.139 y la adhesión a ella de los gobiernos de las provincias, significó una poderosa contribución al aniquilamiento del régimen federal y de las autonomías municipales."

"Deberá agregarse también la creación de las distintas 'juntas reguladoras' de la producción: la de la industria vinícola, la junta nacional de carnes, la junta reguladora de granos, las juntas reguladoras de las industrias lechera y algodonera. Esos organismos fueron creados por las correspondientes leyes y decretos, para centralizar en la ciudad de Buenos Aires la dirección y fiscalización de todas las industrias vitales del país, y para organizar más eficazmente aún, por medio del Estado, los monopolios industriales y comerciales."

Sin duda, estas medidas afectaban seriamente a un proyecto nacional que incluyera independencia y desarrollo y contribuían notoriamente al endeudamiento del Estado argentino. El presidente Justo, a fines de 1934, intuyendo que el radicalismo levantaría la abstención, convocó al Congreso sin presentar todavía estos proyectos que, por otra parte, hacía tres años que habían sido convenientemente redactados. Una vez levantada la abstención por la Convención Nacional de la Unión Cívica Radical, en la primera semana de 1935, el Poder Ejecutivo envió al Senado, el 18 de enero, los proyectos bancarios. Poco después, fueron sancionados. Justo esperó, pacientemente, el momento. Políticamente, necesitaba la concurrencia a los comicios del radicalismo para justificar estas delicadísimas reformas económicas: deberían surgir —al menos en apariencia— de todas las fuerzas democráticas argentinas y no por decisión de un gobernante. Pero atribuirle a Alvear, y a quienes lo apoyaron en el levantamiento de la abstención, una parte de la responsabilidad en la entrega de la economía nacional a monopolios extranjeros, constituye un error de grueso calibre. Probablemente, de haberse mantenido la abstención, el gobierno de Justo hubiera sancionado igualmente esas leyes. En la Argentina ya existía un proyecto a partir del 6 de septiembre de 1930, imposible de detener. Si Justo estaba en el poder, sin representar ni pertenecer a un partido mayoritario, era precisamente porque contó con el apoyo de sectores terratenientes o vinculados a la exportación de materias primas, como también del capital inglés. Creer que el hecho de que la Unión Cívica Radical se presentara o no a elecciones podría haber impedido esas medidas económicas es pecar de ingenuo. La Argentina —como Alemania, Italia o el Japón— marchaba fatídicamente hacia el totalitarismo, que llegaría ocho años después, en 1943, de la mano de Juan Domingo Perón.

Los radicales, con autorización del Comité Nacional o sin ella, se presentan en las elecciones provinciales y no les va mal. Marcelo recorre Entre Ríos, la primera provincia adonde concurre la Unión Cívica Radical. Mucho tiempo había pasado desde su última gira con Leandro Alem, en 1891. Casi medio siglo. Ahora le tocaba a él trasladarse por las ciudades y pueblos entrerrianos, en tren, yate o automóvil, enfrentar a las multitudes, persuadirlas, desplegar el discurso capaz de conmover. Lejos estaba de ser un orador arquetípico, como los que abundaban en el Congreso, o un exaltador demagógico de las masas, como Hitler o Mussolini. Con voz potente, aunque ceceoso, aprendió a hablarle al pueblo desde improvisadas tribunas, balcones o desde la baranda del último vagón de un tren, al detenerse en una estación. Ahí estaba, con lo que la vida le había enseñado, con el prestigio —aún inmenso— que le había otorgado la presidencia, con su imponente estatura, con su apellido ilustre. Más allá de algunas acusaciones con respecto a "unificar" o "fusionar" el radicalismo en detrimento de los sectores yrigoyenistas, la gira de Marcelo dio resultados: la Unión Cívica Radical ganó las elecciones en Entre Ríos con la fórmula Tibietti-Lanús.

Así como había recorrido Entre Ríos, Marcelo hizo lo mismo en Córdoba, donde se elegiría gobernador. Laboulaye, San Francisco e innumerables localidades cordobesas figuraron en su itinerario. El triunfo fue para el radicalismo, al ganar las elecciones el doctor Amadeo Sabattini, quien había incorporado a su partido —algo desusado en el país— a una notable cantidad de jóvenes. Córdoba y Entre Ríos serían gobernadas por radicales.

No sería el caso de la provincia de Buenos Aires. Justo no iba a permitir que la provincia más rica cayera en manos de la Unión Cívica Radical. La Argentina había sido la provincia de Buenos Aires: había desafiado a la Confederación; había excluido al resto del país política y económicamente; los estancieros bonaerenses conservadores la habían convertido en un estado dentro del Estado. Para el gobierno, perder esas elecciones para gobernador equivalía a ser groseramente desplazado por el radicalismo. La fórmula radical Honorio Pueyrredón-Mario Guido debía ser combatida a toda costa apelando incluso, al fraude más descarado. Alvear hizo proselitismo durante tres días: en La Plata, en Bahía Blanca, las multitudes lo aclamaron. Pero el 3 de noviembre, al realizarse los comicios, Marcelo comprendió hasta qué punto se había degradado la democracia en el país. Las más abyectas agresiones hacia los fiscales de la Unión Cívica Radical fueron puestas en práctica, recurriendo a matones; las urnas fueron impunemente sustituidas; se modificaron las cifras del escrutinio y hasta se produjeron hechos violentos, sangrientos. Con esa implacable metodología, Justo logró imponer a su candidato, Manuel Fresco.

El desquite se produjo el 1º de marzo de 1936, al elegirse diputados: el radicalismo obtuvo un éxito arrasador en la Capital Federal, donde el gobierno no podía recurrir al fraude.

Las costumbres de Regina, a pesar de tener en esa época sesenta y cuatro años, no habían cambiado. Posiblemente habría deseado quedarse para siempre en Europa, continente al cual pertenecía por nacimiento y educación, a pesar de haberse vendido Coeur Volant. Se hubiera avenido —dada la notable merma de la fortuna de Marcelo— a un tren de vida menos lujoso, quizás en un digno departamento en el *seizième*, en París, pero dentro del mundo que le era propio. Siempre habría dinero para almorzar en Fouquets, para pasar el verano en Biarritz, o para comprar vestidos de Vionnet, su debilidad. Pero su vida había consistido en permanentes renuncias. De chica, el sacrificio que había implicado estudiar canto con el maestro Vilani, en Lisboa, a las once de la noche; luego, el esfuerzo, la disciplina, el temple para convertirse en una de las mejores sopranos ligeras del mundo. A todo había renunciado al casarse con Marcelo. Debió vivir lejos de su madre, de sus hermanos, de su propia tierra y jamás se quejó.

El poema de Jorge Luis Borges *Elvira de Alvear* (dedicado a una sobrina de Marcelo, hija de Carlos Torcuato), bien podría haber sido escrito para Regina.

Todas las cosas tuvo y lentamente
Todas la abandonaron. La hemos visto
Armada de belleza. La mañana
Y el claro mediodía le mostraron
Desde su cumbre, los hermosos reinos
De la tierra. La tarde fue borrándolos.

Todas las cosas la dejaron, menos
Una. La generosa cortesía
La acompañó hasta el fin de su jornada,
Más allá del delirio y del eclipse
De un modo casi angélico. De Elvira
Lo primero que vi, hace tantos años
Fue la sonrisa y es también lo último.

Ahora, en 1936, sabía que Marcelo aspiraba a ser presidente por segunda vez. Cómo no estar a su lado. La vida, sin él, carecía de sentido. Llevaba casi treinta años de casada y volvería a renunciar a todo por él.

En Buenos Aires vivieron un tiempo en un amplio piso francés, en la calle Esmeralda, frente a la Plaza San Martín. Luego se trasladaron al tercer piso del Edificio Estrugamou, en la calle Juncal, último departamento en el cual vivirían. Jeanne, la gobernanta, y Gabriel, el mucamo, perpetuaban un estilo de vida al cual los Alvear estaban acostumbrados y al que no tenían necesariamente que renunciar. Regina no se caracterizaba por su sociabilidad: tenía pocas amigas en Buenos Aires —Elena Necol de Noel, María Teresa Pearson de Álzaga, Virginia Seges de Edo, Carlota Peralta Alvear de Gowland, esta última la única de la familia Alvear que frecuentó. También solía recibir a Iris Marga, a Luisa Vehil y a Eva Franco: Regina jamás había olvidado su obra, la Casa del Teatro.

Casi a diario, los almuerzos congregaban a un pequeño grupo, a quien los Alvear le prodigaban no sólo su compañía, sino también su afecto. Alrededor de esa mesa aún impecable se sentaban Marcelo y Regina, el hijo de Adams Benítez Alvear, Cipriano de Urquiza, Pascual Carcavallo, "una suerte de elenco estable en el piso de la calle Juncal". Allí era inevitable que se hablara de política y, por supuesto, de Justo, a quien Regina odiaba. Durante uno de esos almuerzos, estando presente el taquígrafo de Alvear, Guillermo D'Andrea Mohr, Regina no pudo con su genio.

—Marcelo, no me hables de Justo... —dijo despectivamente.

Alvear, a pesar de haber sido encarcelado y deportado por el Presidente, hablaba de él con tolerancia.

—¡Ah, Marcelo! —dijo ella. —Tú y tu gran corazón...

—Ése es mi fuerte, Regina —respondió.

Marcelo casi no tenía relación con las otras ramas de la familia Alvear, es decir, las de Diego y Emilio. En la calle Juncal sólo era recibido su sobrino Torcuatito, hijo de su hermano. También el hijo de éste, Carlos Torcuato, que había ingresado en aquella época en el Liceo Militar, carrera que luego abandonó para entrar en la Fuerza Aérea. El comodoro Carlos Torcuato de Alvear, recientemente fallecido, fue observador argentino durante la guerra de Vietnam y publicó, a mediados de la década del 60, *Vietnam ahora*, un memorable estudio

257

sobre el conflicto. A Carlos Torcuato, su sobrino nieto, solía recibirlo en su escritorio, donde una escribanía de plata alternaba con tres retratos: el de su bisabuelo, el almirante Don Diego, el del general Carlos de Alvear, y el de su otro abuelo, el general Ángel Pacheco. "Hay que honrar e igualar a los antepasados —le decía Marcelo a su sobrino—. Si no, como dicen los ingleses, uno es como la planta de papas: lo mejor que tiene está bajo tierra." Los Alvear de los palacios de la Avenida Alvear, en cambio, no tenían relación con Marcelo, posiblemente por la oposición al casamiento con Regina. Tampoco Marcelo veía a su cuñada, María Unzué.

Marcelo, a pesar de sus incorregibles infidelidades, de su *garçonnière* permanente en la calle Cerrito, era esencialmente un hombre doméstico. Como la mayoría de los señores de esa época tenía sus amantes, sobre las cuales se guardaba un hipotético secreto. Alfredo Numeriani, era hombre de confianza de Marcelo (se lo había presentado Remigio Lupo), atendía las llamadas telefónicas en la calle Juncal, que, de algún modo, funcionaba como un cuartel general. Cuando Guillermo D'Andrea Mohr comenzó a trabajar para Alvear, en 1937, lo primero que le dijo Numeriani fue: "Ciertas comunicaciones telefónicas me las pasás a mí". La complicidad de los hombres —amigos o empleados— con respecto a los amoríos de Alvear, parecía una puesta en escena, llena de claves, códigos y cortinas de humo para despistar a Regina, quien, por otra parte, estaba al tanto si no de todos, al menos de algunos amores de su marido. Alguien una vez le ofreció llevarle la agenda de Marcelo. La iniciativa fue tajantemente rechazada.

Los Alvear solían ir en automóvil con chófer al Mercado del Plata. Los puesteros del mercado de la cortada

Carabelas conocían a la célebre pareja. El ex Presidente los saludaba puntualmente mientras realizaba las compras semanales, introducidas luego en el automóvil y trasladadas a la calle Juncal. Paseaban por la Costanera Sur, visitaban anticuarios (como, por ejemplo, Master, en Libertad y Córdoba) y, sin excepción, Alvear desplegaba su habitual sentido del humor. Los domingos solían concurrir a su departamento Labbia, el chófer suplente; Hosman, el bibliotecario y, también, el encargado del guardarropa de Harrod's, quien solía cortarle el pelo. Los tres eran sorprendentemente petizos. Marcelo, un día que los vio a todos juntos, exclamó: "Che...¿no vino Blancanieves?" El sentido del humor en él era tan fuerte y natural como el ser mal hablado. Apenas conoció a Guillermo D'Andrea Mohr, quien tenía diecinueve años cuando comenzó a trabajar para Marcelo, le preguntó:

—¿Qué sos del general Mohr?

—Es mi tío.

—Espero que no seas tan boludo como él.

Marcelo era un hombre de costumbres puntuales: se levantaba todos los días a las siete y media de la mañana, tomaba el desayuno y, luego, volvía a acostarse para dormir hasta las nueve. Ya no compartía el cuarto con Regina y, para evitar los ruidos que provenían de la calle Juncal, se trasladó a un dormitorio interno. El ritual del baño era sagrado: sumergido en una enorme bañadera, los secretarios le leían la correspondencia mientras que el valet echaba esencia de pino en el agua. Luego, el personal se retiraba. Marcelo salía del agua, se envolvía en una toalla y llamaba nuevamente a sus colaboradores. Se pesaba todas las mañanas en una balanza y el valet le alcanzaba papel y lápiz para que anotara el peso. También todas las mañanas lidiaba con la primera afeitadora eléctrica que había llegado al país y que había adquirido con entusiasmo: solía recalentarse y terminaba envolviéndola en una toalla. Su espíritu de sibarita ni siquiera lo abandonaba durante el aseo matinal: en una palangana tapada con un lienzo ubicaba el jabón que utilizaba exclusivamente para la cara.

Si bien los Alvear habían perdido Coeur Volant, encontraron en Mar del Plata una intimidad de la que carecían en Buenos Aires. Villa Regina había sido construida por el arquitecto Baldassarini en la década del 20 y era una muestra perfecta del estilo que imperaba en esa época: paredes de piedra, techos de pizarra y hasta dos gatos de cerámica sobre el tejado. Ubicada frente al Mar del Plata Golf Club, dominaba el océano, el puerto y Playa Grande, esa lonja de arena por la cual Marcelo había caminado en soledad envuelto en su salida de baño blanca. Claro que, a mediados de los años 30, ya no existía la playa solitaria: se habían construido balnearios de líneas rectas y abundancia de cromados (en lo que los arquitectos actuales denominarían "desmesurado racionalismo") y proliferaban los toldos, las sombrillas, los restaurantes, los bares y los veraneantes. Qué diferente había sido apenas unos años atrás, cuando él era el único bañista que recorría solitariamente la playa. Tampoco Villa Regina había escapado al frenesí de la construcción. Ya no se erguía, sola, sobre la loma. Ahora estaba rodeada de otras casas, de otras voces. Sin embargo disfrutaban de Mar del Plata, de esa elegancia sudamericana, de los viejos amigos, de los paseos en automóvil o de las idas a Punta Mogotes, a bañarse en el balneario Tiraboschi donde todavía encontraban la imprescindible soledad. Mar del Plata no tenía el cosmopolitismo de Coeur

Volant, ni sus ilustres visitantes. Pero se parecía a Biarritz. En realidad, se habían reproducido sobre las lomas las mismas casas normandas, y hasta la fuerza del mar y los inesperados cambios de clima eran típicos de la costa vasca francesa.

Marcelo y Regina formaron parte de la generación de los bailes en el hotel Bristol, de las fiestas en el Golf, de las playas exclusivas a las que se iba en automóvil conducido por un chófer. A imitación de Europa, también había palacios cerca de Mar del Plata, con centenares de hectáreas de parque: eran las estancias —en reemplazo de los *country houses* ingleses, de los *châteaux* franceses— a las cuales se iba a tomar el té o a comer. La Armonía, de Josefina Unzué de Cobo, El Boquerón, de Anchorena, o Chapadmalal, de Martínez de Hoz, cumplían esa función social.

El tiempo fue generoso con los Alvear: les evitó ver la destrucción, la masificación de Mar del Plata con el correr de los años. No sólo los grandes hoteles y residencias fueron demolidos o destinados al público sindical. También, inexorable, caería la picota sobre Villa Regina.

En septiembre de 1936, Regina y Marcelo hicieron su último viaje a Europa en el *Andalucía Star*. No fue un viaje de placer: había fallecido Felicia, en Lisboa. Tantas veces habían atravesado el Océano Atlántico al encuentro de París, de Coeur Volant, de los viejos amigos, de los baños termales, de los balnearios de moda. Ahora, poco de eso existía. Para Regina, la muerte de su madre —si bien era una mujer anciana— marcaba el implacable paso del tiempo, que había arrasado con seres y objetos queridos, confirmándole que, en realidad, lo único que le quedaba era Marcelo. José y Constanza habían envejecido y, salvo por la comunicación epistolar, la separaba de ellos un océano. Ni siquiera había podido asistir al entierro de Felicia, esa mujer que la sostuvo en los terribles momentos del Teatro Real de San Carlos, cuando enfrentó por primera vez al público de Lisboa. Qué insignificantes le parecían las diferencias entre su madre y su marido con la presencia de la muerte. Ahora no sólo debería despedirse para siempre de Felicia. Sin saberlo, era la última vez que vería Lisboa.

También sería la última vez que verían París. Aquel otoño, instalados en un departamento en 68 Boulevard de Courcelles, quizás intuyeron que era el adiós definitivo.

La tarde se había vuelto intensamente gris, como los techos de pizarra del Boulevard de Courcelles, como las fachadas de las casas. Regina contempló, desde el balcón, el Parc Monceau. Estaba vacío, los árboles sin hojas, el césped descolorido y ningún niño que corriera. Sin embargo, cómo amaba París. Cada casa, cada plaza, cada callejuela le producía un inesperado deleite, como si la viera por primera vez. Marcelo, a veces, le pedía que apurara el paso. Ella, se empecinaba en demorarse para señalarle la perfección de una columna corintia, la simetría de una cour del faubourg Saint-Germain. Cada sector de París la regocijaba. Marcelo prefería las inmediaciones de la Place Vendôme, la cosmopolita austeridad de Champs Élyseés, el paseo por el Bois de Boulogne. Ella, en cambio, se perdía en los quais al borde del Sena, en los jardines de Luxemburgo, en Montparnasse.

Supo que jamás volvería a París. Marcelo planeaba otro viaje para el año siguiente, pero, íntimamente, ninguno de los dos creía en ese proyecto. El dinero se había acabado.

También los campos de La Pampa, de Chacabuco y hasta Coeur Volant. Se había acabado la juventud. Se habían terminado las visitas a la rua nova da Trindade. Felicia había muerto.

Marcelo ya no soñaba con París, con los almuerzos en Fouquets o en el Bois. Esa ciudad ya nada tenía para ofrecerle, después de haberle dado todo. Ahora miraba persistentemente hacia Buenos Aires, hacia la Argentina, donde acaso podría cumplir su último sueño de volver a ser presidente.

Regina buscó un tapado de piel y salió a la calle. Estaba oscureciendo. Caminó sin un rumbo preciso y pronto se encontró en la rue de Courcelles; desembocó en la Avenue de Wagram, curiosamente donde había transcurrido su juventud. Se había olvidado casi por completo de la existencia de aquel departamento de Marcelo, de aquellas primeras noches que la unieron a él para siempre. Ese atardecer sus pasos la llevaron a la puerta. Reconoció después de treinta años la entrada y hasta la ventana de la planta baja que había sido el estudio de Marcelo. Permaneció inmóvil, contemplando la ventana. Luego, sin mirar para atrás, emprendió el regreso.

Qué absurda había sido esa caminata. En vez de recorrer aquellos barrios algo impersonales poblados de lujosas residencias, hubiera podido dirigirse a otra parte. Pero comprendió que, despedirse de París, implicaba desprenderse de la Avenue de Wagram, de las noches que la hicieron mujer, de su decisión irrevocable de vivir junto al hombre que amaba. Y, como hacía treinta años, renunciaría ahora a Francia para estar junto a Marcelo. Eso era lo único que había importado a lo largo de su vida. Estar a su lado. Escuchar su voz. La vida, sin él, carecía de sentido.

Entró nuevamente en el departamento que alquilaban en el Boulevard de Courcelles. Se ocupó de que la cena fuera impecable, se cambió de vestido, se arregló el pelo de otra

forma y esperó la llegada de Marcelo. Él hablaría del viaje
que harían a Europa el próximo año —quizá podrían reco-
rrer Alemania, volver a Dresde. Ella escucharía paciente-
mente, aportaría ideas y preferencias.

Ambos sabían que jamás regresarían. A Regina tampoco
le pareció importante. Aceptó volver a Buenos Aires y supo
que en esa tierra ajena terminaría sus días.

Las elecciones presidenciales de 1937 serían la última batalla política de Marcelo. Por ser el heredero de
Hipólito Yrigoyen y por su propio prestigio, conducía
con mano férrea a la Unión Cívica Radical, conciliando
o aplastando las disidencias o los posibles separatis-
mos. Temperamental, mal hablado y hasta a veces vio-
lento; no admitía que las líneas políticas o partidarias
que él había trazado fueran cuestionadas. Pero manejar
el Partido era relativamente fácil frente a la compleji-
dad de las elecciones: el gobierno del general Justo
había echado mano al fraude electoral desde el mismo
instante en que el radicalismo levantó la abstención y
contra él debería luchar Alvear para ganar en los comicios. Justo, hábilmente, dio todos los pasos necesarios
para que el radicalismo no ganara las elecciones: intervino la provincia de Santa Fe; modificó por ley el
sistema de minorías en las listas de electores a presidente, lo cual hacía imposible una victoria arrolladora
de la Unión Cívica Radical.

Al regresar Marcelo de su viaje a Europa, en diciembre de 1936, no tuvo otra alternativa que entrevistarse,
en la Casa de Gobierno, con el presidente Justo: se
elegía en esos días gobernador de la provincia de Santa
Fe —después de dieciséis meses de intervención— y

Alvear quería solicitarle garantías para los comicios. Por segunda vez iba a ingresar en la Casa Rosada, después de haberle entregado la presidencia a Yrigoyen, en 1928, y haber escuchado cómo un grupo de radicales le gritaba "traidor". Y tendría que exigir garantías de un hombre que lo había engañado, encarcelado y deportado, dejando de lado su orgullo, su prestigio, su resentimiento. Pero Marcelo era así: era capaz de deponer conflictos personales en beneficio de su partido. Quería dejar claramente establecido que en el país existía el fraude electoral y, también, asegurarse que en Santa Fe se jugara limpio. Justo fue de una cortesía digna de Versalles. Se respetaría la libertad de los comicios. Alvear tenía su palabra. Una vez agotados los temas políticos, el Presidente, con un impecable ejercicio de estilo, le preguntaría por su salud o puede ser que recordara, nostálgicamente, su condición de ex ministro de Guerra de Alvear. Cabe preguntarse si Marcelo creía, durante la entrevista, en las palabras de Justo. ¿Por qué habría de respetar en Santa Fe las reglas electorales, cuando no lo había hecho en la provincia de Buenos Aires? ¿Cómo iba a permitir que la segunda provincia del país cayera en manos radicales? Lo cierto es que la entrevista terminó cordialmente, deseándole Justo "mucha suerte" en Santa Fe.

Las elecciones en esa provincia fueron descaradamente fraudulentas y, en detrimento del candidato radical, Enrique Mosca, se impuso el antipersonalista Manuel de Iriondo.

¿Cómo encarar, entonces, las elecciones presidenciales de septiembre? ¿Con qué armas luchar contra la feroz metodología de Justo? El 28 de mayo, la Unión Cívica Radical proclamó la fórmula Alvear-Mosca, que debería medirse en los comicios con los candidatos de

265

la Concordancia —es decir, del gobierno— Ortiz-Castillo. El único camino que le quedaba a Marcelo era las alianzas con pequeños partidos políticos provinciales y una campaña electoral de grandes proporciones. A los sesenta y nueve años, debería recorrer el país entero, hablar a multitudes en las ciudades importantes o a los pocos que se reuniesen en alguna perdida estación de tren pampeana. La gira podía resultar agotadora para un hombre de su edad; sin embargo, recorrió catorce provincias y dos gobernaciones, improvisó incontables discursos y enfrentó, en más de una oportunidad, a matones del conservadorismo.

Las giras por el interior del país formaban parte de la temprana historia de Marcelo: la primera la realizó, en 1891, acompañando a Leandro Alem, hombre al cual lo unía un vínculo de afecto y admiración. Siempre que había recorrido la Argentina, lo había hecho por el Partido. Esta vez, sin embargo, él era el candidato, el hombre, el político, el que podía llevar la esperanza a millones de radicales. Qué fácil había sido en 1922, cuando fue elegido presidente estando en París: no hubo pueblo ni fraude electoral que enfrentar. Ahora, en cambio, debía dirigirse a los argentinos que estuvieran dispuestos a creer en él, con un discurso convincente. En los banquetes, su oratoria era íntima. En la tribuna, en cambio, recurría a las cuerdas sensibles, a veces con vuelo poético, o a la denuncia, a la frase ingeniosa. En Bragado, por ejemplo, se refirió a la propaganda oficialista con su típico sentido del humor: "Si le quitaran los carteles a la fórmula adversaria no le quedaría nada, porque es una fórmula de papel pintado. Se ve que nuestros opositores son diestros en cuestión de papeles, porque empiezan arrancando nuestros carteles, después operan con las boletas, después con los votos y por último con las actas...".

La denuncia y la crítica al fraude electoral fueron los ejes de su campaña. Posiblemente, Marcelo carecía de la oratoria capaz de conmover a las multitudes, que tan de moda estaba en Alemania y en Italia (pocos años después llegaría a la Argentina de la mano de Juan Domingo Perón); pero sabía hablarle al pueblo, desde el obrero al profesional, y nadie dudaba de su integridad, de su honestidad. No tenía el carisma de Hipólito Yrigoyen, pero sí en cambio credibilidad. Qué radical podía dudar de lo que había hecho por el país durante su presidencia. Es posible que, por su origen, comprendiera sólo teóricamente las necesidades del pueblo; por lo demás, no ignoraba el valor de la democracia, de la prosperidad, de lo que el país verdaderamente necesitaba. Mientras el presidente Justo, durante la campaña electoral, inauguraba orgiásticamente obras públicas con fines netamente proselitistas, Alvear bien podía afirmar que las obras públicas habían sido una de las prioridades de su presidencia. Eso el pueblo lo sabía. "Don Marcelo", como habían pasado a llamarlo, encarnaba lo más sano y perdurable de la tradición política argentina y compartía con Yrigoyen —a pesar de sus diferencias— dos causas sagradas: la democracia y la ética.

La gira electoral de Marcelo tuvo momentos de extrema agresividad por parte de los matones del conservadorismo. En Saavedra, al sur de la provincia de Buenos Aires, y en Suipacha, debió hablar a sus correligionarios sujetando un revólver ante la presencia del matonaje; en Pigüé, los matones pagados por los conservadores habían invadido el andén de la estación ferroviaria. Marcelo, solo, camina entre los malevos armados. Nadie se atreve a hablarle. Ni siquiera a tocarlo. Su figura imponente, la sangre que corría por sus venas, su apellido ilustre y, sobre todo, su valentía bastaba para que esos seres torvos, venales, supieran reconocer a quién tenían delante. A Marcelo de Alvear no lo iba a amedrentar un grupo de malevos. No a él, que había sido campeón de tiro y que en 1893 había tomado la comisaría de Temperley. En esos momentos, mientras caminaba por el andén, mirando fijamente a esa escoria, sometiéndolos con sólo mirarlos, se comprende la grandeza de ese hombre, su increíble coraje. Cuando los hubo dominado sin cruzar ni una sola palabra, sin oírse la más insignificante provocación, Alvear subió nuevamente al tren y continuó su rumbo.

A pesar de las giras, del prestigio de Marcelo, la Unión Cívica Radical perdió las elecciones. La Concordancia, que postulaba al doctor Roberto M. Ortiz (ex ministro de Obras Públicas durante la presidencia de Alvear) obtuvo 248 electores, contra 128 de la fórmula Alvear-Mosca. Para llegar a esas cifras, el gobierno recurrió nuevamente al fraude y a la violencia en varias provincias, lo cual significó que el radicalismo sólo logró triunfar en la Capital Federal (donde el fraude era imposible de practicar), La Rioja, Tucumán y Córdoba. El Partido, ante el infame resultado de los comicios, quería salir a los tiros. Pero Marcelo, más pragmático y menos romántico, sabía que no había nada que hacer: Europa se preparaba para la guerra y el ejército argentino estaba alineado con Alemania, es decir que prevalecía en los cuadros una tendencia hacia el totalitarismo, lo cual se evidenció a partir de 1943.

El haber perdido las elecciones le trajo problemas a Marcelo dentro del Partido. Hacía tiempo que la ten-

· dencia intransigente dentro de la Unión Cívica Radical, cuyo vocero era Honorio Pueyrredón, cuestionaba la conducción de Alvear, desde el mismo momento en que se decidió levantar la abstención. Ahora, las recriminaciones derivaron a supuestas complacencias de Marcelo con algunos imperialismos económicos; es inevitable mencionar el *affaire* CHADE (Compañia Hispano Argentina de Electricidad) donde quedó comprometido el buen nombre de Marcelo. No es objeto de este trabajo pormenorizar los detalles del *affaire*, pero sí, al menos, trazar las líneas generales. La CHADE, por razones de política empresaria, necesitaba prorrogar la concesión de servicios eléctricos y recurrió al soborno para lograr ese fin: algunos concejales radicales en el Concejo Deliberante, recibieron prebendas para votar la prórroga. Hay quienes sostienen que Marcelo hizo la vista gorda y, peor aún, que recibió fondos de la CHADE para la campaña electoral de 1937 y, con posterioridad, para construir la Casa Radical, en Tucumán al 1600. Si bien es imposible comprobar la participación económica de la CHADE en estos puntos, hay fuertes evidencias que involucrarían a Alvear. De haber sido así, al menos conviene enfatizar que los fondos recibidos fueron exclusivamente para el Partido —al cual había ido a parar gran parte de su fortuna, como también la de Yrigoyen— y no en beneficio propio. Pero en 1937 algunos sectores del radicalismo intransigente padecían una enfermedad que atacaría, en las décadas siguientes, a un buen número de argentinos: la ideología. En aquellos años, palabras como imperialismo y oligarquía adquirieron un sonido especial. El escándalo de la CHADE era el caldo de cultivo oportuno para poner en práctica esa ideología y acorralar a Alvear.

Marcelo no ignoraba que los argentinos —a diferen-

chocar las dos facciones del radicalismo, es decir, la que respondía a Alvear y la intransigente. Pero Marcelo, como ya se ha visto, era tozudo y nada temía. En una oportunidad, mientras ocupaba con Regina un palco *avant-scène* en el Teatro Marconi —se hallaba reunida la Convención Nacional— recibió duros ataques durante el discurso que pronunció Honorio Pueyrredón. Alvear lo escuchó impertérrito, aferrando su sombrero orión y su bastón. Luego, al finalizar Pueyrredón, saltó al escenario (tenía entonces 73 años), tomó el micrófono, rebatió los conceptos que lo descalificaban y logró ser ovacionado por el auditorio. Al regresar a la calle Juncal con Regina, le comentó en el automóvil: "Este Pueyrredón... es como una puta que un día pasa frente a una iglesia, siente un rapto de misticismo y entra. Se confiesa: se siente liberada, dispuesta a empezar una nueva vida. Sale a la calle, pasa un buen mozo, y a la mierda con todos los propósitos".

El presidente Roberto M. Ortiz era, quizá, la última esperanza para Marcelo, en el sentido de que el país retornara al sistema democrático. ¿Cómo no confiar en un hombre que había sido radical y ex ministro durante su presidencia? Pero había que esperar actitudes concretas por parte de Ortiz para normalizar al país, para respetar la ley Sáenz Peña, y no simples promesas, como las hubiera hecho Justo. Y esas medidas, progresivamente, llegaron: primero fue la intervención a La Rioja, luego la anulación de las elecciones en San Juan y, por último, la intervención a la provincia de Buenos Aires, en marzo de 1940, que desplazó al gobernador Manuel Fresco a quien Ortiz, paradójicamente, le debía la presidencia. También contribuyó el triunfo radical en las elecciones a diputados nacionales en la Capital Federal, Buenos Aires y Santa Fe, entre otros distritos.

El radicalismo parece despertarse y llueven las felicitaciones a Alvear. Su política, que se había caracterizado por evitar enfrentamientos y posiciones extremas frente al gobierno —como inscribirse en golpes militares— estaba dando sus primeros frutos, muy a pesar de los sectores intransigentes. Marcelo, en Mar del Plata, recibía innumerables cartas de adhesión. Frente a ese resurgimiento, a ese voto de confianza, de sabiduría, de paciencia, Alvear comentó: "En Europa, mis amigos eran Clemenceau y Foch. Me escuchaban y mis opiniones eran tenidas en cuenta. Y algo sabían. Tendría que haber sido muy pelotudo para no haber aprendido algo".

Pero la historia tejía otra trama, otro destino para el país que Marcelo había conocido en su esplendor: Roberto M. Ortiz, gravemente enfermo, debió renunciar. La presidencia fue asumida por el vicepresidente, doctor Ramón Castillo, un oscuro profesor universitario nacido en Catamarca, quien recurriría nuevamente al fraude para evitar que el radicalismo obtuviera el poder. La ley Sáenz Peña, la libertad de los comicios, la reorganización del país para que volviera a la democracia, la imprescindible conciliación entre radicales (a pesar de las tendencias internas del Partido) y los conservadores, quedaron en la nada. La muerte de Ortiz y la de Alvear dejaron a la Argentina a la deriva, sin líderes tradicionales, lo cual facilitó el acceso al poder del totalitarismo de Juan Domingo Perón. Pero en aquellos años, ni Castillo ni Alvear, eran capaces de imaginar qué se estaba gestando en el país, ni que el pueblo, en 1946, se volcaría a idolatrar a un coronel que les prometía prosperidad y justicia social.

En 1941, Marcelo decidió construir una casa en Don Torcuato. Claro que no se asemejaría a los esplendores de Coeur Volant, ni tampoco tenía ya la fortuna que había heredado para erigir un palacio; en realidad, poco le quedaba del legado de Torcuato y Elvira Pacheco de Alvear, agotado en viajes y gastos permanentes, además de en la política. Tito Rapallo, su administrador, le comunicó a Alvear que del loteo de Don Torcuato le había reservado una manzana y seis lotes pequeños. Por qué, entonces, no construirse una casa de fin de semana. Marcelo no lo dudó. Llama la atención que, al final de su vida, haya querido volver a lo más primario, es decir, a la relación con su madre, esa mujer que había muerto cuando él era aún joven, cuando apenas tenía veinticinco años. Siempre se ha hablado de los antepasados Alvear, como por ejemplo, el general y Torcuato; pero por las venas de Marcelo corría otra sangre, no menos patricia, que era la de los Pacheco y fue en las tierras de su abuelo donde decidió terminar sus días. La propiedad sería denominada La Elvira, en homenaje a su madre.

Había que conseguir fondos para construirla, ya que no abundaban. Alvear hipotecó Villa Regina y contrató a un arquitecto entonces de moda, Rodríguez Etcheto, quien diseñó una casa de estilo californiano según las costumbres de la época. Cuando adquirió Coeur Volant, en 1907, su actitud podría haberse definido como principesca: asistía a los grandes remates europeos, compraba cuadros y objetos caros, como si el esplendor y el despliegue formaran parte inseparable de su estilo. Con La Elvira sería muy distinto. Acaso la vejez lo había vuelto inesperadamente sobrio, capaz de elegir con amor una baldosa de ladrillo. Guillermo D'Andrea

273

Mohr todavía recuerda cuando la casa estaba en construcción y Marcelo se ocupaba personalmente de trabajos que, con anterioridad, hubiera delegado en algún subalterno.

—A ver, Guillermo —solía decir—: traéme los baldosones rojos para el piso. Después, alcanzáme los mosaicos para la chimenea.

—Doctor...—respondía D'Andrea Mohr— con todos estos líos políticos usted se está ocupando de estas cosas...

—Salvando las distancias —respondió Alvear—, Napoleón, después de Austerlitz, elegía las rosas para su jardín.

La Elvira estaba lejos de ser una gran residencia. Por el contrario, parecía una casa más de fin de semana, con árboles recién plantados y dimensiones pequeñas, de acuerdo con el tren de vida de los Alvear en aquel momento. Abundaban las galerías, un patio interno de ladrillos, muebles coloniales portugueses, lámparas chinas y grabados ingleses. El dormitorio de Marcelo era de una sobriedad digna de Felipe II: piso de baldosas, una cama junto a la ventana, una cómoda francesa, tapizados de color gris y una araña de cristal.

A mediados de 1941, mientras se construía la casa en Don Torcuato, Marcelo comenzó a tener serios problemas cardiovasculares y debió pedir licencia al Partido ("después de haberme jodido durante diez años", solía decir). Aun así, se trasladó a Mar del Plata durante el verano. Pero el aire de mar no contribuyó a mejorarlo. A pesar de las advertencias de sus dos médicos de cabecera en Buenos Aires, Castex y Battro, Alvear proseguía con sus tareas habituales como si, en realidad, no estuviera enfermo: iba al cine, paseaba el perro. Un médico pariente de D'Andrea Mohr, residente en Mar del Plata, se opuso a los excesos de Marcelo: necesitaba reposo y tintura de jalape. Regina siempre había desconfiado del diagnóstico, que atribuía a Marcelo una enfermedad cardiovascular. Una vez le preguntó a Battro si su marido tenía cáncer y el médico vaciló. Sin embargo, en Mar del Plata, Giordano Etchegoyen, a cargo de la enfermedad de Marcelo, confirmó el cuadro cardíaco. De esas dudas, de la falta de una sintomatología que revelase una enfermedad cardio-renal (el verdadero problema de Alvear), surgió la improbable teoría de que había sido mal atendido con oscuros fines políticos: la desaparición de Alvear y de Ortiz —sostienen los que sospechan una conjura— favorecía a los intereses nazis en la Argentina.

A principios de marzo de 1942, Regina y Marcelo regresaron a Buenos Aires, a Don Torcuato. La salud de Alvear había empeorado dramáticamente, hasta tal punto que el propio Battro había ordenado que no se le hablara de política para evitarle preocupaciones. Las elecciones del 1º de marzo para diputados nacionales habían sido desastrosas para la Unión Cívica Radical en la Capital Federal y en otros distritos, lo cual fue aprovechado por los sectores intransigentes; el Partido debía reestructurarse: el penoso resultado de los comicios era la mejor prueba de ello. El Comité Nacional se reúne el 12 de marzo y uno de sus máximos dirigentes, José Tamborini, renuncia para facilitar la reorganización del Partido, presionado por los sectores intransigentes. Nadie se animaba a comunicarle a Marcelo, próximo a entrar en la agonía, que había triunfado la tendencia partidaria contra la cual tanto había luchado en los últimos años.

El mensajero fue Guillermo D'Andrea Mohr.

"Cuando me dirigía a Don Torcuato —recuerda—,

no sabía si decirle la verdad. Con su salud quebrada, era la peor de las noticias. Llegué al mediodía y lo encontré en su silla de ruedas, delgado y pálido. Cómo decírselo. Me armé de fuerzas y le dije: 'Renunció Tamborini'. Alvear, casi instantáneamente, me ordenó: 'Tomá nota'. Y ahí, sin más, redactó su renuncia. Volví precipitadamente a la reunión del Comité Nacional con esa bomba en la mano, mientras los radicales debatían —como siempre— si se intervenían todos los distritos o sólo aquellos que lo pidieran. El Comité Nacional, enterado, resolvió trasladarse a Don Torcuato a transmitirle al presidente del Partido el rechazo de su renuncia.

"Se encontraron con Regina, que les prohibió el acceso al dormitorio de Marcelo: su salud se deterioraba rápidamente y cualquier emoción podía resultar fatal. Pero Alvear escuchó las voces que provienen del porch, quizás intuyendo que el Comité Nacional no lo dejaría morir con la humillación de ver aceptada su renuncia.

—¿Qué pasa, muchachos? —preguntó débilmente Marcelo.

Regina les implora que no le digan nada, que lo dejen descansar.

—Doctor —le dije—, vienen a rechazar su renuncia.

Marcelo se había bajado de la cama y estaba con los pies en el suelo.

—¡Tarde piaste! —exclamó. —Pero no importa, muchachos. Ustedes van a ver cómo este viejo, tal vez con un pie en la tumba, y sin tal vez, le hace todavía un servicio a su país y a su partido. Es como el rosal de la biblia que ya marchito revive al menor contacto de la mano milagrosa.

Regina entró en el dormitorio y los contempló enojada.

—Esto es lo que quería evitar —dice—. Le hace mal.

—Regina...dejáme vivir... o querés que me pegue un tiro..."

El 23 de marzo, a la medianoche, Marcelo agonizaba. A su lado estaba Regina, contemplando a ese hombre por el cual había dejado todo en la vida. Qué sería ahora de ella, sin esa voz, sin esa presencia. Lo había amado desde aquella noche en que le llenó de flores el camarín del Teatro Politeama, lo había comprendido y hasta lo había perdonado. Pudo escuchar, poco antes de entrar en el sueño agónico, lo que ella ya sabía: "Regina... fuiste el gran amor de mi vida". Y ella se había limitado a tomarle la mano, sin siquiera poder cantarle esas arias de *La Sonámbula* o de *Lucía de Lammermoor* que lo conmovían hasta las lágrimas. Esa música, privadamente cantada, sólo para él, que lo había deleitado a lo largo de treinta y cinco años, ahora podía hacerle mal. Debió callar. Poco después de la medianoche, Marcelo murió. Sólo se oyó un sollozo entrecortado que resonó en ese dormitorio casi monacal.

Regina lo había perdido para siempre.

OCHO

RECLUSIÓN

El primer problema que surgió después de la muerte de Alvear fue protocolar: dónde sería velado. Había quienes opinaban que debía hacerse en Don Torcuato, otros en el Estrugamou, pero finalmente prevaleció el criterio de Regina: se lo velaría en la Casa Rosada, propuesta que había partido del propio presidente Ramón Castillo. Como suele suceder, el día del velorio Marcelo de Alvear parecía no haber tenido un solo enemigo en su vida: ahí estaban los conservadores, los que lo habían atacado, los que habían instaurado el fraude electoral en el país, privándolo de ser nuevamente presidente. Se deshacían en alabanzas, en panegíricos, en loas a ese gran espíritu democrático, a ese patriota excepcional. Hasta el ex presidente Agustín P. Justo, que lo había encarcelado, que le había hecho conocer la sordidez de Martín García, que lo había hecho deportar, se presentó en la Casa Rosada a manifestar sus condolencias.

Francisco Carcavallo, hijo de Pascual —íntimo amigo de Alvear— recuerda haber asistido al velorio. "Reconocí a Justo, vestido con saco negro, chaleco blanco, pantalón de fantasía, polainas y zapatos negros, y su presencia me pareció francamente ofensiva. Me acerqué y le dije de muy mal modo: '¡Cómo se atreve a estar aquí! ¡Váyase antes que lo eche!'. Justo no tuvo otra alternativa que abandonar la casa de gobierno."

Había muerto un ex Presidente, descendiente de próceres. Su abuelo había vencido en Ituzaingó y era la médula de la historia argentina; su padre había transformado a Buenos Aires en una ciudad europea. Cómo estar ausente en el velorio. Por culpa, o por esnobismo, todos aquellos a quienes se les debió haber negado la entrada presentaron sus condolencias a Regina. Y ella las aceptó, a pesar de conocerlos bien, de saber cuánto daño le habían hecho a Marcelo y al país. Así como entendió que sólo podía ser velado en la Casa Rosada —era el lugar que le correspondía— también comprendió que tenía que estar más allá de las ignominias, de las infamias. Como señora de Alvear, como viuda de un ex presidente, como mujer del argentino que más prestigio tenía en Europa, actuó con un notable sentido del protocolo, lo cual no significaba que hubiera olvidado o perdonado.

El traslado de Alvear al cementerio de la Recoleta reveló hasta qué punto el pueblo había sentido esa muerte. El ataúd fue sacado de la cureña y, sostenido por manos anónimas, desfiló por las calles de Buenos Aires, acompañado por consignas, por cantos, por gritos en contra del gobierno. Era el pueblo mismo el que lo acompañaba en su último viaje, a pesar de haber acusado a Marcelo de estar lejos de sus necesidades. Quizá, profundamente, la multitud sintió que había perdido definitivamente la esperanza. Ausente Alvear, quién dirigiría los destinos de esa república errática, en quién creer. La carencia de líderes era absoluta. Por eso, durante el traslado del féretro a la Recoleta, la indignación, el resentimiento de un pueblo se puso de manifiesto y la policía estuvo a punto de intervenir violentamente para apaciguar los ánimos. No fue necesario. Marcelo fue enterrado en la primera bóveda, a la derecha, apenas se ingresa en el cementerio, debajo de Torcuato de Alvear y de Elvira Pacheco, sus padres. Allí descansa.

Pero el impacto de la muerte de Alvear pronto pasó. Al Edificio Estrugamou seguía llegando gente, a darle el pésame a Regina. Ese despliegue de cortesía, ese tener que escuchar y responder, seguramente le ayudó a no pensar en el inminente futuro, en la innegable realidad de que, a los setenta y un años, estaba irremediablemente sola. No siempre, sin embargo, perdonó a quienes la habían ofendido. María Unzué de Alvear, cuñada de Marcelo (viuda de Ángel de Alvear), era en Buenos Aires una suerte de institución: inmensamente rica —su estancia, San Jacinto, tenía setenta mil hectáreas de la mejor tierra—, había dedicado su vida a las obras benéficas. Su palacio en la Avenida Alvear, esquina Libertad, era el epicentro, el *non plus ultra* de la aristocracia: allí no entraban personas divorciadas, ni aquellas de vida ligeramente cuestionable. Era el templo de la elegancia, de la tradición, del catolicismo. María Unzué de Alvear jamás recibió a Regina en su casa: el casamiento de Marcelo con una "cantante" estaba muy por debajo de sus cánones éticos y sociales. Pero el tiempo había pasado, Alvear había muerto y consideró que era hora de acercarse a Regina en otros términos. Decidió ir a visitarla al Edificio Estrugamou, a darle el pésame.

Para Regina, el piso de la calle Juncal no era la Casa Rosada, donde debió recibir las condolencias hasta de

281

sus propios enemigos. Era, sin más, su casa. Y decidió no recibir a María Unzué de Alvear, la primera matrona porteña, la mujer más rica de la Argentina, la que aspiraba a un marquesado pontificio por sus obras de bien. Regina, a esa altura de su vida, no la necesitaba; aún más: podía darse el lujo de elegir a quién, de ahora en más, dirigiría la palabra.

Las visitas de pésame llegaron a su fin. Regina debió enfrentar no sólo la soledad, sino también su precaria situación económica. La gran fortuna de Marcelo, las miles de hectáreas en La Pampa y en Chacabuco, Coeur Volant y hasta las tierras de Don Torcuato se habían esfumado, y el legado se reducía a Villa Regina, en Mar del Plata (hipotecada), la casa de Don Torcuato y los seis lotes, un automóvil Buick 1941, y ciento cincuenta mil pesos. Eso era todo. Para qué seguir viviendo en el Estrugamou, si Marcelo ya no estaba. Qué sentido tenía el conservar muebles, platería, vajilla, pieles, si estaba absolutamente sola. Acaso bien asesorada por Tito Rapallo, que había sido administrador de Alvear, decidió vender gran parte de su mobiliario y, con el producto del remate, construir seis casas pequeñas, para renta, en Don Torcuato. Sin embargo, rematar aquellos objetos que formaban parte de su historia, de su relación con Marcelo, debió haberle sido particularmente doloroso. La subasta se realizó en diciembre de 1942 y estuvo a cargo de la firma Ungaro & Barbará.

Todo lo que había atesorado desde Coeur Volant estaba a la venta. En la sala de remates alternaba *La Francia*, escultura de Rodin, con *Psyché et les amours*, de Falconet y con la gigantesca tapicería de Flandes del siglo XVIII *Acción Guerrera*. El piano Steinway donde habían tocado Paderewsky y Baccahus. La mesa de comedor inglesa que había pertenecido a Torcuato de Alvear, a la cual se habían sentado el general Mitre, Roca, Alem, Yrigoyen; cuando Marcelo la trasladó a París, siendo embajador, comieron alrededor de esa mesa la reina Amelia de Portugal, el príncipe de Gales, el príncipe de Saboya, el mariscal Foch, el mariscal Joffre. Y así, *chiffoniers*, *écrans*, platería, la estupenda colección de objetos chinos, cristal de baccarat, las esculturas de artistas argentinos, como Curatella Manes, Fioravanti y Alberto Lagos, tapados de visón, zorros blancos y grises, martas cibelinas y una capa de chinchilla real. También, una radio-victrola Clarion, empotrada en un mueble de caoba y hasta los prismáticos Zeiss que Marcelo llevaba al hipódromo.

Ya no necesitaba esos objetos. Guardó, en cambio, aquellos muebles de los cuales no quiso desprenderse, por preferencia o por los recuerdos que le suscitaban. Los llevó a Don Torcuato, adonde se recluiría por el resto de sus días. Qué sentido tenía, para ella, vivir en Buenos Aires, hacer vida social, cuando a lo largo de una vida apenas había cultivado un puñado de amigas, cuando había evitado a los porteños que tanto daño le habían hecho. Ahora era una mujer mayor, viuda y sin hijos; se rodearía de aquellas personas que verdaderamente la habían acompañado, es decir, Jeanne, su gobernanta de las primeras épocas de Coeur Volant, y Gabriel, algo envejecido, pero siempre fiel.

Jeanne fue una relación importante en la vida de Regina. Existía, por parte de la gobernanta, una fidelidad, una lealtad y un grado de comprensión que era una característica de la servidumbre de aquella época. Al mudarse a Don Torcuato, Jeanne supo que la situación económica de Regina era paupérrima, si se la comparaba con el tren de vida que habían llevado los

Alvear en Europa. Pero esa francesa que les había dedicado su vida sabía adaptarse a todo. Las épocas de una abundante servidumbre, con tareas específicas, habían pasado y tuvo que desdoblarse en tareas inimaginables en el pasado. Debió hacer trabajos múltiples, como manejar el automóvil, hacer de mucama de *Madame* y pagar las cuentas.

En 1945, Francisco Bengolea y su mujer, Delia Gowland Peralta Alvear —recién casados— vivieron durante dos años en una pequeña casa —living-room y un dormitorio— que les prestó Regina en el parque de La Elvira. Delia la visitaba a diario. Regina se sentaba junto a la chimenea de mosaicos, tejía crochet, mientras su perro, un *skye-terrier*, descansaba por lo general en su falda, a pesar de tener una canasta. Esas conversaciones aún las recuerda Delia Bengolea.

"Regina no era sociable —dice—; cuando vivía en Don Torcuato tenía pocos amigos. La quería mucho a mi madre (Carlota Peralta Alvear de Gowland) y una vez por semana iba a visitarla a Buenos Aires en el Buick. A La Elvira iba poca gente: María Teresa Pearson de Álzaga, madame Liniers, Martín Noel y Elena Necol, Pascual Carcavallo. Eran sus amigos de siempre."

También solía visitarla Guillermo D'Andrea Mohr (ex secretario de Alvear) con su hijo que entonces tenía cinco años. El niño se sienta en una *bergère* en el living y Regina le dice: "Elegís bien: ése era el sillón preferido de Clemenceau". Regina tenía un enorme sentido del humor y hablaba con acento español, usando palabras castizas. Utilizaba algunas —y no muy santas— que le había escuchado decir a Marcelo. En realidad, cuando hablaba de él, siempre se refería a "mi Marcelo". A pesar de que los años habían pasado, hacía comentarios ácidos sobre ciertas señoras de Buenos Aires que, según ella, nunca le habían perdonado su casamiento, por haberles "robado" uno de los mejores candidatos.

Regina, durante aquellos años, desarrolló una pasión por la jardinería. Las rosas rojas y las blancas —las flores preferidas de Marcelo— le absorbían gran parte de la mañana: protegida del sol por un sombrero de paja y con guantes apropiados, las pulverizaba. También daba rígidas instrucciones sobre el cuidado de los rosales a su jardinero, empleado que, por otra parte, estaba azorado con la vitalidad, el emprendimiento de su patrona cuando acometía la jardinería. Esas rosas, pulcramente cuidadas, las llevaba Regina todos los días 23 del mes a la Recoleta, un rito que sólo interrumpió en los últimos años de su vida, cuando su mala salud se lo impidió. En la bóveda de los Alvear se sentaba en una silla blanca (que aún está), depositaba las rosas en la tumba de Marcelo y permanecía sola, rezando o acaso recordando otras épocas. Luego, solía invitar a uno de los cuidadores de la bóveda a un restaurante en la calle Guido, próximo al cementerio.

Otra de las pasiones de Regina era la mesa. Acostumbrada, durante años, al refinamiento de Marcelo, a la sofisticación europea, en Don Torcuato reproducía ese estilo impecable. En el comedor, la mesa de caoba estilo colonial, las sillas tapizadas en cuero, los grabados ingleses, las estanterías con porcelanas que habían pertenecido al general Alvear, los candelabros de cristal, los pájaros de porcelana con picos de rubí eran ahora su mundo, los objetos con los cuales había decidido convivir. Delia Bengolea almorzaba a menudo con ella, en esa mesa impecablemente servida, con los platos refinados que preparaba Jeanne, sobre todo pescado, una debilidad de la dueña de casa.

La galería se abría al jardín, donde todo era nuevo: los árboles, los ligustros, los rosales. Contempló ese escenario en el cual viviría hasta su muerte y la punzó un agudo, inesperado, sentimiento de soledad. No tenía a nadie. Su madre, sus hermanos, Lisboa, Marcelo, la habían dejado y sólo poseía esa casa relativamente modesta y a la moda estilo californiano, con techos de tejas— y los recuerdos de una vida deslumbrante, poblada de cambios, de viajes, de honores. La quinta de Don Torcuato —sencilla, si se la comparaba con Coeur Volant— le producía, sin embargo, una rara paz. Observó cómo el jardinero podaba prolijamente los rosales que Marcelo había adorado y sintió que ésa era realmente su casa. Ella era dueña y señora de ese pequeño mundo en las afueras de Buenos Aires y, para vivir, le bastaban los recuerdos.

Escuchó la música que provenía del living y descubrió su propia voz acometiendo un aria de Elixir de amor. Jeanne no había perdido la costumbre de poner esos discos. Su voz le pareció remota, como si hubieran transcurrido siglos: sonrió mientras recordaba escenarios, camarines llenos de flores y el aplauso intoxicante después de caído el telón. Qué lejanos estaban aquellos días y, sin embargo, esa aria que ahora escuchaba le había devuelto efímeramente la juventud. Sintió la ausencia de Marcelo —irremediable, definitiva— y los ojos se le empañaron de lágrimas.

Jeanne ingresó a la galería y la descubrió emocionada. Quizá, pensó, no debió haber puesto ese disco. Regina preguntó si el almuerzo estaba listo y se dirigió al come-

dor, a ocupar la cabecera de una mesa desolada. Pero la reconfortaba ocupar ese lugar, aun estando sola. Reconocía los platos, los cubiertos, la araña que la habían acompañado a lo largo de casi una vida, y esos objetos adquirían un sentido único, como si le devolvieran el pasado, intacto. Los platos de Limoges, comprados una mañana en la rue de Beaune (los había elegido ella, mientras Marcelo aprobaba silenciosamente la elección); los cubiertos de plata Tétard que había usado en Coeur Volant —los preferidos de Marcelo— aún estaban allí reafirmando ese pasado.

Recordó los consejos de algunas amigas y sonrió como si le hubieran sugerido un desatino. No necesitaba llenar el día de actividades, vida social y obras de beneficencia para paliar la soledad. Ellas acaso no comprendían que el silencio de Don Torcuato, el recuerdo de Marcelo apilando las cerámicas cuando se construía la casa, los rosales rojos y blancos, los eternos objetos le bastaban para vivir.

Esa noche, abrió el álbum de fotografías, como si necesitara recorrer nuevamente aquellos caminos de la memoria. La mera visión de Felicia, de Constanza y de José en Coeur Volant le produjo una curiosa ternura. Y aquella vez que fueron a la playa en Estoril, acaso en el verano de 1900, fotografiados en el coche a caballos que había alquilado Marcelo. Lo recordaba con sorprendente precisión, con primigenia emotividad.

No necesitaba ni la febril actividad ni el abundante dinero para seguir viviendo. Sólo ese espacio con sus fantasmas.

Regina, a pesar de su situación económica, vendió un costoso collar que había sobrevivido al remate de

Ungaro & Barbará y algunas otras alhajas menores. No lo hizo para vivir mejor ni para pagar cuentas atrasadas. Lo hizo para construir una pequeña iglesia, en Don Torcuato, que se llamaría San Marcelo. Qué fácil les había resultado a ciertas matronas porteñas erigir iglesias: Mercedes Castellanos de Anchorena, el Santísimo Sacramento; María Unzué de Alvear, Santa Rosa de Lima; Adelia María Harilaos de Olmos, Las Esclavas. Les bastó con firmar un cheque. Regina, en cambio, quiso desprenderse de sus últimas alhajas. San Marcelo es una simple capilla y fue hecha por el arquitecto Martín Noel. Regina, que asistía a misa los domingos, hizo poner en las campanas dos medallas de oro de la Presidencia para que sonasen mejor. El cura párroco, quizás impresionado por la presencia de doña Regina Pacini de Alvear, se extremaba en su prédica. Regina, una vez terminado el servicio, le comentaba a Delia Bengolea: "Este cura debería acortar el sermón". La construcción de San Marcelo respondió a tres motivos: su sentimiento religioso; su deseo de perpetuar la memoria de su marido y, también, mostrar la misma generosidad que había visto en Marcelo a lo largo de su vida. Alvear había regalado los terrenos para la estación ferroviaria de Don Torcuato y, más aún, las hectáreas para el Club Central Córdoba, que luego se transformó en el Hindú Club, a pesar de haber disminuido notablemente su fortuna.

Con los años, Regina se volvió intolerante. Creyó que la iglesia le pertenecía, por el hecho de haber aportado los fondos para su construcción. En una oportunidad, asistiendo a misa de nueve, escuchó un coro de niños que, curiosamente, la irritó. Con qué autorización cantaban, desconcentrándola, impidiéndole rezar. Ella asistía a misa no sólo por su alma, también para estar cerca de Marcelo, rezar por su memoria. Los niños, sus voces chillonas, la perturbaban. Se quejó ante el cura párroco, ordenándole que hiciera cesar los cantos. Pero el sacerdote, imperturbable, le explicó que esa era la casa de Dios, no la de Regina Pacini de Alvear. Los niños tenían derecho a estar en la iglesia, tanto como ella.

Regina, viuda, vivió veintitrés años en La Elvira. Había visto a Marcelo construir esa casa, preocuparse por los planos, por las baldosas, por los mosaicos, con el amor y el entusiasmo de aquel que posee algo por primera vez. Una vez concluida, Alvear sólo la habitó quince días antes de su muerte. Ella, en cambio, durante veintitrés años, pudo vivir de los recuerdos. Cómo olvidar el Teatro Real de Lisboa y aquel memorable debut hacía casi un siglo. O su primer viaje a Buenos Aires, cuando cantó en el Politeama y conoció a Marcelo. Podía recordar Coeur Volant, las fiestas, los permanentes viajes, y también aquellos amargos momentos al cruzar el Río de la Plata rumbo a Martín García. Pero, con el tiempo, ya no recordó más. La esclerosis de las arterias y un espasmo cerebral que le hacía creer que Marcelo estaba de viaje la desconectaron del mundo y de su propia memoria. Ya ni siquiera recordaba a Felicia, esa madre que la había sostenido en los momentos de lucha, ni a Constanza, su compañera de juegos en la rua de Emenda, ni a José. Cuidada por dos colaboradores, Carmen Melé y José Valverde, vivió sus últimos años en Don Torcuato, ayudada económicamente por una pensión que le había otorgado el gobierno de Arturo Frondizi.

El 18 de septiembre de 1965, a los noventa y cuatro años, falleció. Su cuerpo, frágil y pequeño, fue trasladado al féretro en brazos de Francisco Bengolea.

Regina había hecho testamento. Quería favorecer a una orden religiosa en Belgrano. Sin embargo, ya anciana, revocó el testamento y su único heredero fue Néstor Fernández Llanos, que entonces era su abogado. La Elvira se vendió y todos sus objetos y muebles de valor se subastaron. Helena Blaquier de Fernández Llanos depositó en manos de Iris Marga, en la Casa del Teatro, sólo unos pocos álbumes con fotografías, libros y viejos programas de teatro.

A Regina, después de muerta, se le impuso una última humillación, posiblemente no deliberada. Fue enterrada en el cementerio de la Recoleta, en el panteón de los Alvear pero, durante dos años, el féretro permaneció en el suelo, en las profundidades de la bóveda. Un día fue colocada en el nicho contiguo a Marcelo.

Desde ese momento, descansa junto a él.

BIBLIOGRAFÍA

ALEN LASCANO, LUIS C.: "La Argentina ilusionada", Ediciones La Bastilla, Bs.As. 1977.

ALONSO, BEATRIZ: "La presidencia de Alvear". Biblioteca Política Argentina, Centro Editor de América Latina, Bs.As. 1983.

ALVEAR, MARCELO T.: "De los albaceas". Universidad Nacional de la Capital, Imprenta de Pablo E. Coni e hijos, Bs.As. 1891.

ALVEAR, MARCELO T.: "Carta abierta al general Justo".

ALVEAR, MARCELO T. DE: "Democracia". M. Gleizer Editor, Bs.As. 1936.

ALLENDE, ANDRÉS; PÉREZ AZNAR, ATAÚLFO; SOMMI, LUIS V.; BECERRA, OLEGARIO; BABINI, JOSÉ; ETCHEPAREBORDA, ROBERTO; GHIANO, JUAN CARLOS; MIGNONE, EMILIO F.; RODRÍGUEZ BUSTAMANTE, NORBERTO; PAYRO, JULIO R.; CÚNEO, DARDO: "La crisis del 90".

APELLÁNIZ, MARIANO A. DE: "Callao 1730 y su época". Edición del autor, Bs. As. 1978.

BAROJA, PÍO: "Las noches del buen Retiro". Madrid, Espasa-Calpe, 1934.

BECCAR VARELA, ADRIÁN: "Torcuato de Alvear, Primer Intendente Municipal de la Ciudad de Buenos

Aires. Su acción edilicia". Guillermo Kraft, Bs. As. 1926.

CALVO CARLOS: "Nobiliario del Virreynato del Río de la Plata", Bs. As. 1936.

CLEMENCEAU, GEORGES: "Notes de voyage dans l'Amerique du Sud". Hachette, París, 1911.

DAIREAUX, EMILIO: "Vida y costumbres en el Plata". Félix Lajouane, editor. Bs.As. 1888.

DEL MAZO, GABRIEL: "El radicalismo". Ediciones Gure, Bs. As. 1957.

EÇA DE QUEIROZ: "El Mandarín. La ilustre casa de Ramires". W. M. Jackson Inc. Bs.As. 1954.

EÇA DE QUEIROZ: "Los Maias". Biblioteca Mundial Sopena.

ETCHEGOYEN, FÉLIX: "El monóculo de Eca de Queiroz". Bs. As. 1954.

FERNÁNDEZ, LALANNE PEDRO: "Los Alvear", Emecé, Bs.As. 1980.

FOPPA, TITO LIVIO: "Diccionario Teatral del Río de la Plata". Argentores, Ediciones del Carro de Tespis. Bs. As. 1961.

GALLARDO, ÁNGEL: "Memorias para mis hijos y nietos". Academia Nacional de la Historia, Bs.As. 1982.

GOLDSTRAJ, MANUEL; "Años y errores". Editorial Sophos, Bs. As. 1957.

GOLDSTRAJ, MANUEL: "El camino del exilio". Librerías Anaconda, Bs.As. 1935

GONDRA LUIS ROQUE, PALACIOS ALFREDO L., CARLÉS MANUEL: "El proceso Alvear". Editorial Claridad, Bs. As. 1933.

GRECA, ALCIDES: "Tras el alambrado de Martín García". Editorial Tor, Bs.As. 1934.

JITRIK, NOÉ: "El 80 y su mundo", Editorial Jorge Álvarez, Bs.As., 1968.

LENCINAS, JOSÉ HIPÓLITO: "El fracaso del Dr. Alvear". La Montaña, 1936.

LOBATO, GERVASIO: "Homenagem a Regina Pacini", Lisboa, 1888.

LOBATO, GERVASIO: "Lisboa en camisa". Parcería Antonio María Pereira, Lisboa, 1919.

LUNA, FELIX: "Yrigoyen", Editorial Desarrollo, Bs. As. 1964.

LUNA, FÉLIX: "Alvear", Editorial Sudamericana, 1988.

LYNCH, JOHN: "Juan Manuel de Rosas", Emecé Editores, 1984.

LUZURIAGA, RAÚL G.: "Centinela de libertad", Bs.As. 1940.

ORTIZ, RICARDO M.: "Historia Económica de la Argentina". Plus Ultra, Bs. As. 1974.

PEDROTTA, ANTONIO: "Marcelo T. de Alvear".

QUEIROZ VELLOSO, EDUARDO: "Roteiro das ruas de Lisboa". Lisboa, 1875.

ROMERO, JOSÉ LUIS: "Las ideas políticas en Argentina". Tierra Firme, Bs.As. 1959.

RAMOS, JUAN BAUTISTA: "La tragedia de una algarada". Editorial Radicalismo Nuevo, Bs.As. 1940.

ROSA, JOSÉ MARÍA: "Historia Argentina". Editorial Juan Carlos Granda, Bs.As. 1969.

ROSENTHAL: "Two centuries of opera at Covent Garden", Putnam, 1956.

SÁENZ QUESADA, MARÍA: "Los estancieros", Editorial de Belgrano, Bs.As. 1985.

SAROBE, JOSÉ MARÍA: "Memorias sobre la revolución del 6 de septiembre de 1930". Ediciones Gure, Bs.As. 1957.

Revista de Historia, Bs.As. 1957.

SCHONBERG, HAROLD C.: "Los virtuosos". Javier

293

Vergara Editor, Bs.As., 1986.

STEIN, GERTRUDE: "The Autobiography of Alice B. Toklas", Penguin Books.

TOBAL, GASTÓN FEDERICO: "De un cercano pasado". Bs.As. 1950

VIALE, CÉSAR: "Estampas de mi tiempo". Casa Editora Julio Suárez. Bs. As. 1945.

VICUÑA SUBERCASAUX, BENJAMÍN: "La ciudad de las ciudades". Sociedad Imprenta y Litografía Universo. Santiago de Chile, 1905.

ÍNDICE

Rosendo Fraga
El general Justo

El general Agustín P. Justo, presidente entre 1932 y 1938, fue un hombre clave y polémico pero no había merecido hasta hoy ninguna biografía. *Rosendo Fraga* llena este vacío con un trabajo ampliamente documentado.

Diana Piazzolla
Astor

Astor Piazzolla es una figura capital de la música argentina actual. Su hija *Diana* ha encarado de un modo muy particular la biografía de su padre, un hombre original y carismático. Con testimonios de amigos y músicos, fotos y reflexiones del propio *Piazzolla*.

SERGIO PUJOL
Jazz al Sur
La música negra en la Argentina

Historia del jazz en la Argentina a lo largo de setenta años. Desfilan Oscar Alemán, Gato Barbieri, Mono Villegas y visitantes prestigiosos como Louis Armstrong, Duke Ellington y Dizzy Gillespie, cultores de una de las expresiones musicales actuales más notables del siglo XX.

ALICIA DUJOVNE ORTIZ

Maradona
soy yo

Alicia Dujovne Ortiz -escritora argentina radicada en París- recrea la trayectoria de Maradona interrogando a sus relaciones, al público y al propio Diego. Mitad reportaje, mitad peregrinación íntima, *Maradona soy yo* intenta explicar un destino realmente excepcional.

Otros Títulos
en esta colección
